L'art de la séduction

ANNE MALLORY

LES SECRETS - 1

L'art de la séduction

*Traduit de l'américain
par Béatrice Pierre*

AVENTURES
& PASSIONS

Vous souhaitez être informé en avant-première
de nos programmes, nos coups de cœur ou encore
de l'actualité de notre site *J'ai lu pour elle* ?

Abonnez-vous à notre *Newsletter* en vous connectant
sur **www.jailu.com**

Retrouvez-nous également sur Facebook
pour avoir des informations exclusives :
www.facebook/pages/aventures-et-passions
et sur le profil *J'ai lu pour elle*.

Titre original
SEVEN SECRETS OF SEDUCTION

Éditeur original
Avon Books, an imprint of HarperCollins Publishers, New York

© Anne Hearn, 2010

Pour la traduction française
© Éditions J'ai lu, 2012

À Bella Andre,
pour les grandes claques dans le dos,
les « ah, ah ! » et les nombreux beignets partagés.
Un jour, je t'obligerai à manger la partie
qui n'est pas recouverte de sucre glace.

Remerciements

Mille mercis, comme d'habitude, à maman, May Chen et Matt – les trois redoutables M.

Un merci tout particulier à May pour le titre (d'où a surgi l'histoire). Depuis qu'il a fusé lors d'une séance de travail pour un livre précédent, il ne m'a plus lâchée.

Merci à Amanda Bergeron, Karen Davy et Sara Schwager pour leur compétence en matière de correction et d'édition.

Et merci aussi à Bill, Chris, Chris, Ed, Flo, Gabi, Grace, Janet, Josh, Maureen, Matt, Nyree, Robert, Shannon et Teresa, qui m'ont tous aidée à travailler, ne fût-ce qu'en me laissant dormir après toute une nuit de labeur. Et je n'oublie pas S.

1

Secret n° 1 : Toute bonne entreprise de séduction commence par un hameçon bien appâté.

Les sept secrets de la séduction

Londres, 1820

Accoudée au vieux comptoir en bois poli par les ans, Miranda Chase dévorait un livre tout en enroulant une mèche autour de l'index. Le frottement de l'ongle sur ses cheveux faisait un bruit délicieusement rythmé.

— Cours, murmurait-elle. Non, pas vers le jardin – c'est justement là qu'il veut t'emmener. Cours vers la tour. Enferme-toi. Verrouille la porte.

Hélas, l'héroïne s'enfonçait dans un labyrinthe de haies qui, s'il ne la menait pas à la liberté espérée, la livrerait aux griffes fatales de son persécuteur.

Une voix masculine traversa l'une des haies :

— Où puis-je trouver les ouvrages sur les sciences ?

Elle sentait le souffle du gredin se rapprocher de l'héroïne.

Sans lever les yeux de son livre, Miranda indiqua du doigt un coin de la librairie.

— Troisième rayonnage à partir de la droite.

Le client renvoyé dans le labyrinthe de haies, elle revint à l'héroïne. Son poursuivant n'était qu'à un mur épineux de distance. S'il tournait à droite...

— Et les livres sur...

— Hmm ? murmura-t-elle, agacée.

Cet imbécile de Peter s'était arrangé pour tomber malade, lui laissant le service de fin d'après-midi, alors qu'elle venait de recevoir ce roman fraîchement imprimé. Elle ne l'avait plus quitté depuis. Les clients imprévus étant rares à cette heure tardive, elle n'avait pas protesté lorsque son oncle lui avait demandé de rester.

— Les livres sur...

Le scélérat tourna à droite. Bien sûr. Miranda secoua la tête. Elle avait pourtant conseillé à l'héroïne de s'enfermer dans la tour au lieu de s'enfuir comme une sotte.

— Mademoiselle, vous écoutez ?

La voix avait une tonalité un peu rauque, comme si son propriétaire émergeait tout juste du sommeil après une folle nuit de débauche. Une voix troublante, semblable à celle du prédateur du roman, tandis que le héros, un gentilhomme aux manières franches, avait une voix claire et posée. Hélas, c'était l'homme à la voix troublante qui avait séduit l'héroïne. Alors même que Miranda lui avait dit de ne pas lui faire confiance.

— Mademoiselle ?

— Mmm.

L'infâme séducteur approchait.

— Où sont les livres sur…

Était de l'amusement ou de la raillerie qui perçait dans son ton ? En dehors des habitués, il était rare qu'un client lui adresse la parole, sinon pour passer commande, payer ou récupérer ladite commande. Il était encore plus rare d'entendre ce genre de voix aristocratique – dont le ton était d'ordinaire soit ennuyé soit irrité. En général, ces gens-là ne s'abaissaient pas à consulter la plèbe.

Là, en revanche, il y avait quelque chose de caressant dans le timbre curieusement chaleureux. Comme si son propriétaire s'adressait à elle, et non à quelque employée anonyme. Il lui manquait aussi la tonalité nasale des messieurs qui tentent de masquer leurs lacunes en matière de littérature en coupant court à toute discussion par la morgue du « noblesse oblige ».

En leur présence, mieux valait feindre l'ignorance – ce qu'elle trouvait parfois difficile. Calme, douce, humble, consciencieuse, telle était Miranda Chase, nièce et employée d'un vieux libraire. Elle jugeait préférable de dépenser son énergie dans sa correspondance.

Mais cette voix… voilée n'évoquait ni la discussion ni le conflit, mais plutôt les salles de bal et les alcôves.

Miranda fit un effort et revint à l'instant présent. Qu'avait demandé ce client ?

— … l'érotisme.

Laissant l'héroïne le dos aux mûriers, Miranda s'arracha à la lecture de son roman. Son regard buta sur un vêtement noir et une cravate d'un blanc éblouissant. La mèche avec laquelle elle jouait glissa de son doigt et la main qui tenait le livre s'abattit sur le comptoir. Tout en battant le rappel des leçons de sa mère en matière de décence et de prudence, Miranda se racla longuement la gorge.

— Je vous demande pardon ?

— Ah, enfin, vous faites attention à moi !

De l'amusement, oui. De la raillerie, absolument.

— J'ai dû reformuler ma question de trois manières différentes, et, bizarrement, c'est la dernière qui a capté votre attention, remarqua-t-il avec un haussement de sourcils. Votre réponse ?

— Vous m'avez demandé l'érotisme, monsieur ?

Un sourire étrange retroussa les lèvres de l'inconnu.

— J'ai demandé où trouver des livres sur l'érotisme. Mais si vous désirez vous passer de la théorie et aller directement à la pratique, j'en serais enchanté.

Elle le fixa du regard. C'était plus fort qu'elle. Ce n'était pas tous les jours qu'un homme aussi bien habillé entrait dans la boutique de son oncle. Et ce n'était assurément pas tous les jours qu'un homme aussi… – elle chercha le mot juste, consciente du regard qui pesait sur elle – aussi viril lui faisait une remarque inconvenante. Georgette, qui s'habillait de façon à attirer les regards masculins en avait peut-être l'habitude, mais pas Miranda Chase.

Elle baissa les yeux sur sa robe. Tout était à sa place. Ni décolleté bâillant, ni ourlet retroussé. Rien susceptible de faire naître de mauvaises pensées chez un homme.

L'inconnu inclina la tête de côté, un sourire amusé toujours en place sur son visage dont les traits semblaient avoir été ciselés avant d'être polis avec amour. Le tranchant sous le vernis.

— Êtes-vous en train de vérifier si vous portez la tenue adéquate ? s'enquit-il.

Incrédule, ahurie, elle continua de le fixer.

— Vous vous sentez…

Elle s'interrompit et tenta de sonder le regard sombre de son interlocuteur.

— Vous vous sentez bien, monsieur ?

— Tout à fait bien, oui.

Miranda étudia les vêtements parfaitement coupés et la silhouette élancée. Même dans la pénombre, cet homme avait quelque chose d'un prédateur. L'attention intense qu'il lui accordait, l'assurance avec laquelle il s'appuyait au comptoir, la vivacité que l'on percevait dans son regard faussement indolent…

Georgette aurait battu des cils et découvert une cheville, tout en décochant un coup de coude dans les côtes de Miranda pour qu'elle l'imite.

L'homme était une étude en noir et blanc. Les dernières lueurs du soleil qui traversaient les vitres poussiéreuses soulignaient la pâleur de son profil gauche qui se détachait sur le fond sombre de la librairie.

Quant à ses mains…

— Et vous, vous vous sentez bien, mademoiselle ?

L'accent légèrement railleur était de retour. Les rêveries de Miranda s'interrompirent brutalement.

— Tout à fait.

Elle glissa un bout de papier dans son livre et le referma, la couverture contre le comptoir. Cet homme n'était qu'un client. Il partirait dès qu'il aurait trouvé ce qu'il voulait. C'était aussi simple que cela. Elle sourit avec affabilité.

— À présent, que puis-je faire pour vous ?

Un coin de la bouche de l'homme se retroussa et ses yeux se posèrent sur le livre.

Il avait de belles lèvres, remarqua-t-elle malgré elle. Pleines, bien dessinées. Pas du tout austères.

— Monsieur ?

— Que lisez-vous, là ?

Embarrassée, elle entreprit de rectifier les piles des livres disposés sur le comptoir – les titres les plus demandés.

— Nous avons quelques très bonnes nouveautés. Puis-je vous aider à en choisir une ?

— Je voudrais un exemplaire du livre que vous êtes en train de lire.

L'autre coin de sa bouche se releva.

Lire ce roman en public était un risque, elle aurait dû le savoir, mais l'envie de s'y plonger avait été la plus forte.

Elle s'arrima résolument à son sourire, lèvres crispées, regard fixe.

— Je regrette, nous n'avons pas d'autre exemplaire. Y a-t-il autre chose…

— Pas d'exemplaire ? Nous sommes dans une librairie, non ?

Il regarda autour de lui les haies de rayonnages remplis de livres. Sa main droite, laquelle n'était pas gantée, remarqua soudain Miranda, caressait le comptoir poli par les ans.

— Si. Et nous pouvons vous commander ce que vous voulez. Mais ce livre-là n'a pas encore été imprimé en grand nombre, il vous faudra attendre un peu, je le crains, expliqua-t-elle en coinçant une mèche derrière l'oreille.

— Alors comment en avez-vous obtenu un exemplaire ? s'étonna-t-il en touchant la reliure d'un doigt furtif. De celui-ci en particulier ?

Le doigt nu s'aventura plus loin et effleura la main gantée de Miranda. Le cœur de la jeune fille en rata au moins deux battements.

— Je... euh... eh bien, j'ai eu de la chance, bafouilla-t-elle.

C'était une édition en avant-première du dernier roman gothique d'un auteur dont les œuvres faisaient fureur. Et, vu son expression moqueuse, l'inconnu le savait. En général, les hommes n'aimaient pas ce genre de littérature. Comme s'ils pressentaient que le piège de l'autel les attendait à la dernière page, ou bien comme s'ils craignaient de sombrer dans les abysses de l'âme féminine.

— Attendre, alors que c'est ce livre-là dont j'ai envie ? Je n'ai pas cette patience.

Elle hocha la tête, tout en se retenant d'aller toucher l'endroit qu'il avait effleuré. Il y avait quelque chose chez cet homme qui lui mettait les nerfs à vif. Un regard pénétrant, indiscret.

— Je comprends, dit-elle. Comme je l'ai dit, nous pouvons vous réserver ce livre dès qu'il sera mis en vente.

L'homme se déplaça légèrement et la pénombre engloutit un côté de sa chemise, rendant l'autre encore plus éblouissante. De manière inexplicable, elle avait le sentiment que le noir absolu lui rendrait tout autant justice – et pas seulement au sens physique.

— Si vous payez un supplément, on vous le livrera dès réception.

Il allait sûrement cesser ce petit jeu. Le livre ne l'intéressait pas. Il n'y avait même pas pensé avant de la voir le dévorer.

— Je vous en propose deux livres.

La main de Miranda se figea sur la reliure en cuir.

— Pardon ?

— Deux livres. Tout de suite.

À ce tarif, elle pourrait s'offrir quantité de livres. Ou bien une robe neuve. Ou encore... La main de l'inconnu plongea dans sa poche, tandis que son regard la fixait avec une espèce de cynisme las.

Deux livres. Quelle tentation !

Cependant, quelque chose d'indéfinissable la poussait à demeurer sur ses gardes.

En fait, tout chez cet inconnu la poussait à demeurer sur ses gardes. Un homme élégamment habillé, bien que dans un style austère, mais qui ne portait pas de gants ? C'était inhabituel, inquiétant même.

— Non merci, je...

— Quatre livres.

— ... voudrais...

— Vingt livres, alors.

Miranda faillit s'étrangler. Vingt livres. Elle ne gagnait pas vingt livres par an. Il devait être possible de harceler l'éditeur et d'obtenir un autre exemplaire. Pour vingt livres.

Mais cet exemplaire-ci était un cadeau. La tête lui tournait depuis qu'elle l'avait reçu. Et, arrivée à un passage crucial, elle ne trouverait pas le repos tant qu'elle n'aurait pas lu la suite. Est-ce que ce client tyrannique attendrait qu'elle ait obtenu un autre exemplaire ? s'interrogea-t-elle. Pour cinq livres, l'un de ses contacts dans le milieu des imprimeurs pourrait lui en fournir un. Sauf qu'elle savait d'instinct que l'homme en face d'elle n'accepterait pas un tel arrangement.

Tout, dans son attitude et son regard cynique, le lui disait. Il paierait les vingt livres sans barguigner. Mais n'attendrait pas. Pour lui, c'était un jeu.

— L'offre est généreuse, mais je dois la décliner.

Refuser vingt livres était douloureux. Chaque penny mis de côté la rapprochait de son rêve –

voyager – et vingt livres étaient plus que quelques pennies. Mais elle aimait ce livre. Et le recevoir avait été un plaisir inattendu. Elle visiterait le Continent un jour – elle ferait le Grand Tour projeté et annulé des années plus tôt.

D'un geste machinal, elle frotta la cicatrice sur sa cuisse. « Profite de la vie maintenant », lui souffla une petite voix.

— Je suis désolée, mais ce livre me plaît beaucoup et j'ai l'intention de le terminer.

Elle se pénétra de sa déclaration, qui écartait toute hésitation, et sentit ses épaules se détendre et son sourire devenir plus naturel.

Le regard de l'inconnu s'assombrit, et sa posture se raidit.

— Voyons, vous cherchiez des livres sur… voyons… les sciences. Et… des études plus intimes ?

Elle avait cru que, devenue amie avec Georgette, elle ne rougirait plus, mais voilà que la maudite chaleur revenait lui envahir les joues. *Flûte.* Il y avait des clients pour ce genre de livres, et son oncle en conservait un petit stock dans l'arrière-boutique. Du reste, cette littérature avait du succès depuis peu, et il n'y avait pas de quoi rougir. Sauf que, d'ordinaire elle devait servir des femmes gloussantes, ou des hommes au regard fuyant qui ne cherchaient nullement à engager la conversation.

Pas des individus qui laissaient entendre qu'ils excellaient dans ce domaine.

Il arqua un sourcil, et reprit une attitude nonchalante, tandis que son regard demeurait indéchiffrable derrière son amusement feint.

— Vous avez un rayon qui offre théorie et pratique ? Sois sage, ô mon cœur éperdu.

Elle le regarda franchement.

— Vous avez besoin de conseils en matière d'érotisme ?

Il y avait des moments où sa tendance à lâcher abruptement ce qui lui passait par la tête était utile. Malheureusement, ces moments étaient rares. C'était la raison pour laquelle, la plupart du temps, mieux valait se taire. Sa mère le lui avait dit et répété.

Il déplaça de nouveau son grand corps, tel un prédateur s'amusant avec un pauvre petit animal stupide. Il sourit, un sourire viril qui provoqua d'étranges réactions dans l'estomac de Melinda.

— Je ne crois pas, répondit-il. Même si c'est devenu un passe-temps à la mode ces derniers temps.

— Oh ?

Du doigt il désigna la petite pile de livres à côté d'elle.

— *Les sept secrets de la séduction* ? fit-elle. Vous en voulez un exemplaire ?

— Pas pour le moment, non. C'est un livre stupide.

Ce qu'elle aussi avait pensé en le recevant. Puis elle l'avait lu à la lueur de la bougie, dans sa chambre, et avait révisé son jugement.

— Je le trouve charmant.

— Vous trouvez charmant un livre sur la séduction ?

— C'est une œuvre charmante, foisonnante, et qui enseigne comment se réaliser et s'épanouir.

Ces mots, qu'elle connaissait par cœur à force d'avoir défendu le livre devant des messieurs grincheux et des clientes scandalisées, étaient sortis spontanément.

L'étrange sourire réapparut, comme s'il la trouvait vraiment bizarre.

— Une œuvre foisonnante ? Est-ce une façon courtoise de dire bouffie ?

— Non, non, protesta-t-elle et, dans sa véhémence, elle heurta le comptoir de la hanche. Elle foisonne, voilà tout.

— J'ignorais qu'un livre pouvait foisonner. Et que se passe-t-il quand il est trop plein ? Il déborde ? De charmants chatons tombent de la couverture.

Il jeta un regard suspicieux sur la pile de livres comme s'il craignait d'en voir bondir la mère des chatons.

— Vous n'êtes pas drôle, dit Miranda en pianotant sur son roman gothique.

— Eh bien, je trouve que vous, vous l'êtes.

Il se pencha un peu plus sur le comptoir.

— Comment vous appelez-vous ?

Elle en resta muette une seconde, tandis que son estomac exécutait un étrange petit bond.

— Voilà qui est sans rapport avec notre discussion, monsieur.

— Nous étions en train de discuter ? Oh, pardon.

L'excuse, si l'on pouvait l'appeler ainsi, avait été offerte sur un ton qui indiquait qu'il prononçait souvent le mot mais rarement avec sincérité.

— Fourbe, lâcha-t-elle.

Il eut un sourire ravi – si tant est qu'un tel homme puisse être ravi tout en conservant cette masculinité déstabilisante.

Elle était loin d'être en terrain confortable. Le plus sage eût été de plonger le nez dans son roman. Mais une pointe de curiosité la poussait à se rapprocher du bord de la falaise.

— Fourbe, répéta-t-il en écho tout en l'étudiant. Je pense que je dois vraiment savoir comment vous vous appelez à présent.

— Ce livre est foisonnant d'idées, reprit-elle dans une ultime tentative pour revenir à la conversation.

Il y a de belles choses qui attendent d'être découvertes.

Il tapota du doigt sur le comptoir sur un rythme lent.

— Je suis d'accord.

Le regard qu'il lui jeta fit s'arrêter brièvement son cœur et le bord de la falaise recula vers elle, incitant à jeter un coup d'œil dans l'abîme.

— Jaillissant du sol, dit-elle faiblement.

— Telles les fleurs champêtres qui sortent de la terre froide, sauvages et libres.

Son doigt dessina une longue courbe sur le bois, mais ses yeux sombres étaient tout sauf froids.

— J'aime ce qui est sauvage et libre.

— Vraiment ? fit-elle d'une toute petite voix.

— Et les fleurs en bouton qui attendent de s'épanouir.

Il se redressa et ouvrit les mains pour représenter l'épanouissement d'une fleur.

— Que ce soit grâce à la révélation d'un secret ou sous la caresse d'une main chaude et sûre.

Elle pouvait presque sentir, malgré son gant, la chaleur du doigt qui avait effleuré sa main. Elle fit une dernière tentative pour s'arrimer de nouveau à la réalité.

— Les secrets une fois révélés ne servent plus à grand-chose.

Et c'était bien dommage, car l'idée qu'ils existent était charmante en soi.

Il cala le menton dans le creux de sa paume.

— Ainsi, vous doutez qu'en utilisant ces tactiques, je parvienne à vous séduire ?

Elle l'imagina sans peine en train d'essayer de la séduire.

— Je ne crois pas que cela suffise, non.

— Voilà qui consternerait l'auteur, dit-il.

Et l'idée parut l'enchanter.

Elle s'ébroua. Il était temps de se ressaisir.

— Allons donc. Il est évident que ce livre comporte plusieurs niveaux de lecture. Certaine peuvent y voir une méthode pour éviter d'être séduit. Pour reconnaître les armes des séducteurs des deux sexes. Pour amener l'innocent à voir clair.

— Vous ne croyez pas vraiment à cette sottise, n'est-ce pas ? La vérité, c'est que l'auteur cherche à scandaliser et à gagner de l'argent dans la foulée. Et ça marche, acheva-t-il en désignant du menton la pile d'exemplaires du livre en question.

— J'ai encouragé l'auteur à ne pas cacher son véritable objectif dans son prochain ouvrage.

— Vous avez dit à l'auteur quel volume bouffi – pardon, foisonnant – il a pondu ? s'esclaffa-t-il. Bravo. Le pauvre homme doit être en train de sangloter dans son boudoir à fanfreluches roses.

— Sûrement pas. Eleuthérios est un homme intelligent et d'une grande finesse.

— Dans un boudoir rose.

— Je doute qu'il ait un boudoir, rose ou bleu.

Plutôt un cabinet de travail rouge. Avec des dorures. Une pièce impressionnante.

— Vous interrogez-vous souvent sur ce à quoi doit ressembler le sanctuaire des messieurs ? demanda-t-il, amusé.

Pour le moment, elle était surtout occupée à dissiper la brume dans laquelle elle avait l'impression de flotter.

— Sous l'aspect commercial, *Les sept secrets de la séduction* enseigne aux gens à voir la beauté qui les entoure, dit Miranda en martelant le comptoir sur un rythme martial.

— À vous entendre, ça a l'air un peu compliqué pour un manuel d'érotisme.

— Ce n'est pas uniquement un manuel d'érotisme. Du reste, si ce n'était que cela, ce livre n'aurait aucun succès.

— Je ne sais pas, fit l'homme, l'air dubitatif. L'autre jour, j'ai entendu quelqu'un raconter qu'il avait séduit trois servantes en trois jours grâce aux tactiques présentées dans ce livre. L'une dans le jardin, l'autre dans la cuisine, et la dernière au beau milieu du salon de son maître. Ce livre a beau être sordide et exaspérant, il semble donner des résultats.

Le visage de Miranda s'embrasa.

— Je ne vous crois pas. Il donne au lecteur l'occasion d'enchanter les sens, et de s'ouvrir à la nature et la vie. De saisir les occasions d'être heureux.

— Pas d'éprouver et de provoquer certaine excitation, alors ?

— Non.

Enfin, pas seulement.

Il haussa un sourcil.

— Quand j'ai lu la première page, j'aurais pourtant juré que c'était l'intention de l'auteur.

— Vous vous trompez complètement.

— Mmm, fit-il tout en suivant du doigt une éraflure du bois. Voilà qui risque de décevoir beaucoup de gens.

— C'est possible. Les gens trouvent dans les livres ce qu'ils désirent lire, bien sûr.

La remarque lui attira un regard pénétrant.

— Ce livre remporte un grand succès auprès des femmes, insista-t-elle. Et ce n'est pas uniquement pour savoir comment parer aux tactiques de séduction.

Il jeta un regard peu amène aux livres empilés sur le comptoir. Toute une série d'imitateurs avait surgi depuis une quinzaine de jours pour profiter de l'aubaine – la plupart très désireux d'être aussi explicites que possible pour guider les membres des deux sexes sur le chemin de l'extase.

— Peut-être trouvent-elles juste cela nouveau et émoustillant, comme le voulait l'auteur, répliqua-t-il.

Le rythme des doigts de Miranda s'accéléra, annonçant la guerre.

— Ce n'est pas émoustillant.

Elle avait été émoustillée, mais un tout petit peu.

— Dans ce cas, il a raté son but, dit-il avec un demi-sourire. Vous vous pensez au-dessus de cela – la séduction ?

Son regard était intense et… brûlant.

— Séduire les sens ne signifie pas forcément… cela. J'ai été séduite ce matin en regardant une orchidée germer.

— Une orchidée germer ? répéta-t-il, et son sourire s'accentua.

Elle releva le menton.

— Vous ne croyez pas vous-même aux sottises que vous débitez.

— Ce ne sont pas des sottises. Et j'aime me laisser séduire par mon orchidée. Que mes sens le soient.

Un sourcil noir se haussa. La nuque de Miranda commençait à chauffer. Agitant la main pour s'éventer, elle tenta de reprendre ses esprits.

— N'est-ce pas ce que nous voulons tous ? fit-il avec un sourire paresseux. C'est cela, l'hameçon.

Juste à temps, elle vit les doigts du client ramper. Elle s'empara du livre convoité et le glissa sous le comptoir.

— Vous ne voulez pas que je sois émoustillé ?

— Curieusement, je doute que ce soit un problème.

Elle croisa les mains sur le comptoir. À côté des doigts nus de ce client inconnu, ses gants délavés avaient l'air encore moins élégants que si lui-même avait été ganté de soie. Se promener sans gant tenait de la provocation, comme s'il s'estimait au-dessus des usages.

Il avait des doigts parfaitement manucurés qui n'avaient sûrement jamais effectué de travaux manuels, ni même tenu de plume. Contrairement à ceux de Miranda, aucune tache d'encre ne les souillait.

— À présent, si je puis vous être utile ? reprit-elle.

— Oh, vous l'avez été, déclara-t-il en passant le doigt sur le dos d'un livre rangé sur une étagère qu'elle ne pouvait atteindre qu'en montant sur un tabouret. Voilà longtemps qu'un échange verbal ne m'avait autant amusé.

Voyant la main de l'inconnu s'aventurer sur le dessus du volume, Melinda sentit ses joues s'échauffer de nouveau. Quand donc avait-elle passé le chiffon à ménage autrement qu'avec négligence ? Elle ne s'en souvenait pas. Le doigt tira, le livre glissa, et sa couverture frotta celles de ses voisins, créant un doux chuintement dans le magasin silencieux.

De légers tourbillons de poussière s'élevèrent, puis dérivèrent dans les rayons de soleil déclinants. Elle aurait dû être embarrassée, mais qu'est-ce que cela aurait changé ? Cette rencontre se résumerait à un souvenir amusant avant de se dissoudre comme la poussière.

— On dirait que celui-ci n'a pas vu la lumière du jour depuis un moment. Apparemment, les gens s'intéressent davantage aux livres émoustillants qu'à Shakespeare, remarqua-t-il.

Ou peut-être que non.

— Je vous ferai savoir que Shakespeare est très émoustillant.

Il appuya la hanche contre le comptoir.

— Je suis d'accord. Un petit bonhomme plutôt coquin, non ? dit-il tandis que ses doigts caressaient le livre.

Elle s'obligea à regarder ailleurs et buta sur des yeux de jais surmontés de sourcils tout aussi sombres.

— Vous vous moquez de moi.

— Un petit peu seulement, dit-il en souriant. En fait, je suis fasciné. Qui aurait pensé que je m'amuserais autant en allant acheter de quoi remplir ma bibliothèque ?

— Une bibliothèque qui attend d'être remplie de livres sur l'érotisme ?

Il se pencha par-dessus le comptoir.

— S'il le faut. Êtes-vous toujours d'accord pour m'aider ?

— Uniquement en trouvant les volumes que vous cherchez, répondit-elle aussi légèrement qu'elle le put.

Elle n'avait pas l'habitude du flirt – d'être regardée de cette façon –, mais y trouvait un certain plaisir. Il était beau. Et séduisant, oui, avec ses cheveux un peu trop longs, sa posture tantôt nonchalante tantôt rigide, ses incohérences, l'image brouillonne qu'il offrait délibérément. Maîtrise de soi et chaos, structure ferme et mépris des conventions.

Et ses yeux…

Elle avait l'impression d'être une biche prise dans un piège à loup. D'ordinaire, les hommes comme lui ne regardaient pas ainsi les femmes comme elle. Et se sentir examinée par un tel homme était intimidant. En elle, quelque chose prenait vie.

Un individu dangereux, très dangereux.

— Si vous aimez Shakespeare, peut-être aimerez-vous ce livre.

Elle montra un volume juste à côté des *Sept secrets de la séduction*.

— *Sonnets pour le printemps* ? Oh, bon sang ! Pas vous aussi ?

Choquée par son langage, elle baissa les yeux.

— Ce n'est pas du Shakespeare, mais ce n'est pas mauvais.

— Peut-être me faut-il un exemplaire pour voir ce que vous aimez. Auriez-vous par hasard quelque chose de complètement différent des *Sept secrets*, que j'ai rejeté dès la première page.

Elle prit un exemplaire sur la pile, prête à combattre avec une énergie rare.

— Il est bien en évidence. Pas comme le pauvre William, dit-il avec un dégoût évident.

Elle posa brutalement le livre sur le comptoir.

— Les gens l'ont acheté toute la semaine.

— Dieu nous vienne en aide.

— Vous savez… si vous cherchez quelque chose de bien écrit, reprenez *Les sept secrets*. L'auteur a du style.

— *Les sept secrets* est un livre sordide et vulgaire, et cette… chose, ajouta-t-il en désignant le mince volume de sonnets, regorge d'émotion niaise.

— Pas du tout !

— Si. Mais je suis sûr que l'auteur est enchanté de gagner autant d'argent. Tout comme Eleu-machin-chose, l'auteur des *Secrets*.

— Eleuthérios n'est pas ce genre d'homme.

L'homme s'esclaffa et, se penchant davantage sur le comptoir, tapota la couverture d'*Hamlet*.

— Vous êtes vraiment délicieuse. Croyez-vous sincèrement, comme toutes les dames de Londres, que ce phénix existe ? Cet Eleuthérios ?

Elle le regarda, ses dernières réticences s'évaporant.

— Je sais qu'il existe.

— Serez-vous déçue de découvrir qu'il s'agit d'un vieux bonhomme grisonnant et fatigué, qui compte sur ses récits sordides pour s'offrir l'opium dont il est devenu dépendant ?

— Vous n'êtes pas amusant, monsieur.

— Non ?

Il reposa *Hamlet*, tira à lui *Les sept secrets de la séduction* et l'ouvrit. La couverture toute neuve émit un craquement.

— Moi qui avais tant espéré l'être, dit-il.

Elle pianota.

— Vous n'êtes pas en train de manquer quelque chose ? Un rendez-vous, une réunion à votre club ?

— Non. Je suis rentré trop tard cette nuit. Mettre en œuvre ces méthodes de séduction est un travail ardu.

— Vous pourriez les mettre en œuvre en allant vous asseoir devant la Serpentine, à Hyde Park, et vous laisser séduire par un beau coucher de soleil.

— Je vois que vous n'êtes pas sérieuse. La Serpentine est une vaste étendue d'ennui. Canard, canard, cygne, barque, branche flottante et retour à la famille canard.

Elle lui décocha un regard noir.

— La Serpentine est ravissante. La brise glisse sur l'eau, caresse les berges, chatouille un obstacle…

Pourquoi les gens qui avaient le temps de profiter de ces choses ne les voyaient pas ou ne s'en souciaient pas ?

— Mmm, chatouiller est toujours une bonne tactique, dit-il en parcourant une page. Information parfaitement utile, même si l'auteur a l'air un peu désinvolte, vous ne trouvez pas ?

— Il n'y a rien là qui parle de chatouillement.

— Et je suppose que vous pensez que « appâter l'hameçon » signifie trouver un vrai vers et une canne à pêche ? demanda-t-il en faisant pivoter le livre pour désigner les mots de l'index.

— Un hameçon appâté peut désigner l'élan pour découvrir ce qui vous ouvrira à la beauté qui se trouve devant vous, riposta-t-elle.

Il laissa le livre se refermer.

— Je suis d'accord sur le fait qu'ouvrir une beauté qui se trouve devant moi suscite un élan formidable.

Elle s'efforça de ne pas rougir.

— Et l'auteur n'est pas désinvolte.

— Non ? Il me paraît affreusement suspect. Tenter de convaincre de jeunes innocentes qu'il parle de la beauté en général et non qu'il cherche à mettre la main sur les beautés en chair et en os qui l'entourent…

Elle cligna des yeux, et se sentit devenir écarlate.

Il tapota la couverture avec dégoût.

— Je me demande ce qu'il aura le culot d'écrire après cela.

Il y avait quelque chose de sombre dans cette phrase qu'elle ne comprit pas.

— Je suis sûre que ce sera enthousiasmant.

— Enthousiasmant, répéta-t-il en haussant un sourcil. J'ai entendu dire qu'il s'agissait d'une sorte de suite, les *Huit éléments de l'enchantement*, ou un autre titre tout aussi absurde.

Elle se raidit.

— Je n'ai rien entendu de tel.

Elle avait espéré que l'auteur élargisse son domaine, et écrive quelque chose du genre des *Sonnets pour le printemps*. Mais dans son propre style.

Le client l'observait, les paupières lourdes.

— Votre cher Eleuthérios n'en a pas parlé ? Incroyable.

Elle plissa les yeux. S'il y avait une chose que son oncle lui avait apprise, c'était de ne pas chasser un client habillé comme celui-ci, qu'il porte des gants ou non. Jamais elle n'avait eu envie d'expulser qui que ce soit, pas même l'horrible M. Oswald, qui s'était gaussé de ses lectures. Bouleversée, elle ne s'était emportée qu'après son départ.

Cela ne risquait pas d'arriver avec ce client-là. Si ce charmeur l'avait entortillée, sa langue fonctionnait encore et elle était tout à fait capable de lui dire son fait.

— Je suis impatiente de lire ce qu'il est en train d'écrire, déclara-t-elle. C'est un auteur instructif.

Il rouvrit *Les sept secrets* et tourna quelques pages.

— *Quand vous tombez sur une scène parfaite, reculez et absorbez-en les détails*, lut-il.

Il croisa le regard de Miranda au-dessus du livre.

— Instructif, répéta-t-il d'un ton neutre avant de continuer : *Ne vous précipitez pas. Ne faites pas l'erreur de sous-estimer la beauté devant vous. Concentrez-vous sur l'objet de votre désir et examinez ses complexités. Trouvez le trésor caché. Une clef qui ne convient pas érafle la serrure. Elle requiert l'usage de la force. Néanmoins, si vous choisissez le bon moment, la porte s'ouvrira pratiquement d'elle-même.*

— Avez-vous jamais découvert après coup qu'un tableau devant lequel vous étiez passé cent fois recèle, si vous l'examinez avec attention, quelque chose de plus profond que vous ne le pensiez ?

— Par exemple un poil de l'élégant épagneul de ma grand-tante.

Elle tendit la main vers le livre.

— Je n'ai pas fini, dit-il en l'écartant vivement.

— Je trouve que vous vous êtes suffisamment amusé, monsieur.

— Ce n'était pas du tout mon intention.

Le son de sa voix avait changé et Miranda sentit les poils de ses bras se hérisser. Il tourna quelques pages.

— *Le plus grand trésor, c'est la diversité qu'offre chaque journée. Un examen attentif révèle toujours une part d'inconnu. D'inédit. D'inhabituel.*

Ses yeux quittèrent la page et se posèrent sur elle, le mot « inhabituel » s'attardant sur sa langue telle une caresse.

Elle avala sa salive.

— *Que rien ne vous empêche de goûter au pur plaisir d'une nouvelle conquête qui s'offre sous une forme inédite. Tel le vin le plus délicat bu directement à la barrique.*

Les yeux noirs se promenèrent lentement sur elle comme si elle était le récipient auquel il comptait boire.

Elle déglutit de nouveau. Lu par cet homme, ce texte devenait un manuel de séduction.

— *Trouvez-la. Étreignez-la. Humez-la. Ne la laissez pas partir.*

Sa voix, rauque et voilée, glissait sur elle comme une brise enchanteresse tandis que ses yeux, sombres et mystérieux, la retenaient captive. L'héroïne de son roman désirait-elle vraiment s'évader du labyrinthe ? se demanda-t-elle subitement.

— Vous ne pensez pas que vous pourriez être séduite par de tels propos ? Qu'ils pourraient vous amener à jeter par la fenêtre vos principes moraux ?

À laisser ce parangon de vertu se faufiler sous vos jupes ? Lui ou quelqu'un d'autre, quelqu'un de plus... réel ?

Et dire qu'elle avait pensé finir tranquillement sa lecture tout en tenant la caisse d'une boutique déserte !

— Monsieur...

Elle se força à s'arracher à son regard, en proie à un malaise qui n'avait d'égal que son excitation.

— Les rayonnages de votre bibliothèque ?

Il referma le livre.

— Avez-vous un exemplaire de *Candide* ? demanda-t-il d'une voix ferme qui ne cherchait plus à séduire.

— Oui. Dans le rayon Littérature française.

— Je ne sais pas où il se trouve.

Il s'appuya de nouveau au comptoir, et se mit à gratter la couverture des *Sept secrets de la séduction*. Elle l'écarta avant qu'il ne l'écorne.

— Au fond, à gauche, précisa-t-elle

Il se contenta de sourire.

Elle retint un grognement. Les gens de « qualité »... Tous, redoutables. Celui-ci étant pire que les autres. Au moins, les autres ignoraient son existence même lorsqu'ils lui parlaient. Elle descendit de son tabouret et, enjambant une pile de livres empaquetés, contourna le comptoir. Grâce à lui, elle avait la tête qui tournait, et mettre un pied devant l'autre s'avéra ardu.

Elle disparut derrière les rayonnages. Lorsqu'elle revint avec le livre, il s'appuyait paresseusement contre le comptoir, un doigt dessinant sur le bois usé.

— Souhaitez-vous autre chose ? s'enquit-elle.

Elle tira le livre de comptes de dessous le comptoir. Les gens de qualité demandaient toujours qu'on leur fasse crédit.

— Oui, je crois qu'il y a un paquet pour moi.

— Un paquet ? Il y a un paquet pour vous ? Vous êtes venu pour prendre un paquet ?

— Oui. Un paquet de livres.

Il sourit aimablement, mais cela ne suffit pas à dissimuler l'étincelle dans son regard.

Il s'amusait trop pour que cette scène n'ait pas été préméditée.

— Bien. Votre nom, s'il vous plaît ? demanda-t-elle sèchement.

Son humeur d'ordinaire affable se dissipait inexorablement tant cet individu l'énervait.

Il lui tendit un papier sur lequel son oncle avait griffonné *Jeffries*. Un nom qu'elle avait vu un peu plus tôt sur un paquet.

— Très bien, monsieur Jeffries. Votre commande est prête… Cela fait longtemps, du reste. Bien avant ces dix ou quinze minutes de conversation, ajouta-t-elle avec flegme.

Elle se pencha et souleva les deux premiers paquets. Elle aurait juré que c'était le troisième. Mais peut-être avait-il été déplacé. Elle vérifia les deux autres. Non. Elle souleva le troisième pour voir ce qu'il y avait dessous. Pas de paquet au nom de Jeffries.

— Il y a un problème ?

Elle fronça les sourcils.

— Non, non, un instant.

Elle vérifia les suivants. Toujours pas de Jeffries.

— C'était là, pourtant, grommela-t-elle.

Elle relut les noms des paquets déjà examinés. Non. Aucun magicien n'était intervenu entre-temps.

— Et ?

Les joues de Melinda s'embrasèrent.

— Je suis désolée, monsieur Jeffries, mais il semblerait que votre paquet ait disparu.

Ne venait-elle pas de claironner que la commande était là depuis longtemps – autrement dit qu'il aurait pu lui épargner ces dix ou quinze minutes de badinage – pour découvrir qu'elle n'y était plus ? Elle devait vraiment recommencer à se taire.

— Laissez-moi aller vérifier dans l'arrière-boutique.

Un étrange sourire avait flotté un instant sur les lèvres de M. Jeffries lorsqu'elle avait prononcé son nom. Il agita la main.

— Je n'ai pas le temps. Je suis en retard.

— En retard ? répéta-t-elle.

Pourquoi donc lui avait-il fait perdre son temps s'il était pressé ?

— Oui, très en retard. Je dois partir. Je le prendrai demain, d'accord ? Avec le Voltaire... Il ne disparaîtra pas, lui aussi ?

— Non, voyons, balbutia-t-elle.

— Très bien. Bonsoir, mademoiselle... ?

Elle le regardait fixement, telle la biche que le loup s'apprête à manger.

— Chase.

Il s'inclina poliment, puis tourna les talons.

La sonnette tinta doucement lorsque la porte se referma.

Ce ne fut que lorsqu'elle entreprit de remettre le Shakespeare à sa place qu'elle trouva le paquet égaré glissé dans l'espace laissé vacant par *Hamlet*.

2

Cher monsieur Pitts,
Je trouve très offensantes les rumeurs qui m'attei-
gnent de diverses façons inattendues...

De la plume de Miranda Chase

Miranda toucha le nouveau paquet, plus épais d'un volume que celui de la veille.

— Il y en a deux de plus à emballer, annonça Peter qui revenait de l'arrière-boutique.

Elle écarta vivement la main, tripota le bord du registre, puis repoussa une mèche derrière l'oreille.

— Oui, dit-elle avec un petit rire haut perché.

Peter lui jeta un regard bizarre, puis haussa les épaules.

— Je vais m'en occuper. Vous n'étiez pas obligée de préparer celui-là.

Elle rit de nouveau, et le son évoqua le tintement de la sonnette de la porte.

— Cela ne m'ennuyait pas.

Elle rangea le paquet refait sur l'étagère sous le comptoir et tenta de chasser les idées idiotes qui lui tournaient dans la tête. Quelle sotte elle était ! Lorsqu'il reviendrait, ce serait sûrement en se reprochant son badinage de la veille. Mieux valait tout oublier.

— Ça va mieux ? demanda-t-elle.

Peter bomba la poitrine.

— Je me sens frais comme un gardon.

La sonnette retentit, et le cœur de Miranda bondit. Elle pivota malgré elle vers la porte.

Les bords d'un grand chapeau orné de plumes de paon frôlèrent les deux côtés de l'embrasure, et les épaules de Miranda s'affaissèrent. La propriétaire du chapeau émit un rire cristallin savamment mis au point, et secoua la tête, geste tout aussi étudié qui fit joliment retomber les boucles auburn autour de son visage.

— Miranda chérie, fit Georgette Monroe en tendant la main par-dessus le comptoir. C'est merveilleux de te voir par cette belle journée. Et bonjour à vous, monsieur Higgins, ajouta-t-elle en se tournant vers l'intéressé.

Il eut droit à un regard mystérieux tandis qu'elle jouait avec le ruban de son chapeau.

— Quelle belle journée, n'est-ce pas ?

Peter bafouilla une salutation, et sa poitrine bombée parut vibrer sous l'effet des battements accélérés de son cœur.

— Georgette, intervint Miranda, je croyais que tu aidais ton père ce matin ?

Georgette savait fort bien charmer les clients de son négociant de père devant une tasse de thé.

Les doigts gantés de soie continuèrent à tripoter les rubans bleus du chapeau.

— Les gens que papa attendait ont eu des problèmes de voiture, nous avons donc dû reporter le rendez-vous. Du coup, papa m'a suggéré d'aller faire des courses. J'ai pensé me mettre à la recherche de nouvelles fleurs pour orner le treillis du jardin. Miranda, n'ai-je pas dit l'autre jour que j'avais désespérément besoin d'aide pour ce jardin ? Un homme doté de bras et de cuisses solides, et qui sait comment s'en servir ?

Chancelant, Peter heurta le comptoir du bras. Miranda soupira tandis que son amie battait des cils.

— Peter, Mlle Monroe et moi allons prendre le thé au fond.

Elle souleva le petit plateau, heureuse d'avoir préparé à tout hasard assez de thé pour deux, puis chuchota afin que seule Georgette l'entende :

— Sauf que Mlle Monroe aurait plutôt besoin d'une tisane calmante.

Elle se retourna vers Peter, et s'enquit d'une voix normale :

— Vous pourrez vous occuper des clients ?

Il hocha la tête. L'objectif était de le garder occupé à la caisse ou dans l'arrière-boutique tant que Georgette était là. La présence de celle-ci avait une influence directe sur la santé du pauvre homme. S'il retombait malade, Miranda devrait à nouveau le remplacer.

Écartant cette idée tentante, elle contourna le comptoir pour emmener son amie. Celle-ci agita les doigts pour dire adieu à l'homme aux yeux écarquillés.

Miranda attendit d'avoir atteint la table, près d'une petite fenêtre au fond de la boutique, pour murmurer furieusement :

— Georgette, tu… tu *reluquais* Peter ?

— On devrait avoir le droit de reluquer une solide paire d'épaules, riposta son amie avec un sourire.

— Tu es incorrigible, grommela Miranda en s'asseyant.

Un courant d'air frais leur parvint d'entre les rayonnages, signalant l'arrivée d'un client. Les épaules de Miranda se crispèrent.

Elle entendit Peter proposer ses services, et une voix féminine lui répondre. Les épaules de Miranda se détendirent. Un tout petit peu.

— Je m'entraîne, expliqua Georgette en tapotant ses cheveux.

— Sur Peter ? Après quoi, tu t'intéresseras à la prochaine paire de bottes que tu croiseras, et Peter se languira irrévocablement.

— Les hommes vivent pour se languir – loyalement et courageusement, bien sûr. En regrettant peut-être secrètement la beauté de la courbe de mon cou.

Miranda lui jeta un regard de biais et versa le thé sans en répandre une goutte.

— Tu deviens une râleuse, Miranda chérie. Ton cerveau écrase l'être humain en toi, déclara Georgette en posant son chapeau sur une chaise. Cela fait des années que tu n'as pas pensé à la mode ou au flirt. Je désespère.

La sonnette tinta, et les épaules de Miranda se crispèrent de nouveau.

— Désolé du retard, monsieur Higgins. Billy et moi avions huit livraisons à faire avant la vôtre, lança le livreur.

Miranda jeta un coup d'œil par la fenêtre et vit Billy déplacer l'attelage pour attendre sans gêner la circulation.

— Superbes épaules, ce Billy, et cette façon qu'il a de manier les rênes… commenta Georgette avant de décocher un clin d'œil à Miranda. Que de belles occasions de flirt il y aurait ici pour quelqu'un qui voudrait s'y exercer !

Miranda eut un sourire tendu. Elle inhala profondément, déterminée à chasser les images que les mots de Georgette avaient fait surgir dans son esprit – épaules larges vêtues de noir, longues mains élégantes, manchettes d'un blanc éblouissant... Elle but une gorgée de thé en tremblant, et se traita d'idiote.

Il était peu probable que M. Jeffries vienne de si bonne heure le matin. Deuxièmement, elle était stupide de croire qu'il reviendrait pour la voir. Et, troisièmement, eh bien, toutes ces interrogations fébriles l'amenaient à se demander si elle n'avait pas sous-estimé le pouvoir d'un séducteur sur le comportement et les nerfs.

Heureusement, son amie ne faisait pas attention à elle. Lorsqu'elle flairait des secrets, Georgette était comme un chien de chasse. Pour le moment, elle fouillait dans son sac. Elle en sortit un journal plié et l'étala amoureusement sur la table.

— Sorti tout droit des presses de Fourth Street.

— Je n'en reviens pas que tu ne l'aies pas dévoré sur-le-champ, la taquina Miranda, s'efforçant de se détendre.

— J'ai parcouru cinq pâtés de maisons pour l'ouvrir avec toi. Si tu n'es pas gentille, la prochaine fois, je m'arrêterai dans le premier salon de thé venu pour m'en repaître toute seule.

Georgette plongea de nouveau la main dans son sac et en sortit une boîte. L'odeur délicieuse d'un gâteau tout juste sorti du four se mélangea à celles de l'encre encore fraîche du journal et des livres poussiéreux qui les entouraient. Les épaules de Miranda se détendirent lentement.

Elle se détourna de la fenêtre et décida de ne pas prêter attention au tintement de la sonnette. Tout était normal. Confortable. Et il était beaucoup trop tôt pour s'affoler.

— Mmm, j'ai dû élargir mon corset de l'épaisseur d'un doigt, se lamenta Georgette. Et toi, tu n'as même pas déplacé une couture.

— Je ne prends pas de délicieuses friandises tout juste sorties du four tous les jours. Du reste, aucun de tes admirateurs n'a l'air de s'en plaindre.

Georgette sourit.

— Je vais peut-être en manger un autre, dans ce cas.

Miranda lui rendit son sourire et s'empara délicatement d'un gâteau. Dans une autre vie, on lui aurait ordonné d'y renoncer. Elle fit une pause, la pâtisserie à mi-chemin de sa bouche, puis l'image d'yeux couleur chocolat fondu et de fleurs épanouies lui traversa la tête, et, achevant son geste, elle prit une grosse bouchée.

Les deux jeunes femmes se penchèrent sur la colonne de gauche du journal – celle des ragots.

— Oui ! Trois lignes sur M. C. Il repart étudier sur le Continent, dit Georgette avec un soupir. Hélas ! J'espérais tant qu'il s'attarderait à Londres cette fois.

Miranda secoua la tête. M. C. apparaissait souvent dans les conversations de Georgette.

— M. C. va étudier à Paris, observa-t-elle. Je l'envie.

— J'aimerais que tu puisses aller à Paris. Que tu ailles à Douvres et que tu t'achètes un billet sans rien dire à ceux qui seraient susceptibles de te le déconseiller. Sauf que Paris pour toi, ce serait du gâchis. Tu moisirais dans les musées au lieu de courir les magasins de mode.

Miranda la pinça et continua de lire. Elle sursauta.

— Il l'avait dit, murmura-t-elle en suivant une ligne du doigt. La nouvelle a dû circuler hier.

Georgette écarta sa main pour voir ce qui avait piqué sa curiosité.

— Une suite aux *Sept secrets de la séduction* ? Oh, parfait ! Tu dois être ravie. Mais si tu le savais, pourquoi ne m'en as-tu pas parlé ? J'aurais été la première à l'annoncer hier soir chez les Morton. L'auteur a donc répondu à ta dernière lettre ?

Miranda sentit ses joues s'empourprer.

— Il m'a envoyé un mot hier.

Georgette arqua ses sourcils parfaitement dessinés.

— Je crois entendre un « et ».

— Il m'a aussi envoyé un livre.

— Un livre ? Quel ennui ! Et de quel livre s'agit-il ?

Miranda indiqua sur le journal la réclame du roman gothique qu'elle dévorait.

— Non ! s'écria Georgette. Tu mourais d'envie de le lire. Il a réussi à trouver un exemplaire alors qu'il n'est pas encore en vente, et il te l'a envoyé ?

— Il ne faut pas en déduire un tas de choses. C'était peut-être une simple lubie. Tout le monde a hâte de lire ce roman.

— Justement. Personne n'envoie ce genre de cadeau sous le coup d'une lubie.

— Mais sa réponse était… laconique. Je m'attendais à quelque chose, je ne sais pas, de plus fleuri… de plus élaboré, dit-elle avec un petit geste de la main. Peut-être un peu idéaliste.

— Cela fait des semaines que je te le dis. Un homme qui écrit comme lui n'est pas le genre d'érudit insipide que tu affectionnes. C'est un roué. Un débauché.

— Non !

Puis, relisant l'article, Miranda murmura :

— Sauf que je risque de perdre mon pari maintenant.

— D'ailleurs, il est peut-être repoussant. Le nez crochu, le visage grêlé et le dos bossu, comme ce M. Pitts avec qui tu corresponds. Tu as vraiment un goût atroce en matière de flirt épistolier, Miranda. Cela dit je pardonne les nez crochus, les peaux grêlées et les bosses dans le dos si ton auteur montre les talents que ses mots promettent.

— Georgette !

— C'est la vérité ! s'écria celle-ci avec un mouvement brusque de la tête qui fit virevolter ses boucles. D'ailleurs, qu'est-ce que c'est que cette histoire de pari au sujet de cet auteur ? Ton cas n'est peut-être pas désespéré finalement.

— M. Pitts déteste Eleuthérios. Il m'a encouragée à lui écrire en pariant qu'il ne répondrait pas. Et que s'il répondait, ses commentaires me décevraient. J'ignore pourquoi M. Pitts le déteste à ce point.

— À t'entendre, M. Pitts déteste tout et tout le monde.

— Il a un bon jugement, répliqua Miranda, loyale. C'est juste que, parfois... il l'exprime de façon revêche.

— Eh bien, arrête de t'occuper d'un vieux grincheux et mets-toi à reluquer une jolie paire ... d'épaules. D'*avantages* concrets, si tu préfères.

— Georgette !

— Ne me raconte pas que tu rêves de tes érudits la nuit. Je sais que ce n'est pas le cas. Tu trouves Thomas Briggs aussi beau que nous toutes.

Thomas Briggs venait de temps à autre vérifier la comptabilité de son oncle afin de couvrir ses dépenses de jeune mondain.

— Thomas Briggs est un abruti.

— Mais un bel abruti.

— C'est un fat.

— Bon, d'accord... admit Georgette avec une petite moue charmante. Alors, M. Chapton. Ou bien lord Downing, poursuivit-elle avec un frisson. S'il se fiance à Charlotte Chatsworth, tout Londres l'enviera. Ou la plaindra. Une seule femme ne lui suffira jamais.

La curiosité de Miranda grimpa d'un cran. Depuis qu'elle l'avait aperçu au parc, la semaine précédente, Georgette parlait *ad nauseam* du vicomte Downing. Apparition surprenante, d'ailleurs, car cet individu était connu pour passer le plus clair de son temps dans les bordels et autres lieux peu recommandables. Scandaleusement beau et mystérieux. Méprisant et ténébreux. Le scélérat beau parleur du roman en chair et en os.

Pour une fois, Miranda regrettait de ne pas avoir été témoin de cette apparition.

— M. Chapton n'est pas vilain dit-elle.

Elle avait aperçu deux ou trois fois le blondinet en question.

Sauf que M. Chapton, cité dans l'article sous l'appellation de M. C., ne comblait pas le vide d'une silhouette sans visage dont elle rêvait. En revanche, que le client odieux de la veille y soit parvenu cette nuit ne laissait pas de l'inquiéter.

— Tu es désespérante, Miranda. Il faut que tu sortes un peu. Que tu te promènes, que tu ondules un peu des hanches et te trouves un homme de chair et de sang, déclara Georgette. De la chair musclée, appétissante. Déploie un peu tes ailes, ma chérie. Offre-toi un flirt. Et pas par écrit, acheva-t-elle en tapotant le journal.

Miranda songea à l'après-midi de la veille. Un homme comme celui-là devait faire chanceler n'importe quelle femme.

— C'est ce que je te souhaite, reprit Georgette dont le regard se fit lointain. Une aventure. Tu en rêves aussi, mais tu n'oses pas t'embarquer. Et puis, quand je me retrouverai mère célibataire après avoir pourchassé des individus du genre de M. Chapton, je t'obligerai à vivre avec moi, à vieillir à mes côtés, et à t'en contenter.

Sujette à l'un de ses rares moments de lucidité, Georgette soupira et retourna à la rubrique des ragots.

Miranda lui jeta un regard agacé.

— Deux soupirants déjà pour Mlle C. en plus des rumeurs concernant Downing. Voilà une fille qui a de la chance. Elle sera fiancée avant la fin de la saison. Cette Charlotte Chatsworth a un goût très sûr en matière de mode. Elle évite les fanfreluches roses qui la feraient paraître quelconque. Au parc, elle porte uniquement un blanc très pur et un bleu soutenu.

Georgette, qui s'était prise de passion pour les petites histoires de la bonne société, allait au parc presque tous les jours pour assister à la parade des gens du monde.

Miranda aimait entendre parler des réceptions mondaines et des gens qui s'y rendaient, mais l'écho de la voix maternelle qui lui recommandait de garder son bon sens la retenait d'approcher ces dangereux personnages, sauf quand elle avait des livraisons à faire.

Ce qu'elle entrapercevait alors fournissait de quoi alimenter ses rêveries. Quant aux potins des feuilles de chou, il était difficile de résister à la tentation.

— Écoute ça sur Mme Q. : « La courtisane des courtisanes vêtue du vert qu'elle affectionne tant, avec une rose rouge fixée sur son corsage et une dizaine de débauchés dégoulinant des plis de sa robe ».

— Rien qu'en vêtement de tous les jours tu lui ferais de l'ombre, Georgette. Les débauchés seraient à genoux.

— Ne me tente pas, Miranda, répliqua son amie en agitant les sourcils. Je risque de le faire. Nous pourrions le faire ensemble. Être Mme Q. juste un jour, ce serait formidable, non ?

Miranda ricana. Elle imaginait aisément le spectacle. Toutes les deux dans leurs plus beaux atours, cela donnerait une petite poule grisâtre marchant à côté d'un paon flamboyant. Elle se disait parfois qu'elle était le meilleur atout de Georgette – un faire-valoir pour sa beauté.

— Un bel homme entrerait dans la boutique et t'enlèverait. Il t'enfermerait dans son château. Il se comporterait très mal avec toi tout en te couvrant de bijoux et d'autres petites choses rondes et brillantes.

Miranda aurait bien ricané de nouveau si l'idée ne l'avait pas secrètement séduite.

— Et ensuite ?

— Et ensuite ? reprit Georgette d'un ton moins affirmé. Eh bien, tu passes du bon temps, tu portes tes bijoux, et tu dépenses les petites choses rondes et brillantes.

— Après quoi, on me renvoie chez moi avec du strass.

— Le strass, ça coûte cher.

— Le cœur aussi.

— Oh, autant que je te renvoie au Courrier des lecteurs ! s'écria Georgette en brandissant le journal. Regarde si tu peux déterrer d'autres correspondants pour mettre un peu de baume à ton cœur froid et ratatiné.

— Je ne peux pas te laisser saliver toute seule sur la rubrique mondaine. Tu pourrais t'y perdre et ne jamais en revenir, fit Miranda en repoussant le journal.

Après avoir discrètement confisqué la page des éditoriaux, car il arrivait que M. Pitts y fasse paraître un point de vue cinglant sur tel ou tel événement. C'était en lui répliquant qu'elle avait fait sa connaissance.

— Ce n'est pas moi qui risque de me perdre dans l'encre, observa Georgette avant de baisser les yeux sur le journal. Oh, Lady W. va être de nouveau l'objet d'un duel ! annonça-t-elle.

— Elle tente une fois de plus de surpasser son mari en matière de ragots ? À croire qu'elle offre une épée à chaque nouvel admirateur.

Miranda secoua la tête et tenta de repérer l'entrefilet. Georgette avait tendance à exagérer les nouvelles déjà sensationnelles. Et lorsqu'il s'agissait de lord Downing et de ses parents, le marquis et la marquise de Werston, le terrain s'y prêtait fort bien.

— Eh bien, quand ton mari a fécondé la fille d'un comte, il faut y aller carrément pour le surpasser en matière de scandale.

— Certes, admit Miranda en secouant la tête.

Il était difficile de croire que des gens faisaient de telles choses, mais la bonne société regorgeait de scandales de cet acabit. Quoi qu'il en soit, ces histoires avaient l'avantage de procurer un bon moment de lecture.

— Et qui se bat pour elle, cette fois-ci ?

— Un certain M. E. et lord D., répondit Georgette en se tapotant la lèvre inférieure. Selon la rumeur, le duel doit avoir lieu à Vauxhall. Je me demande si l'on ne pourrait pas se trouver là comme par hasard, histoire de jeter un œil à travers les buissons. Toi, en tout cas, je ne comprends pas que tu n'ailles pas au parc pour voir lord Downing. Tu es toujours tellement intéressée par ses exploits. Il y était hier. Il n'y a passé que quelques misérables minutes, mais se montrer deux fois en l'espace d'une semaine, c'est fort gentil pour l'admiratrice qui se pâme en chacune de nous.

Miranda ne releva pas. Il n'était pas question qu'elle aille perdre son temps au parc juste pour apercevoir cet homme. Si elle s'intéressait aux exploits de Downing, c'était uniquement parce qu'ils sortaient de l'ordinaire.

— Il se bat pour défendre l'honneur de sa mère ? hasarda-t-elle.

— Tu penses toujours du bien des gens. C'est charmant, fit Georgette en lui tapotant l'épaule, ce qui lui valut un regard agacé. Mais c'est peu probable. Je suppose qu'il s'agit de lord Dillingham.

Elle pinça les lèvres, pensive.

— Il faudra que je vérifie dans le *Debrett*.

Miranda se retint de lever les yeux au ciel. Georgette était toujours très au courant de qui était qui. Elle aurait pu aisément rivaliser avec toutes les marieuses de la bonne société.

— Vérifie, approuva-t-elle. Je suis sûre que nous en saurons plus la semaine prochaine. Ils lancent toujours les nouvelles scandaleuses de cette façon, avec juste un hameçon et un leurre.

— Oui, je vais le faire. Tiens, regarde, on parle des *Sept secrets de la séduction*.

Miranda se contenta d'émettre un vague marmonnement.

— Puisque je ne peux pas t'arracher à ton encrier, je te conseille d'écrire de nouveau à l'auteur, enchaîna son amie. Et de lui faire une proposition.

Il fallut un moment pour que ces mots atteignent le cerveau de Miranda.

— Une propo… bafouilla-t-elle.

— Un homme capable d'écrire ainsi doit être capable d'utiliser ses mains d'une autre façon. Cela te ferait du bien.

— Georgette ! protesta Miranda en reposant brutalement sa tasse, ce qui fit gicler un peu de thé.

— Flirter un peu ne te fera pas de mal, s'entêta son amie en grignotant une pâtisserie. Écris à ton Eleuthérios, ou bien va reluquer lord Downing et essaie de susciter son intérêt – si l'un ou l'autre t'accorde un rendez-vous, tu découvriras quel bien ça fait de satisfaire des besoins autres qu'intellectuels.

— Un rendez-vous ? Satisfaire des *besoins* ? répéta Miranda, abasourdie. Moi, flirter ? Alors que je n'en reviens pas de te voir faire de l'œil au pauvre Peter.

— Si les épaules et les cuisses sont intéressantes… observa Georgette en tapotant sa lèvre inférieure d'un doigt ganté de rose.

— La mode, hélas, cache les qualités et les défauts, commenta une voix pas du tout féminine. Comment parvenez-vous, mesdames, à deviner ce qui est authentique sous nos vêtements ?

Miranda se raidit tandis que Georgette levait vivement les yeux.

— Mesdames.

Étude en noir et blanc, l'homme sortit de la pénombre et s'inclina.

Georgette émit un vague son, mais Miranda y fit à peine attention comme elle se retournait complètement – et involontairement – vers l'intrus.

Il haussa un sourcil et un coin de sa bouche se retroussa. Une lueur amusée éclairait son regard. Un long doigt, ganté de noir aujourd'hui, pianotait sur l'un de ses bras croisés.

— Mademoiselle Chase ?

— Oui ? fit-elle stupidement.

Depuis combien de temps se tenait-il là, dans l'ombre, à écouter leur conversation. Humiliation, curiosité, appréhension... elle n'aurait su dire laquelle de ces émotions l'emportait.

— Peut-être, à la place, pourriez-vous satisfaire mes besoins ? hasarda-t-il.

L'humiliation. Assurément.

Georgette articula quelques mots incompréhensibles.

— De quoi avez-vous besoin ? souffla Miranda, les oreilles bourdonnantes.

Son cerveau partait dans quatre directions simultanément. Un peu comme le cheval de bois qu'elle avait vu un jour dévaler une colline, se briser au milieu de la pente, projetant le conducteur d'un côté et les roues et le corps de bois d'un autre.

— Oh, je suis sûr qu'à nous deux nous allons le découvrir ! Vous venez ? demanda-t-il en désignant le couloir derrière lui.

Elle se leva maladroitement et fit deux pas vers lui avant de reprendre ses esprits et de se rappeler que Peter tenait la caisse, que Georgette les fixait bouche ouverte tel un poisson tout juste sorti de l'eau, et que l'homme devant elle n'était venu que pour récupérer un paquet – ce qui n'exigeait aucunement l'aide d'une personne humiliée, qui risquait de se ridiculiser encore davantage dans l'état où elle était. Elle en aurait pour des semaines à ressasser l'incident et à se fustiger.

— Peter peut vous aider, lâcha-t-elle.

— Pas de la façon que je préférerais.

Il souriait tout en caressant machinalement les reliures en cuir d'un rayonnage de philosophes grecs.

Un autre borborygme étouffé lui parvint de la table.

Il y avait ce même éclat affolant dans les yeux de cet homme, tel un fanal solitaire tressautant sur une mer agitée. Elle recula, l'embarras se muant en hostilité. En outre elle ne voulait pas qu'il remarque qu'elle transpirait.

— J'ignore quelle façon vous préférez, mais Peter sera très heureux de vous donner votre paquet.

Il arqua un sourcil.

— Je ne pense pas qu'il sache ce que je veux.

— Il suffit de le lui dire. Il connaît parfaitement le fonds.

— Non.

— Non ? répéta-t-elle, sidérée.

Tout chez cet homme la bouleversait, l'horripilait, l'accablait.

Qu'il soit revenu aujourd'hui – et de si bonne heure – faisait tourner plus vite les roues du cheval de bois auquel elle se cramponnait tant bien que mal. En même temps, sa présence lui procurait une sorte d'ivresse et un étrange sentiment d'assurance en sa féminité, ce dont elle manquait d'ordinaire. Elle se rassit en face de Georgette et tira le journal à elle.

— Vous n'êtes venu que pour récupérer votre commande, dit-elle calmement. Elle se trouve derrière le bureau. Et, comme vous pouvez le constater, je suis occupée.

— Occupée à commenter les derniers ragots ?

Elle rougit. Combien de temps était-il resté là, à les épier ?

— C'est ma pause, répliqua-t-elle. Je le répète : Peter sera heureux de vous aider et votre paquet se trouve derrière le comptoir.

— C'est ce que vous pensiez hier soir, mais je suis parti sans lui, et très déçu.

Elle l'entendit se déplacer entre les rayonnages et, soudain, il émergea de l'ombre et se planta devant elle.

Elle baissa résolument les yeux sur la page imprimée, feignant de ne pas voir qu'elle était à l'envers.

— Je l'ai mis moi-même là-bas ce matin, ainsi qu'un exemplaire de *Candide*. Le premier paquet avait été rangé par erreur sur une étagère élevée. Mystérieusement, ajouta-t-elle.

— Mystérieusement, répéta-t-il. Vous devriez faire attention à ces déplacements suspects.

— J'y prêterai plus attention, merci du conseil. Maintenant, Peter va...

— Non. C'est vous que je veux.

Elle sentit ses joues se colorer.

— Je vous assure...

— Vous avez tout intérêt à faire en sorte que je reparte avec ce que je veux.

— Je vous assure...

— Et, j'espère, ce dont j'ai besoin.

— Euh...

Zut. Elle pensait qu'en atteignant l'âge adulte, elle en finirait avec son incapacité à terminer ses phrases.

— Je suis occupée avec...

— Vas-y, fit Georgette d'une voix étranglée. Cela me permettra de lire l'article sur la suite des *Sept secrets*.

— Mon Dieu, mademoiselle Chase, vous parlez encore de ce livre ? s'écria le client avec son odieux haussement de sourcils. C'est une obsession. Tss, tss. J'ai l'impression que vous entretenez le désir secret d'être séduite.

Miranda se leva d'un bond – ce qui aurait à coup sûr horrifié sa mère – et sa chaise bascula bruyamment en arrière.

— Bien. Allons chercher votre paquet.

Elle fut obligée de frôler l'impudent pour passer.

— Venez voir, insista-t-elle.

— Je vois, et le spectacle est charmant, murmura-t-il. Attaches fines, courbes douces.

Elle s'arrêta et pivota abruptement. Ses jupes s'enroulèrent autour de ses jambes, les embrasant, à croire que le calicot était fait d'un mélange de soie et de fer. Derrière eux, Georgette toussota.

— Je vous demande pardon ?

Il la regarda, une lueur désinvolte dans les yeux.

— Quand on emballe un objet précieux dans un papier informe, il est difficile d'apprécier ce qu'il y a dessous, mais je détecte quelques courbes très plaisantes. Plus délicates que des mots – ceux de votre livre préféré ou d'un autre.

Georgette s'étranglait dans son mouchoir.

— Je… je vous demande pardon ? répéta Miranda. Vous… vous vous *moquez* de moi ?

— Moi, me moquer ? Jamais. Alors, ce paquet ? Je doute que vous l'ayez vraiment.

Elle le regarda un instant avec un mélange d'incrédulité et d'exaspération avant de se remettre en marche.

— J'ai hâte de le tenir dans mes mains.

Miranda contourna d'un pas chancelant le dernier rayonnage.

Peter, qui s'affairait sur deux paquets, fixa du regard l'homme qui suivait la jeune fille.

— Peter, pouvez-vous trouver le paquet au nom de...

— Je crois que Peter s'apprêtait à prendre sa pause, coupa la voix grave derrière elle. N'est-ce pas, Peter ?

Peter inclina la tête et disparut dans l'arrière-boutique. Sidérée, Miranda écarquilla les yeux.

— Mon paquet, mademoiselle Chase ?

Il avait prononcé son nom d'un ton si caressant qu'elle en frissonna.

— Vous ne pouvez pas distribuer d'ordres ici, monsieur Jeffries.

Elle se glissa derrière le comptoir tandis qu'il s'y accoudait.

— C'est l'un de mes défauts.

— Vous devriez songer à le corriger.

Il n'était pas question qu'elle se soumette à ses caprices. Trop de femmes devaient le faire. Se penchant, elle prit le paquet.

— Qu'y a-t-il d'amusant à se corriger ?

Sa voix était moins rauque que la veille, mais toujours aussi voilée.

— Il est louable de corriger ses propres fautes.

— Mais parfois, s'y complaire est beaucoup plus amusant, vous ne trouvez pas ?

Miranda se redressa et déposa brutalement le paquet à côté de ceux dont Peter s'occupait. Le cœur battant, elle chercha une réponse adéquate.

— Monsieur, vous devriez relire ces textes sur la séduction si vous pensez qu'ils proposent de bonnes méthodes.

Il eut un lent sourire.

— Ah, je vois que vous n'avez pas oublié notre précédente conversation ! Ce sont en effet de bonnes méthodes. Vous ne devinerez jamais ce que je compte faire à présent.

— Je vous assure que vos intentions sont parfaitement évidentes. Vous cherchez à vous jouer de moi, pour en sourire ensuite.

— Voyons, vous vous trompez, mademoiselle Chase, dit-il en caressant le coin du paquet. C'est l'inverse : je cherche à sourire maintenant, et à jouer *avec* vous ensuite.

Une émotion subite envahit Miranda qui se traita d'idiote.

— Vous n'êtes pas amusant, monsieur.

— N'est-ce pas le deuxième secret ? Attirer sa proie par quelque leurre, ou une autre sottise de ce genre. Ne devrais-je pas vous leurrer, vous attirer auprès d'une mare profonde où flotteraient des nénuphars que vous admireriez sans anticiper les caresses furtives de mes doigts ?

Elle croisa les mains sur le comptoir, luttant contre l'émotion qui la faisait transpirer.

Il sourit comme s'il savait ce qu'elle éprouvait.

— Combien vous dois-je ?

Elle baissa les yeux sur le livre de comptes. Les chiffres et les lettres se mélangeaient si bien qu'elle dut suivre la colonne du doigt deux fois de suite avant de trouver la bonne ligne.

— Rien. Mon oncle a écrit que tout était réglé.

Ce qui signifiait que, n'ayant plus rien à faire dans la boutique, il allait franchir la porte pour ne plus jamais revenir. À moins qu'elle ne trouve quelque chose à dire qui le retienne.

Lorsqu'elle releva les yeux, il avait le paquet sous le coude et s'apprêtait à s'éloigner.

— Eh bien… fit-il.

Il souriait comme s'il connaissait un secret délicieux – probablement en rapport avec l'endroit où il se rendait – avec sans doute l'objectif de bouleverser la vie d'une autre femme – loin d'ici.

— Au revoir, mademoiselle Chase.

Elle hocha la tête, le ventre noué. Elle tenta d'ouvrir la bouche pour dire quelque chose. N'importe quoi. Mais son éducation fut la plus forte et ses lèvres restèrent soudées. Tout espoir de flirter un peu plus avec le premier homme qui lui avait fait battre le cœur se désagrégea lorsqu'il poussa la porte. La sonnette tinta, et il disparut.

Tant mieux, finalement, se dit-elle, quoique affreusement déçue. Les hommes de ce genre aimaient à flirter, mais lorsqu'il fallait passer aux choses sérieuses, ils se cherchaient de vraies proies. Elle n'entendrait plus jamais parler de lui, sauf peut-être dans les journaux à scandales – car un tel homme devait sûrement y être mentionné plus souvent qu'à son tour.

Elle se sentait terriblement lasse lorsqu'elle regagna la petite table. Elle se laissa tomber sur sa chaise, consciente du regard de Georgette fixé sur elle.

— Désolée de cette interruption, dit-elle en tirant le journal à elle.

Elle était déterminée à oublier ce client insupportable, *après* avoir vérifié qu'un M. J. ne figurait pas dans les pages de potins.

— Où en étions-nous ? demanda-t-elle.

— Tu sais qui c'était ? Pourquoi ne m'as-tu pas dit que tu l'avais rencontré ? articula Georgette. C'était quand ? Comment ?

Ces balbutiements fébriles auraient été amusants à écouter si Miranda n'avait pas été en train de se botter mentalement les fesses pour n'avoir pas dit quelque chose, *n'importe quoi*, avant qu'il franchisse la porte.

Plus jamais elle ne reprocherait à Georgette de céder quasi instantanément au charme d'un abruti ou d'un mufle. C'était la première fois que quelqu'un d'aussi magnétique s'intéressait ouvertement à Miranda. Elle avait du mal à s'en remettre.

— Je ne l'ai rencontré qu'hier. Il est fou, non ? marmonna-t-elle en rapprochant la page des ragots.

Elle interrogerait son amie sur le passé de M. Jeffries. Mais plus tard. Lorsqu'elle aurait repris le contrôle de son corps et de son cerveau.

— Terriblement autoritaire sous ce charme de pacotille, poursuivit-elle. Il croit pouvoir faire la loi, je parie. Je ne serais pas étonnée de le trouver quelque part dans ce journal.

Georgette gardant le silence, Miranda leva les yeux et croisa le regard vide de son amie. Elle eut l'étrange impression que leurs rôles avaient été intervertis.

— Fou ? Autoritaire ? répéta Georgette d'une voix fêlée.

— Oui, une brute. Et j'avoue que parler avec lui me met plutôt mal à l'aise. Il fait exprès de m'irriter.

— Il fait exprès de t'irriter ?

Bien que sa voix demeurât anormalement haut perchée, Georgette semblait se ressaisir. Elle arrangeait les feuilles éparpillées sur la table, petit rangement auquel se livrait d'ordinaire Miranda quand chacune restait dans son personnage, et qu'elle n'osait dire à son amie qu'elle était folle.

— Oui. Et il déteste Eleuthérios.

— Il déteste Eleuthérios ?

Décidément, Georgette paraissait n'être plus capable que de répéter sous forme de questions les déclarations de Miranda.

— Peu importe, déclara celle-ci car je doute que M. Jeffries sache seulement écrire.

— Que veux-tu dire ?

— Il semble de beaucoup préférer... batifoler. Il n'a probablement même pas le temps de prendre une plume.

— Qui ? demanda Georgette.

— M. Jeffries. L'enquiquineur. Tu l'as entendu.

La bouche de Georgette s'ouvrit et se referma, mais aucun son n'en sortit. Puis un éclat de rire fusa.

Un noyau dur se forma dans les tripes de Miranda tandis que Georgette riait de plus belle. Dans l'espoir de se calmer, elle prit une gorgée de thé, et faillit la recracher.

— J'en déduis qu'il ne s'appelle pas Jeffries, risqua Miranda, horrifiée.

Elle doutait que son cœur puisse en supporter davantage.

— Miranda !

Elle tourna la tête et vit son oncle accourir, sa couronne de cheveux voletant autour de son crâne chauve.

— Pourquoi le paquet n'a-t-il pas été pris ? Peter m'a dit que tu t'en étais occupée. Et voilà que les livres de M. Rutherford ont disparu.

Le cœur de Miranda rejoignit ses tripes quelque part du côté des orteils tandis qu'elle regardait le paquet dans les mains tremblantes de son oncle.

— Le paquet adressé à qui n'a pas été pris ?

— Celui au nom de Jeffries. C'est pour un client très important, ajouta-t-il en tapant sur le paquet. Le majordome va venir les chercher. Et les livres de M. Rutherford ne sont plus là.

— Oh.

Son cerveau glissa jusqu'à l'information la moins importante. C'était logique qu'il ait un majordome. Elle jeta les yeux sur l'emballage marron, inoffensif mais offensant.

— Il a dû prendre le mauvais paquet.

— Le mauvais paquet ! C'est un désastre !

Trois paquets côte à côte. Il était facile de se tromper.

Puis elle revit son sourire narquois lorsqu'il était parti. La façon dont il avait replié le bras autour dudit paquet. Il avait fait exprès.

Le noyau dans le ventre de Miranda s'enflamma, alimenté par toutes les émotions qu'elle devait à ce goujat. Elle plissa les yeux tandis qu'elle se rappelait son expression. Ses paroles. Son regard entendu lorsqu'il lui avait dit au revoir

Refoulant un stupide soulagement, elle s'abandonna à sa colère.

— Un désastre, répéta son oncle. Et s'il revenait sur ses promesses ? Vas-y tout de suite. Non, attends, tu ne peux pas, il sera au Parlement.

Il marmonna quelque chose puis reprit :

— Tu iras demain. Échanger les livres. T'excuser. Demain. À la première heure !

Il tourna les talons et disparut entre les étagères en râlant contre les désastres.

Georgette se retourna sur sa chaise, un sourire satisfait sur les lèvres.

— Non, ma chérie. Ce n'était pas M. Jeffries. C'était Maximilian Landry, vicomte Downing. Et on dirait que tu as un rendez-vous avec lui, finalement, conclut-elle en tapotant le journal.

3

Secret n° 2 : Une fois l'hameçon en place, ne pas oublier d'appâter.

Les sept secrets de la séduction

Miranda leva les yeux sur la façade austère de l'imposant hôtel particulier – séparé des autres maisons qui, elles, se serraient le long de la rue. Rangée après rangée, les pierres blanches et grises s'élevaient jusqu'à la crête des arbres. Une fenêtre était ouverte en haut à gauche, et deux mains en sortirent et secouèrent une descente de lit. Rien n'en tomba, pas même un grain de poussière. Contrairement au quartier de Miranda où les tapis n'étaient nettoyés que lorsqu'ils ne pouvaient plus contenir le moindre grain de poussière. Les habitants étant trop occupés à joindre les deux bouts, les tapis étaient rarement battus et, lorsque cela leur arrivait, une pluie de détritus et d'objets perdus se déversait dans la rue, de même qu'un temps précieux.

Un homme élégamment vêtu passa devant elle, une sacoche à la main, marmonnant pour lui-même une histoire de profits et de pertes. Il ne leva même pas les yeux. Lorsqu'une fenêtre s'ouvrait dans le quartier de Miranda, les gens baissaient la tête et pressaient le pas.

Ici, les nettoyages avaient lieu suivant un rythme précis et immuable, quitte à ce que le personnel soit payé à astiquer l'argenterie pour la troisième fois depuis le début du mois. Tout devait être parfait. Exécuté en temps et en heure. Sans même qu'on ait à y penser.

Et cependant, personne ne semblait remarquer les fleurs magnifiques qui se déversaient des jardinières ni les plantes rampantes accrochées aux aspérités de la pierre et du bois. Les plaques en cuivre bien astiquées à côté des portes. Les marteaux rutilants. Les coûteux arbustes dans les ravissantes poteries faites à la main. Les mille et une choses qui demandaient tant de temps et de soins, et semblaient tellement aller de soi qu'on passait devant sans les voir.

Elle serait restée des heures à admirer la vigne vierge arrangée de façon à se déployer sur la grille tels des doigts prêts à étreindre le visiteur.

Un autre homme passa, la bousculant légèrement.

Elle soupira et suivit l'allée qui contournait la maison. L'entrée de service devait se trouver quelque part par là. Elle agrippait le paquet, le cœur battant. Rêver la nuit était une chose, mais éprouver une telle émotion à la lumière du jour était déroutant. Elle déposerait le paquet et repartirait aussitôt. Simple.

Ce n'était pas comme si elle n'avait jamais livré de livres dans les beaux quartiers. Elle l'avait fait quand personne d'autre n'était disponible, mais sans y penser. Bonjour, au revoir. Éventuellement une signature à demander.

Elle aimait aller à Mayfair. Admirer les bâtiments et les places. Mais une espèce de timidité lui interdisait les arrêts prolongés. Elle n'était pas à sa place, c'était évident. Quelqu'un allait pointer le doigt sur elle et protester contre sa présence. Pensées irrationnelles et stupides, bien sûr. La noblesse n'avait pas de signes distinctifs. Pour ses membres, ceux qui n'en faisaient pas partie étaient tout simplement invisibles.

Sauf si quelque chose leur déplaisait. Alors, mieux valait déguerpir avant que l'un d'eux n'appelle un garde.

M. Pitts ne cessait de se plaindre de la stupidité des gens au pouvoir. Les pairs du royaume et les membres du Parlement. De déplorer leurs jeux idiots.

Mais selon elle, c'était moins de la stupidité que de l'ignorance. Ils n'imaginaient pas qu'on puisse vivre autrement qu'eux, voir d'autres choses, prendre d'autres décisions. Ils étaient bornés.

Les gravillons de l'allée crissaient sous les solides chaussures de Miranda. Elle croisa deux valets de pied en livrée blanc et argent. Ils la saluèrent d'un hochement de tête. Elle leur rendit leur salut, les doigts crispés sur son paquet.

Un vicomte. Le vicomte Downing.

Elle secoua la tête. Quelle importance ! Elle tourna au coin de la maison et s'immobilisa. Deux femmes descendaient les marches de l'escalier de service, chancelant sous le poids d'une énorme bassine d'eau sale.

— Qu'est-ce que tu crois que ça veut dire ?

— Abner dit que c'est un signe de la « pocalypse ».

La fille de cuisine qui était en tête pouffa de rire puis, perdant l'équilibre, oscilla sur les marches. Miranda se précipita et la rattrapa de justesse.

— Puis-je vous aider ?

— Seigneur, ma fille, tu viens de le faire. J'ai bien failli me briser le cou.

L'autre femme ricana.

— Si tu cabosses cette bassine, la cuisinière te loupera pas.

La première femme fit la grimace.

— Eh bien, j'ai plus qu'à remercier de nouveau cette petite, pas vrai ?

— Ce n'était rien, dit Miranda. Mais peut-être pourriez-vous me dire à qui l'on remet les livraisons.

La servante indiqua la porte du menton.

— Mme Humphries va prendre ton paquet. Ou sinon, quelqu'un appellera un valet.

Miranda remercia d'un hochement de tête, et les deux femmes s'éloignèrent avec leur fardeau.

— Quand même, Sa Seigneurie se conduit de plus en plus bizarrement. Se lever dès l'aube hier, et…

Le reste de la phrase fut englouti par le bruit de l'eau qui se déversait de la bassine.

— Je sais. Il y a un problème, dit l'autre. Humphries arrête pas de marmonner au sujet de je sais pas quoi. Carrément bizarre tout ça.

Miranda hésita. Elle aurait aimé entendre ce que racontaient les deux femmes pendant qu'elles tiraient l'eau du puits, mais s'attarder sans bonne raison paraîtrait vraiment étrange.

Elle franchit la porte ouverte et se retrouva sur le seuil d'une cuisine animée. Les servantes se croisaient, baissaient la tête pour passer sous un bras, remuaient des cuillères, attrapaient des casseroles et divers ustensiles, criaient des ordres ou des réponses.

Un chaos fascinant. Certainement, une bosse devait pousser là et une écorchure saigner ici, mais, dans l'ensemble cette scène avait l'air d'avoir été chorégraphiée, chacune sachant à l'avance quand l'autre allait s'arrêter, pivoter, repartir dans l'autre sens.

La chaleur était étouffante, et malgré les portes et les fenêtres ouvertes, des nuages de vapeur montaient jusqu'au plafond et en retombaient. Miranda sentit son chignon souple s'effondrer lentement, et se maudit de ne pas avoir attaché ses cheveux serrés, comme d'habitude. Sous peu, elle aurait des mèches collées dans le cou. Pourquoi, mon Dieu, avait-elle décidé de se coiffer ainsi ? À force de se retourner dans son lit toute la nuit, elle en avait perdu tout bon sens.

Croisant le regard d'une femme qui semblait diriger le ballet, elle brandit son paquet. La femme hocha la tête et se fraya un chemin dans la mêlée.

— Bonjour, dit Miranda. Ce sont des livres pour le vicomte de la part de M. Jeffries.

La femme, qui tendait la main pour s'emparer du paquet, la retira vivement, comme si elle s'était brûlée. Elle fixa Miranda, les yeux plissés.

— Une livraison de la part de Jeffries ? De la librairie de Main Street ?

Les bruits dans la cuisine parurent s'atténuer et tous les regards convergèrent vers Miranda.

— Oui.

Un fourmillement glacial sous sa peau rendit la chaleur de son cou encore plus brûlante.

— Venez avec moi.

La femme fit demi-tour. Les servantes s'écartèrent sur leur passage tandis que le travail reprenait avec force chuchotements et coups d'œil en direction de Miranda.

— S'il vous plaît, fit la jeune fille comme elles empruntaient un couloir délicieusement frais qui les emmenait dans les profondeurs de la maison. Les livres ont déjà été payés, il me faut juste une signature. Peut-être aussi prendre un autre paquet en échange si le vicomte l'a précisé.

Sinon, tant pis pour les livres de Rutherford. Connaissant la nature inconséquente des gens de qualité, son oncle les avait déjà plus ou moins considérés comme perdus. Tout en marchant, elle glissa un doigt dans le col de sa robe humide de sueur et tenta de l'écarter de sa peau.

— Une signature suffira, reprit-elle.

Sans ralentir, la femme fit non de la tête dans la lumière des portes ouvertes devant lesquelles elle passait.

— J'ai ordre de vous conduire dans le salon rouge. Par ici, s'il vous plaît.

La femme s'arrêta enfin et ouvrit une porte sculptée.

— Ce ne sera pas long, dit-elle.

Si son oncle ne lui avait pas expliqué que le vicomte était un client « très important » qui comptait se défaire de livres précieux, elle aurait été tentée – *juste un peu* – de fuir.

La lourde porte se referma avec un déclic. La pièce était entièrement décorée de noir, d'argent et d'or. Le bois était de l'ébène avec des incrustations brillantes. La seule concession à la couleur était un vase rouge perché sur un piédestal au milieu du salon.

Le propriétaire avait visiblement de l'humour.

Une pièce uniquement destinée à être admirée. Des rayonnages couraient sur un mur, chargés de registres et de livres épais qui avaient l'air de ne pas avoir changé de place depuis des années. Quelqu'un, un domestique probablement, les avait alignés par taille ou couleur. Sur une autre bibliothèque, quelques volumes étaient posés de travers. Laissés là par quelqu'un de pressé.

Entre leurs parties de plaisir, les gens de qualité devaient feindre de poursuivre des recherches et de s'occuper de leurs domaines. Et Downing semblait batifoler beaucoup, s'il fallait en croire les ragots.

Un grand bureau faisait face à une fenêtre dont les rideaux épais étaient à peine entrouverts, comme si la pièce craignait d'être exposée aux regards. Des lions et des chimères sculptés ornaient les pieds du bureau.

Lui aussi avait l'air d'être peu utilisé. Tout juste le temps d'interroger un intrus.

Une pièce intimidante. Mais qu'attendre d'autre de quelqu'un qui avait pour signes distinctifs le noir et l'imprévisibilité ?

Seul, le vase tranchait. Elle s'approcha pour l'examiner.

— Il vous plaît ?

Elle fit volte-face. Le vicomte était adossé au mur et jouait avec sa montre de gousset. Elle revint au vase et tenta de reprendre son souffle. C'était le même homme – inconnu à ce moment-là – que celui qui était entré dans la librairie, tenta-t-elle de se convaincre. Hors de sa sphère familière, même là, mais à présent ?

Pinçant les lèvres, elle se concentra sur la poterie émaillée. Un bel objet, en fait. Le rouge et l'or s'entre-laçaient avec les spirales des fleurs de lys. L'unique tache de couleur, et aussi le seul objet porteur de vie dans ce salon glacial.

— Oui, répondit-elle.

— Et cette pièce ?

Elle lui fit face de nouveau, le paquet serré contre sa poitrine – un bouclier, bien que l'homme soit à plusieurs mètres.

— C'est une jolie pièce, dit-elle avec diplomatie.

— Jolie ?

— Elle est surprenante, admit Miranda.

— « Surprenante », ce n'est pas la même chose que jolie.

— En effet.

— Mais elle vous plaît ?

— Cela a-t-il de l'importance ? demanda-t-elle.

Il sourit et s'écarta du mur.

— En cet instant, beaucoup.

— Et l'instant suivant ?

Il la rejoignit lentement, passa derrière elle, frôlant le nœud de sa robe qui tira sur sa taille comme une caresse.

— Nous verrons.

Il poursuivit jusqu'au bureau, et elle se tourna vers lui.

— Votre Seigneurie s'est bien amusée ? À jouer avec une humble vendeuse ?

— Je ne vois pas en vous une humble vendeuse. Vous avez quelque bien, non ? Pas assez peut-être pour être indépendante, mais assez pour refuser mon offre, l'autre jour.

Il se laissa tomber dans son fauteuil d'un mouvement quasi fluide.

— Ou bien suis-je un tel ours que c'était moi que vous repoussiez ?

Il tripotait nonchalamment un presse-papiers. Son regard laissait entendre qu'il jugeait impossible cette hypothèse.

— Y a-t-il eu des gens qui vous ont amené à le penser ? s'enquit-elle.

— En général, on me trouve de compagnie agréable. Du moins n'ai-je pas encore entendu de plaintes.

Elle étreignit le paquet.

— Mais peut-être avez-vous refusé, continua-t-il, parce que vous aimez tant les livres que vous ne supportez pas d'en lâcher un avant de l'avoir fini ?

— Et comment déterminerez-vous quelle réponse est la bonne ?

— Je la connais déjà, dit-il en souriant. J'ai interrogé quelqu'un qui a une bonne connaissance du sujet.

Elle se demanda qui il avait bien pu interroger – son oncle, Peter, Georgette ? – et quand.

— Je vois.

Il posa le presse-papiers sur le bureau et disposa autour une plume, une feuille de papier et la montre de gousset.

— Vraiment ? fit-il.

Non, elle ne voyait pas.

— Vous vous amusez. À jouer avec la vendeuse-pas-si-humble-que-ça-mais-quand-même-un-peu-humble.

Comme il levait les yeux, elle revit l'éclat qui avait traversé son regard le premier soir. Il se renversa contre le dossier de son fauteuil et croisa les mains.

— Je l'espère.

— Pourquoi ? demanda-t-elle hardiment.

— Parce que vous m'intriguez.

Elle soutint son regard, en essayant de ne pas accorder d'attention au chamboulement alarmant de ses organes. Elle n'avait rien fait d'extraordinaire. Elle n'avait aucun des talents de Georgette pour le flirt. Elle ne prétendait pas avoir la beauté ni la silhouette qui intriguaient les hommes.

Elle ne se croyait pas non plus très spirituelle ni très maligne. Elle était juste Miranda Chase. Une fille qui aimait les livres.

Elle secoua la tête pour en chasser toutes rêveries idiotes, et tendit le paquet.

— Voilà, milord. Intact et livré en mains propres.

Elle s'approcha et déposa le paquet sur le bureau. Le papier attendant la signature glissa en avant. Elle le poussa un peu plus vers le vicomte.

— Je partirai dès que vous aurez signé ceci.

— Je ne peux pas.

— Vous ne voulez pas de ces livres finalement ?

— Si, mais je ne signerai qu'après en avoir pris possession.

Tout en poussant le papier vers lui, elle s'interrogea sur sa santé mentale.

Il haussa un sourcil, et l'éclat apparut de nouveau – pas le pétillement bienveillant dû à la malice ou à l'hilarité, mais la lueur qui s'allumerait dans le regard d'un homme qui nourrit des intentions malhonnêtes envers une femme.

— Imaginez que ces livres ne soient pas ceux que j'ai commandés ? reprit-il. Ou qu'il y ait eu de nouveau un échange malencontreux ?

Cette fois, ce fut le paquet qu'elle poussa. Sur le visage du goujat, le second sourcil rejoignit le premier.

Elle l'imita, l'irritation l'emportant sur tout sentiment d'infériorité.

— Si échange malencontreux il y a eu, il est de votre fait, puisque vous avez délibérément déplacé votre paquet, déclara-t-elle. Deux fois, je vous rappelle.

— Tss, tss, blâmer un client !

Il s'affala dans son fauteuil et pressa les mains sur sa poitrine, attitude prétendument misérable qui n'entamait en rien sa virilité.

— Je suis totalement victime dans cette affaire.

— Totalement ?

Elle attendit une seconde, puis pianota sur le paquet.

— Vous allez déballer vos livres et les examiner ?

— Non.

— Vous voulez que je le fasse ?

— Non.

— Non ? Alors, comment puis-je...

Elle inspira profondément, puis s'efforça d'afficher un sourire aussi calme que possible compte tenu de ce petit jeu stupide auquel il semblait vouloir jouer. Il lui rendit son sourire avec autant d'affabilité.

Et ne dit mot.

Une minute s'écoula. Il semblait se satisfaire pleinement de la contempler. Elle le fixait sans ciller, bien que la lueur interrogative dans son regard – comme s'il ne parvenait pas à trouver la réponse à une devinette – eût le don de l'agacer.

Des picotements brûlants remontaient dans les membres de Miranda qui avait la vague impression que cela pourrait durer toute la journée si elle gardait le silence.

— Comment allez-vous aujourd'hui, milord ? demanda-t-elle.

Se montrer aussi hardie malgré sa confusion, son énervement et son embarras lui avait demandé un effort tout particulier.

— Mieux. Mais les gens qui me sont proches m'appellent par mon prénom.

Elle le fixa.

— Ainsi que ceux que je souhaite *mieux* connaître.

Il fit signe à Miranda comme pour l'encourager.

Elle continua de le fixer. Ouvrit la bouche, la referma. Se lança :

— Euh, comment vous sentez-vous aujourd'hui... Maximilian ?

— C'est un nom terriblement lourd. Ne vous gênez pas pour le raccourcir. Et je vais très bien, Miranda.

Quand allait-elle se réveiller pour découvrir que cette scène aberrante n'était que le fruit de son imagination ?

— Je me suis renseigné, expliqua-t-il bien qu'elle ne lui ait pas posé la question. C'est bien votre nom ?

Elle regarda autour d'elle les scintillements d'or et d'argent, et les boiseries d'ébène. Puis le spécimen parfait de masculinité qui lui faisait face. Elle hocha la tête mentalement. Elle rêvait, c'était sûr.

— Oui. Il faut que vous soyez tenace pour avoir réussi à le découvrir.

— Tenace, je le suis, vous aurez l'occasion de le constater, confirma-t-il sans cesser de sourire.

Quelque chose de sauvage et d'étrange s'éveilla en elle, lui faisant trembler les doigts. Elle les serra et désigna du menton le papier qui n'était toujours pas signé.

— Y a-t-il quelque chose que je puisse faire pour accroître votre ténacité ? risqua-t-elle.

— Eh bien, il se trouve que j'ai grand besoin d'aide. Cela vous ennuierait de m'aider ?

— À quoi ? demanda-t-elle tandis que toutes sortes d'idées folles lui traversaient l'esprit.

— Rien de trop perfide, je vous le promets.

Il lui décocha de nouveau un sourire charmeur.

— Vous signerez ce reçu, si je dis oui ?

— Vous ne voulez pas que nous continuions à nous rendre des petites visites ?

— Je suppose qu'il viendra un moment où vous voudrez votre paquet, remarqua-t-elle, essayant de contrôler la façon dont son corps réagissait à la proximité du vicomte. Vous êtes venu deux fois à la librairie pour le récupérer, j'imagine donc que vous y tenez.

— J'ai fait cela ?

Elle lui lança un regard acéré.

— Vous étiez encore à la boutique hier.

Il sourit et se balança sur son siège.

— Si pragmatique parfois, et à d'autres moments la tête dans les nuages.

— Je doute que vous puissiez lire dans mes pensées, milord.

— Mmm. Et c'est Maximilian, ou quelque chose du même genre, Miranda.

— C'est uniquement Mlle Chase, milord.

— Dommage. J'avais tant espéré vous appeler Miranda.

— Je ne peux imaginer pourquoi.

Il se leva et contourna le bureau. Elle resta immobile, refusant de se sauver comme un lapin apeuré. Il fut à un cheveu de la toucher, avant de s'asseoir sur le bord du bureau, face à elle.

— C'est un prénom ravissant. Très shakespearien.

Il était si près qu'elle osait à peine respirer.

— Je pense que vous êtes ce que l'on appelle un provocateur, milord.

— Non, un provocateur est quelqu'un qui se contente de promettre, contra-t-il. Je vous assure que je suis un homme de parole.

Elle n'osait plus du tout respirer. D'ailleurs, lui restait-il de l'air dans les poumons ?

— Alors signez, jeta-t-elle, s'accrochant à ce qui lui restait de bon sens.

La consternation et un soupçon de quelque chose d'autre passèrent dans le regard du vicomte.

— Touché, mademoiselle Chase.

Il tripota le papier une seconde, puis le laissa retomber sur le bureau. Elle attendit qu'il le reprenne, mais voyant qu'il ne bougeait pas, elle se pencha, saisit le papier et le lui tendit.

Ses pommettes s'enflammèrent, mais sa main ne trembla pas.

Il s'empara du papier, fit une pause avant de prendre la plume de la main droite. Il la trempa dans l'encrier, puis griffonna une étrange fioriture. Une signature relâchée. Le *g* de la fin traînait gauchement comme s'il l'écrivait rarement. La veille, sous l'effet de la colère, elle avait déclaré qu'il n'avait sans doute jamais le temps de prendre une plume. Peut-être était-ce vrai, finalement.

— Votre mission est accomplie, déclara-t-il avec dans la voix une note bizarre qu'elle ne put identifier.

Le soulagement envahit Miranda, légèrement mitigé d'un autre sentiment.

— En effet, dit-elle en glissant le papier dans sa poche. Je vous remercie.

Un souvenir émergea de sa mémoire, la poussant à demander :

— Et la tâche pour laquelle vous vouliez de l'aide ?

— Ah, oui. Il s'agit simplement de m'aider à clore une discussion au sujet de l'emplacement d'un tableau.

Elle cligna des yeux sans comprendre, mais, avant qu'elle ait pu dire quelque chose, il se leva. Elle ne put s'empêcher de reculer d'un pas.

— Venez.

Elle le suivit, palpant sa poche pour s'assurer que le papier signé était toujours en sa possession, et qu'il n'avait pas réussi à le lui reprendre par quelque ruse.

— Je ne suis guère compétente en ce domaine.

— Sottise. Vous êtes une dame aux opinions arrêtées. C'est tout ce que je demande : votre opinion.

Ils empruntèrent un couloir, gravirent un escalier, reprirent un couloir. Il s'arrêta si abruptement qu'elle faillit heurter son dos impressionnant.

— Là. Que pensez-vous ? Ce petit hollandais ici ou bien là-bas ?

Posé par terre, appuyé contre le mur, un ravissant Vermeer attendait patiemment qu'on décide de son sort. Elle avait vu deux autres œuvres de cet artiste, que les musées boudaient, et dont elle aimait le choix de représenter tous les milieux, y compris les plus modestes. Une servante penchait la tête sur le pot qu'elle remplissait, et Miranda sentait presque physiquement son geste, le cours suivi par ses pensées. Si elle en avait eu l'occasion, elle aurait volontiers passé la journée à contempler ce tableau. Juste devant elle, un espace vide sur le mur lui parut parfait pour l'accueillir.

— Ici, cela me paraît un très bon endroit.

— Mais vous n'avez pas vu l'autre, dit-il en pointant le doigt derrière lui.

Elle se retourna, résolue à lui faire plaisir plutôt que d'essayer d'imaginer où il voulait en venir.

— Mon frère Conrad pense que ce serait mieux là, mais ce garçon est un peu fou.

L'espace nu qu'il venait de désigner semblait convenir tout autant et elle ouvrit la bouche pour le dire, mais, comme ses yeux revenaient au visage trop séduisant de son hôte, elle aperçut une pièce splendide. Elle ne put se retenir de faire un pas dans sa direction.

— Tu ne peux pas mettre un Vermeer sur le côté sud d'un couloir, lui ai-je dit, poursuivit la voix grave du vicomte. Tout le monde le sait. Mais...

Les mots se mélangèrent dans la tête de Miranda tandis qu'elle se tordait le cou pour voir un peu mieux l'intérieur de la pièce.

— Mademoiselle Chase ?

— Hmm ?

— Êtes-vous en train de reluquer ma bibliothèque ?

Elle se retourna vers lui, rougissante.

— Euh... Oui, je suppose que c'est ce que je faisais.

— Aimeriez-vous y jeter un coup d'œil ?

Elle hocha la tête, mais ses pieds l'entraînaient déjà dans cette direction. Toute réticence à l'égard des efforts de son hôte pour la retenir, sa timidité due à la différence de classe, et même le désir d'en apprendre plus sur lui, disparurent temporairement ; la tentation était trop grande.

— Oui, j'aimerais beaucoup.

En franchissant la porte, elle eut l'impression d'entrer dans un autre royaume.

Le lieu était magnifique.

Des escaliers en colimaçon s'élevaient vers les rayonnages les plus élevés. Des rangées et des rangées d'étagères nues attendaient d'être garnies. Et des piles de livres encombraient le sol. Des piles imposantes. Des monolithes de mots imprimés et de pages reliées. La pièce entière semblait avoir été secouée par quelque main géante, puis rangée n'importe comment. Mais malgré le fouillis, on devinait quel trésor se trouvait là. Et quelle fortune en livres. Il y avait plus de titres ici que dans la librairie de son oncle, arrière-boutique comprise.

— J'ai refait cette pièce récemment – je l'ai fait refaire, devrais-je dire. Et, entre-temps, j'ai reçu en héritage un manoir entier de volumes. Aussi, j'ai vidé les étagères pour tout réarranger.

Il fit deux pas et, d'un coup de hanche, envoya valdinguer une pile. Miranda faillit plonger en avant pour les ramasser.

— Ils sont en mauvais état. Et donnent plus de soucis qu'ils ne le valent.

— Vous plaisantez ? Vous avez là une fortune.

Le voyant repousser du pied ce qui ressemblait à un manuscrit avec enluminures, elle ne put se retenir.

— Que faites-vous ? protesta-t-elle en le ramassant. Cet ouvrage est sans prix.

Il haussa un sourcil.

— Uniquement parce que la monnaie utilisée lorsqu'il a été composé n'est plus en usage depuis longtemps. De la camelote. Ça parle de supériorité morale et d'éthique. Très ennuyeux, non ?

Il fit un petit geste de la main, et frôla une autre pile. Miranda bondit et tendit la main pour la redresser.

Elle le sentit passer derrière elle. Il effleura sa robe et elle se raidit tandis qu'il poursuivait d'une voix grave :

— Je trouve que chacun doit faire comme il l'entend, vous n'êtes pas d'accord, Miranda ?

Elle serra le manuscrit contre son sein.

— Sinon on disparaît sous les gros bouquins moralisateurs toujours prêts à sceller votre tombe.

La gorge sèche, elle déglutit.

— Il y a de la vie dans le chaos, même si l'ordre essaie constamment de se réinstaller.

Il désigna la main de Miranda qui retenait la pile.

— Si vous laissiez aller tout simplement...

— Quelque chose de précieux pourrait être détruit...

— Il y a toujours ce risque. C'est pourquoi on appelle cela jouer.

— Je... je ne sais pas de quoi vous parlez.

Il s'écarta soudain.

— Bien sûr que vous ne le savez pas.

Elle posa avec précaution le livre enluminé sur le fauteuil et prit les premiers livres de la pile qu'elle avait rattrapée. L'édition originale d'un roman français se trouvait sur le dessus.

— Vous avez une collection merveilleuse.

— J'ai consacré ma vie à collectionner les jolies choses.

Elle ne sut que répondre à cela. Ni au sous-entendu.

— Hélas, en les collectionnant, je les détruis souvent, dit-il en passant le doigt sur le sommet d'une pile.

— Peut-être que si vous cessiez de les bousculer...

— En même temps, j'espère toujours tomber sur la pièce la plus belle. Celle qui complétera la collection. Qui comblera le vide.

Il prit un livre dont elle ne put lire le titre.

— Peut-être que ce que vous cherchez est déjà en votre possession, hasarda-t-elle. Enfoui dans ce fouillis.

Il sourit tout en examinant la couverture du livre qu'il tenait.

— C'est sur cela que je parie.

— Très bien, fit-elle, les nerfs à vif, car tout la mettait mal à l'aise, la conversation, sa présence. Avec quelques instructions, vos domestiques pourront ranger ces livres et vous trouverez ce que vous cherchez.

— Je ne peux faire confiance à aucun de mes serviteurs pour cela. Pour trouver ce que je cherche.

— Vous pouvez les diriger vous-même.

— Non.

Il tourna le livre dans ses mains.

— D'ailleurs, je préfère dépenser mon énergie dans d'autres entreprises.

Le regard plus ténébreux que jamais, il jeta le livre à terre où il disparut sous d'autres volumes.

Miranda frémit à la pensée des dégâts qui pouvaient résulter de tant de désinvolture.

— Il y a sûrement parmi vos domestiques quelqu'un qui est capable de déchiffrer les titres.

Quel genre d'entreprise avait-on en tête quand on regardait une femme de cette façon ?

— Sûrement.

Gênée par son regard insistant, elle se déplaça.

— Votre majordome ? Votre gouvernante ? Ils pourraient les ranger par ordre alphabétique. Ce serait déjà mieux. Et cette tâche serait considérée comme un privilège.

Le sauvetage de volumes précieux. La réorganisation de cette pièce splendide. S'il y pensait sérieusement au lieu de la dévisager, peut-être pourrait-elle se rappeler comment respirer...

Il était facile d'imaginer comment il était devenu la cible préférée des amateurs de ragots. Ce n'était pas seulement à cause de son physique, de ses propos, ni de son comportement de séducteur. C'était dû à quelque chose que l'on sentait en lui, une sorte de folie que bridait un fil très mince, et dont on se demandait à chaque instant s'il n'allait pas se rompre. Et, ensuite, que se passerait-il ? Question terrifiante.

— J'ai besoin de quelqu'un pour ranger ces livres et dresser un catalogue afin que je sache ce que je possède.

Son regard la quitta, et elle se détendit un peu. Il ramassa le livre qu'elle avait abandonné sur le fauteuil.

— Bonne idée, milord.

Il le posa sur une pile plus petite, souleva les premiers livres d'une autre pile jusqu'à ce qu'il trouve ce qu'il cherchait. À en juger par les dorures qu'elle apercevait, c'était un autre livre enluminé. Il le lui tendit et elle le prit sans réfléchir, heureuse qu'il ne l'ait pas jeté à terre.

— Vous serez là demain matin à 9 heures, alors ?

— Oui... Pardon ?

Affolée, elle se cramponna au livre.

— Vous m'avez convaincu. Soyez là à 9 heures. Mettez des vêtements confortables. Je vous verrai à ce moment-là.

Il tourna les talons et il avait presque franchi la porte lorsqu'elle le rattrapa.

— Je ne pense pas que vous ayez compris. Ou que, moi, j'aie compris peut-être. Je suggérais simplement que vous trouviez quelqu'un pour faire ce travail.

— C'est ce que j'ai fait. Merci.

Il lui adressa un sourire séduisant. C'est le moment que choisit un homme à l'allure austère pour apparaître.

— Milord, vous êtes attendu au salon.

— Très bien, Jeffries. Veuillez donner les livres de M. Rutherford à Mlle Chase et la raccompagner.

Miranda jeta un coup d'œil à l'homme dont elle avait maudit le nom. Il ne lui accorda même pas un regard, hocha la tête et disparut dans l'ombre. Est-ce que tout le monde dans cette maison se terrait dans l'obscurité ?

— Bon après-midi, mademoiselle Chase, dit le vicomte avant de s'éloigner.

— Attendez, s'écria-t-elle en se précipitant derrière lui. Je ne viendrai pas ici demain matin. Vous avez vos livres. Je rentre chez moi. Je suis sûre qu'il y a dans votre entourage quelqu'un de compétent susceptible de vous aider.

— Mais vous êtes la personne la plus compétente que je connaisse, répliqua-t-il sans s'arrêter. Je suis sûr que vous vous en tirerez très bien. Je paierai ce qu'il faut, naturellement.

— Vous ne me connaissez pas. Et ce n'est pas une question d'argent.

— Non ? Vingt livres par semaine ne suffisent pas ? Dois-je passer à cinquante ?

— Vingt l... cinquante... balbutia-t-elle. Vous êtes fou ?

Il tourna à l'angle du couloir.

— Mon frère se plaît à le dire.

— Je ne peux absolument pas...

Il s'arrêta brusquement, pivota, et rattrapa Miranda qui faillit le heurter.

— Non ?

Il effleura la main gantée de Miranda. Ses doigts étaient nus ce qui, dans sa propre demeure, n'était pas une entorse aux convenances. Ce fut un contact furtif. Presque accidentel.

— Votre oncle pensait que ce travail pourrait vous plaire. Je sais quant à moi que cela me plairait que vous acceptiez.

Ses doigts frôlèrent de nouveau ceux de Miranda lorsqu'il tapota le livre que, dans sa hâte, elle avait omis de laisser dans la bibliothèque.

— Gardez-le. Je sais que vous me comprendrez. À demain.

Un autre effleurement, et il enfila des gants – tirés de quelque poche invisible –, tourna les talons et pénétra dans une pièce. Elle entraperçut quelques visages et entendit un échange de salutations avant qu'un valet referme la porte.

Elle demeura immobile, les doigts caressant machinalement les incrustations d'ivoire sur la couverture du livre. Un examen plus attentif lui révéla deux silhouettes enlacées. Un manuel de danses médiévales ?

Ou... ou quelque chose de complètement différent ?

La boîte de Pandore, emplie d'objets désirables. Ses doigts hésitèrent. À ouvrir une boîte qui pourrait la laisser désemparée et incapable de la refermer.

Elle ouvrit le livre.

4

Secret n° 3 : Allez de l'avant, soyez imprévisible. Organisez le chaos et ayez l'air de vous en délecter. Déconcertez-la, même lorsqu'elle est sur ses gardes.

Les sept secrets de la séduction

Des heures plus tard, elle avait toujours les joues en feu. Elle avait eu beau cacher le livre d'abord sous une robe, puis deux, puis au fond de son armoire, elle l'entendait l'appeler, l'inviter à le rouvrir et découvrir ce qu'il recelait d'autre.

Ce n'était pas un moine qui avait réalisé ces enluminures-*là*. Des descriptions aussi précises, des images aussi crues. Elle n'aurait même pas imaginé que de telles choses soient possibles.

Viens. Ouvre-moi.

Peut-être qu'en glissant ce livre sous l'armoire, il se tairait.

Est-ce qu'une femme... faisait vraiment ce genre de choses à un homme ? Et un homme à une femme ? Était-ce à quoi *Les sept secrets de la séduction* faisait allusion en parlant de s'agenouiller pour rendre hommage ? Elle y avait vu un geste d'adoration envers la beauté, la nature ou autre chose d'aussi respectable.

Pas une allusion à un hommage *physique* ! Elle revit les yeux noirs du vicomte fixés sur elle avec concupiscence, mot dont elle ignorait la signification, l'existence même, avant d'ouvrir le livre enluminé.

Elle bondit du lit, glissa sur son petit tapis, et se rattrapa au bord éraflé de sa coiffeuse à temps pour éviter de chuter tête la première.

Elle rit nerveusement. Elle s'était presque retrouvée à genoux, finalement, mais sans le démon en chair et en os dressé devant elle. Ses orteils se crispèrent sur les lattes du plancher dont le froid fut sans effet sur la chaleur qui envahissait son corps.

Elle glissa les pieds dans de grosses pantoufles et enfila l'épaisse robe de chambre héritée de son père. Elle ne s'était jamais souciée qu'elle soit aussi vilaine, trouvant suffisant qu'elle lui procure de la chaleur durant les froides nuits d'hiver.

Jusqu'à ce qu'elle aperçoive des femmes en déshabillés diaphanes, fendus au milieu, et ensorcelant leur proie sur la page suivante.

Elle noua maladroitement la ceinture, et se rendit à la cuisine. Une tasse de thé lui ferait le plus grand bien. La lumière brillait sous la porte du bureau au bout du couloir. Son oncle n'était donc toujours pas couché.

Elle avait repéré dans les comptes un paiement pour « réorganisation d'une bibliothèque » ; le vicomte avait donc dit vrai en affirmant que son oncle était d'accord pour qu'elle vienne l'aider, ou du moins que quelqu'un le fasse. Son oncle étant rentré tard d'un rendez-vous d'affaires, elle n'avait pu lui en parler.

La porte du bureau était fermée. Devait-elle frapper ? Interroger son oncle rendrait toute cette histoire réelle au lieu de la laisser à l'état d'illusion. Mais peut-être qu'il l'empêcherait de retourner chez le vicomte Downing le lendemain, n'ayant pas approuvé ce plan-là.

Elle fit quelques pas, entendit grincer la plume derrière le battant. Un petit coup à la porte, quelques mots, et la question serait réglée. Il pouvait changer d'avis, décider d'envoyer Peter, empêcher sa nièce chérie d'aller se fourvoyer chez un débauché. Le lui interdire même.

Et, s'il n'y pensait pas, s'il restait l'homme distrait qui lui était devenu si cher ces deux dernières années, elle pourrait lui faire comprendre qu'il n'était pas du tout convenable qu'elle aille passer de longues heures dans la demeure d'un gentleman. Le convaincre d'envoyer quelqu'un d'autre.

Les pieds de Miranda ne bougèrent pas. Ses bras restèrent le long de ses flancs, et ses yeux fixés sur le rai de lumière qui passait sous la porte.

Quelque part au fond d'elle-même elle savait que la décision lui appartenait. Son oncle l'avait déjà envoyée porter des livres sans penser une seconde que cette démarche était contraire aux convenances. Quelle différence verrait-il dans la réorganisation d'une bibliothèque ? Pendant un temps, elle ne serait qu'une servante du vicomte parmi d'autres.

Elle regarda ses mains gercées. Et d'ailleurs, pourquoi imaginer autre chose ? Quel sort pervers le vicomte lui avait-il jeté ? À quel jeu cruel s'amusait-il ? Voulait-il en faire son esclave, avec jarretières et bas jaunes ?

D'un autre côté, sentir ses mains sur elle, caressant ses bas, ces contacts fugaces se faisant plus…

Elle frissonna. Le froid de la nuit s'insinuait sous sa robe de chambre, sous sa chemise de nuit tout aussi peu affriolante.

Elle recula d'un pas, puis d'un autre. Elle irait. Les mots du vicomte semblaient sincères. Elle s'inquiéterait plus tard de sa décision.

Elle se mordillait la lèvre tandis qu'elle approchait une fois de plus de la porte de service de la grande demeure.

La servante qu'elle avait empêchée de tomber la veille travaillait en compagnie d'une autre dans le potager. Elle leva les yeux.

— Vous êtes la fille de la librairie.

L'autre servante, plus âgée, se redressa.

— Je travaille à la librairie, oui, répondit Miranda.

— Eh bien, qu'est-ce que vous faites là ?

Miranda se trémoussa, mal à l'aise, cette question faisant écho à celle qu'elle-même se posait.

— Je viens aider à ranger la bibliothèque.

— Je le sais bien, ma fille. Mais vous devez passer par-devant, expliqua la servante en lui faisant signe de rebrousser chemin.

— C'est pourtant l'entrée, ici, dit Miranda, de plus en plus gênée.

— Pour nous, pas pour vous. Vous avez rien à faire dans une cuisine pleine de fumées grasses.

— J'ai été embauchée…

— Vous occupez pas de ça. Vous devez entrer par-devant. La cuisinière me loupera pas si je vous laisse passer par là.

— Une fois de plus, marmonna l'autre servante.

— Je ne pense pas que vous compreniez...

La servante haussa les épaules.

— Je sais que vous êtes censée entrer par-devant, déclara-t-elle, ce que l'autre servante approuva d'un hochement de tête décisif.

Miranda réfléchit une seconde puis fit demi-tour. À peine aurait-elle franchi la grande porte qu'elle se ferait remettre à sa place, mais elle ne se voyait pas passer en force devant les deux servantes.

Elle tourna au coin de la maison et aperçut Jeffries sur le seuil qui lui faisait signe d'approcher comme si elle était une invitée, et non une employée.

D'émotion, elle trébucha sur une pierre et recouvra tant bien que mal son équilibre. Convaincue que le majordome faisait signe à quelqu'un d'autre, elle jeta un œil derrière elle, mais ne vit que deux jardiniers dont aucun ne regardait la maison. Elle se retourna et, de nouveau, le majordome lui adressa un signe impérieux.

Elle le rejoignit, le cœur battant.

— Bonjour, mademoiselle Chase, fit-il en s'effaçant pour la laisser entrer. Puis-je prendre votre manteau ?

Éberluée, elle le lui tendit, et se souvint tout juste de ses bonnes manières.

— Oui, je vous en prie. Merci, monsieur Jeffries.

— Puis-je vous conduire à la bibliothèque ?

Elle le regarda fixement. Un majordome ne « conduisait » nulle part un autre domestique. Au mieux, un premier valet de chambre pouvait indiquer à une servante récemment embauchée où se rendre. Miranda s'était attendue à être confiée aux bons soins d'une servante, ou à la gouvernante si celle-ci pensait devoir signaler dès le début à qui la nouvelle recrue devait respect et obéissance.

Cela dit, un vicomte ne venait pas en personne chercher ses livres dans une librairie.

Dans quelle maison de fous était-elle tombée ?

— Je... Ce serait bien aimable à vous, merci.

Elle se rappelait le chemin, mais jugeait préférable de répondre ainsi. Sa mère lui avait inculqué les règles du protocole dans l'espoir qu'elle suivrait un jour ses traces. Qu'elle ne l'ait pas fait avait grandement déçu les dames du pensionnat.

— Par ici.

Il s'inclina, mais elle crut percevoir une certaine crispation, preuve qu'il n'approuvait pas sa présence. Elle ouvrit la bouche pour dire : « Je ne suis là que pour ranger la bibliothèque », mais se retint de peur d'ajouter la sottise à l'inconvenance.

Deux servantes devant lesquelles ils passèrent cessèrent de travailler – l'une furtivement, l'autre ouvertement. Les coups d'œil intrigués se répétèrent à travers toute la maison.

Jamais elle ne s'était sentie aussi exposée aux regards et aussi peu à sa place. Et jamais elle n'avait réalisé quel soulagement c'était parfois de se fondre dans le décor.

Ils atteignirent enfin la bibliothèque et elle se retint de se ruer dedans en claquant la porte derrière elle.

— On vous apportera un plateau pour le déjeuner.

— Oh, non, je peux aller jusqu'à...

Jeffries l'interrompit d'un geste de la main.

— Inutile de vous donner ce mal, mademoiselle Chase. Nous serons heureux de vous apporter un plateau. Y a-t-il autre chose que vous voudriez ?

Rien ne lui venant à l'esprit, elle secoua la tête.

— Alors, je vous souhaite une bonne journée, mademoiselle Chase, fit-il sans se départir de sa raideur. N'hésitez pas à sonner si vous avez besoin de quelque chose.

À l'entendre, il s'attendait qu'elle le fasse. Et de façon répétée.

Cela en disait long sur les invitées qu'il servait d'ordinaire. Ce que cela disait d'elle, elle l'ignorait.

Les pas s'éloignèrent dans le couloir. Les domestiques avaient appris à modérer leurs mouvements, à être le plus silencieux possible, à ne pas déranger leurs maîtres. Seules, les pièces où ils travaillaient, cuisine, buanderie, office, étaient animées. Là, seulement, ils redevenaient des individus distincts.

Parfois, elle aurait aimé retourner vivre à la campagne et cesser d'être la fille d'un universitaire respecté dont on attendait un comportement parfait. Trouver un havre de paix où elle pourrait vivre au milieu des livres et chercher le réconfort dans la forêt.

Mais certaines forêts n'étaient pas constituées d'arbres. Elle parcourut du regard la pièce encombrée de tours de livres en équilibre instable. Cette bibliothèque serait merveilleuse une fois rangée, songea-t-elle en déambulant entre les piles, effleurant une reliure ici, ramassant un volume là. Que diable avait-il pris au vicomte de vider les rayonnages et de mélanger tous les livres ?

Les gens de qualité étaient des êtres irréfléchis. Fais ce qui te passe par la tête et laisse à autrui le soin de nettoyer derrière toi. Voilà sans doute ce qu'on pensait quand on possédait châteaux, hôtels particuliers, et espèces sonnantes et trébuchantes. Des choses aussi terre à terre que le temps et le travail n'entraient pas dans l'équation.

Elle maudit la tentation aberrante qui l'avait ramenée ici.

Elle caressa une édition luxueuse de l'*Énéide*. Découvrir tous les trésors que contenait cette pièce serait un régal, mais les ranger aurait pu faire partie des travaux dont Vénus avait accablé Psyché pour la punir d'avoir séduit son fils, Cupidon.

Quant à l'autre raison qui l'avait incitée à venir... une raison purement charnelle... elle secoua la tête et se concentra sur le travail herculéen qui l'attendait. Un soupir lui échappa. L'*Énéide* toujours en main, elle se laissa choir dans l'un des fauteuils perdus au milieu du chaos.

Il faudrait une semaine juste pour trier grossièrement les livres et déterminer quel classement adopter. Bien sûr, elle pouvait les ranger par sujets, et à l'intérieur du sujet, par ordre alphabétique. Certaines bibliothèques suivaient un classement strictement alphabétique. Dans d'autres, les livres étaient rangés selon le mérite qu'on leur accordait. Ou encore selon la taille des volumes, comme dans le bureau du vicomte... Qui avait pu faire cela ? Le vicomte ? Elle eut un reniflement de mépris.

— Si cette tâche est au-dessus de vos forces...

Elle sursauta et découvrit le maître de maison qui s'encadrait sur le seuil, les mains dans les poches, le sourcil haussé, dans une attitude qui tenait du défi.

Elle se redressa sur son siège, le cœur battant jusque dans la gorge.

— Je me demandais juste par où commencer.

Elle serra le livre contre elle, s'efforçant de se calmer. Elle avait beau se douter, s'attendre qu'il surgisse ainsi de nulle part, il n'empêche que cela demeurait un choc.

Comme si l'un des personnages entrevus sur les enluminures était sorti du manuscrit pour se matérialiser sur le tapis d'Aubusson à l'entrée de la pièce.

— Voulez-vous qu'ils soient rangés d'une certaine façon ? jeta-t-elle précipitamment pour canaliser ses pensées. Y a-t-il un classement que vous préférez ?

Il entra d'un pas désinvolte, et caressa le livre qui couronnait une pile tout en déchiffrant le titre sur le dos.

— Peu importe, répondit-il. Je veux juste qu'ils soient bien rangés.

— Pour quelqu'un qui possède autant de livres et qui en achète encore, vous avez l'air terriblement ambivalent à leur sujet.

— Je sais quel pouvoir ils détiennent. Mais c'est juste une question de perception, n'est-ce pas, mademoiselle Chase ?

Elle l'étudia un instant.

— J'aime à penser qu'il s'agit du contenu, lord Downing. La perception ajoute un vernis. Il faut regarder sous la surface.

Il franchit la distance qui les séparait et se percha sur l'accoudoir du fauteuil voisin de celui de Miranda. Beaucoup trop près. La seule chose rassurante était qu'il avait choisi l'accoudoir le plus éloigné.

— Alors, qu'allez-vous faire ? demanda-t-il et elle ne put s'empêcher d'admirer le dessin de ses lèvres lorsqu'il parlait.

— Je vais ranger, bien sûr, articula-t-elle.

Une esquisse de sourire retroussa les lèvres du vicomte, chamboulant un peu plus Miranda.

— Décidément, vous prenez tout au sens propre.

Oui. Car le danger résidait dans les sous-entendus, les significations secrètes, les allusions.

— Je trouve que les propos sans équivoque sont moins déroutants, déclara-t-elle.

— Et, pourtant, n'est-ce pas vous qui prétendez percevoir un sens sous les propos niais d'un stupide manuel ?

— Les livres offrent aux lecteurs la possibilité de lire ce que chacun veut y trouver. Et c'est tout.

Il se déplaça sur l'accoudoir et regarda autour de lui les rayonnages vides et les livres empilés sur le sol.

— Alors, par où allons-nous commencer ?

— *Nous* ? Commencer quoi ?

— À ranger, dit-il en la regardant droit dans les yeux. De quoi d'autre pourrais-je bien parler ?

À en juger par son ton et par son regard, il était évident qu'il avait quelque chose de totalement différent en tête.

— Je me débrouillerai fort bien toute seule.

— Personne ne se débrouille bien tout seul, affirma-t-il en se penchant vers elle. C'est juste une expression toute faite.

— Je vous assure que je suis tout à fait contente ainsi.

Il toucha le bord du fauteuil de Miranda. Geste délibéré, elle ne fut pas dupe.

— Le contentement n'est pas le bonheur.

— J'aime à penser que ce sont des synonymes.

— Raison pour laquelle vous avez besoin qu'on vous explique certaines choses, rétorqua-t-il, le regard intense.

Miranda s'efforça de calmer sa respiration et pensa à Georgette.

— Peut-être aimeriez-vous rencontrer l'une de mes amies ? Elle serait, j'en suis sûre, très désireuse d'écouter vos explications.

— Non. Je suis très satisfait de mon choix.

Elle avala sa salive, cherchant quelque chose qui lui permette d'échapper à ce regard.

— Votre Seigneurie, pardonnez mon langage direct, mais rien d'autre ne requiert votre temps ?

Et où donc étaient ses serviteurs ? Silencieux ou non, les serviteurs étaient partout dans les grandes maisons. En présence de leurs maîtres, ils se fondaient dans le décor, toujours prêts à obéir, mais elle n'en avait pas vu passer un seul depuis qu'il était là.

— Je survivrai à votre langage direct, ma chère. Mais je ne peux quand même pas vous laisser ici toute seule.

Elle le regarda sans comprendre. Elle avait l'habitude de se fondre dans le décor et qu'on ne la remarque pas. Rien ne la distinguait du personnel du vicomte, après tout. Elle avait le même statut. Lorsqu'elle faisait des livraisons – et autrefois au pensionnat – elle avait appris à n'être ni vue ni entendue.

— Vous avez besoin de mon aide, affirma-t-il.

— Non.

Quel que soit le genre d'aide qu'il lui proposerait, elle ignorait si elle pourrait y survivre.

— Allons donc.

Il glissa de l'accoudoir dans le fauteuil. Comme un garçon de la campagne sur un tas de foin plutôt qu'un seigneur dans son manoir. Tendant la main, il s'empara de celle de Miranda.

Elle le fixa, captive. Les longs doigts nus caressaient son gant lilas. Elle cessa de respirer lorsqu'un doigt s'introduisit sous le bouton.

Les yeux rivés à ceux de Miranda, il souriait nonchalamment. Il était près. Bien trop près, ainsi penché en travers du fauteuil voisin. Si elle avait deviné qu'il viendrait s'y asseoir, elle les aurait écartés.

Il tira et, cédant malgré elle, elle se pencha un peu vers lui. Le regard noir l'ensorcelait, tel l'appel du marin à la sirène au lieu de l'inverse.

Et, soudain, il se redressa légèrement, lâchant la main de Miranda. Elle entrouvrit les lèvres. Ainsi, c'était cela tomber sous le charme, comprit-elle.

— L'*Énéide*, fit-il. Vous voulez ranger mes livres par ordre alphabétique ?

Il fallut à Miranda une seconde pour se rendre compte qu'il venait de lui ôter le livre des mains.

— Je… Non. Oui. C'est-à-dire…

Il arqua un sourcil.

Elle lui arracha le livre.

— Vous essayez de m'ensorceler.

— Moi, vous ensorceler ?

— Oui, s'entêta-t-elle en se cramponnant au livre pressé contre sa poitrine. Arrêtez.

— Je ne sais pas de quoi vous parlez.

— De l'appel des sirènes.

— Dans ce cas, vous vous êtes trompée de livre.

Il se pencha en arrière et décocha un coup de poignet dans le sommet d'une pile. Une vingtaine de volumes tombèrent en avalanche, faisant chuter la pile voisine et menaçant la suivante. Les ouvrages s'éparpillèrent sur le sol.

— Votre Seigneurie ! s'exclama Miranda en se levant à demi.

Ignorant sa protestation, il envoya promener le livre suivant de la pile, le laissant s'écraser avec les autres. Il s'empara de celui qui était à présent sur le dessus, jeta un coup d'œil à la couverture et le tendit à Miranda. Elle s'en empara sans réfléchir et baissa les yeux.

— L'*Odyssée* ?

Il tapa deux fois sur le livre, vibration qui se communiqua aux doigts de la jeune fille.

— Les sirènes. C'est dans l'*Odyssée*.

Elle fixa la couverture, puis le vicomte.

— Vous faites cela à tout le monde ?

— Faire quoi ? Offrir un livre ?

Sa posture nonchalante allait à l'encontre de cette impression de tension sous-jacente qui émanait de lui, comme lorsque le saule se prépare à subir l'orage.

— Essayer de séduire, lâcha-t-elle.

Il se détendit, réaction qui surprit Miranda. Elle aurait cru qu'ainsi défié, il se serait au contraire raidi.

— C'est ce que je fais selon vous ? Je vous séduis ?

C'était grotesque, bien sûr. Complètement ridicule. Un vicomte fortuné et séduisant – viril de surcroît. Et elle, un vulgaire rat de bibliothèque doté de bien peu de qualités. Pourtant, quelque chose lui soufflait qu'elle ne se trompait pas. Quelque chose qui allait bien au-delà du texte licencieux caché dans son armoire.

— Oui. Je le pense.

Il sourit. Un sourire plein de secrets nocturnes.

— Eh bien, Miranda, je suis choqué.

— Vous n'êtes pas du tout choqué, milord. Vous êtes très amusé, au contraire.

— C'est vrai, admit-il avec un sourire paresseux.

Amusé, et plutôt fier de lui. À quoi s'ajoutait une espèce de tendresse qu'elle ne comprenait pas.

— Vous voyez en moi une sorte de défi ?

— Je vois en vous la réponse à une question de mon âme, déclara-t-il avec dans le regard une intensité qu'elle ne comprit pas plus.

On frappa à la porte. Le vicomte fit un geste sans daigner tourner la tête. Miranda jeta un coup d'œil, et vit Jeffries s'incliner et ressortir aussitôt. Lorsqu'elle revint au vicomte, elle constata qu'il ne l'avait pas quittée des yeux.

— Je pense qu'on a besoin de vous, milord, dit-elle.

Elle avait besoin qu'il s'en aille. Qu'il cesse de lui fourrer des idées étranges et immorales dans la tête.

— Et dire que je pensais qu'il me faudrait beaucoup plus de temps pour vous le faire admettre.

— Votre personnel a besoin de vous, rectifia-t-elle.

— Uniquement mon personnel ?

— Oui, dit-elle fermement.

— Dommage.

Il continuait à la fixer tout en pianotant sur l'accoudoir.

— Lord Downing, si vous restez assis ici et continuez à me regarder ainsi, je vais finir par croire que le dicton selon lequel la folie guette les gens fortunés est vrai.

Au lieu de se vexer comme elle s'y attendait, il sourit.

— Et si nous nous lancions un défi ?

— Quoi ? Non, s'écria-t-elle vivement, pressentant un danger.

— Vous ne savez même pas ce que j'allais suggérer.

— Je suis sûre que ce sera à mon désavantage. Vu ce que les journaux racontent à votre sujet.

Le vicomte plissa brièvement les yeux.

— Raison de plus. J'ai vraiment besoin qu'on me rappelle à l'ordre, vous ne croyez pas ?

Elle ne répondit pas.

— Depuis que vous avez déclaré qu'il fallait regarder sous la surface, je suis perplexe, enchaîna-t-il en penchant la tête vers elle. Vous me montrerez ce que vous entendez par là. Si vous le pouvez.

— Ce que j'entends par là ?

— Essayez de me convaincre que s'asseoir devant la Serpentine n'est pas rasoir. Que les théâtres ne jouent pas éternellement la même pièce idiote. Que la brise de printemps est le murmure des dieux.

Décontenancée par cet accès de poésie inattendu, elle sursauta.

— Ce n'est pas à moi que vous devez vous adresser. C'est à Eleuthérios.

— Très bien. Utilisez ce manuel idiot pour me faire découvrir toutes ces choses étranges et merveilleuses.

Il devait y avoir un piège quelque part, songea Miranda.

— Et ?

— Et je m'en servirai pour vous séduire.

Médusée, elle ne bougea ni ne cilla.

— C'est vous qui avez lancé le défi, en fait, reprit-il. Dans votre librairie.

— Je... je n'ai rien fait de la sorte.

— Oh, mais si ! Du reste, vous avez beaucoup à gagner si vous acceptez. Si vous réussissez...

Il s'interrompit une fraction de seconde, fit courir son doigt le long de l'accoudoir de son fauteuil, et poursuivit :

— Il est possible que je puisse trouver un exemplaire du *Bengale*. Et peut-être un bracelet signé Tersine.

Elle ignora l'offre offensante du bijou et se concentra sur l'élément le plus pertinent du pot-de-vin. *Le Bengale*. Pour mettre la main sur cette œuvre, son oncle la pousserait dans un fiacre et l'emmènerait tout droit chez le vicomte. Or le vieil homme détestait voyager en voiture à peine moins qu'elle.

Elle vit au visage du vicomte qu'il savait combien le libraire désirait ce livre. Le souffle lui manqua. Elle allait devoir s'offrir comme conquête ?

— Comment comptez-vous mesurer mon succès ? s'entendit-elle demander.

— Eh bien, cela dépend de vous. Je m'efforcerai de vous faire murmurer à l'oreille des dieux, dit-il avec un sourire qui s'épanouit lentement, jusqu'à illuminer ses traits parfaitement ciselés. Nous verrons qui s'incline le premier.

Elle eut l'impression que son cœur allait jaillir de sa poitrine.

— Vous allez me séduire… Essayer de me séduire ? rectifia-t-elle après s'être raclé la gorge.

— Je pensais avoir été tout à fait clair.

— Mais c'est ridicule.

— Vous n'aimez pas que les gens disent ce qu'ils pensent ?

— L'idée que vous me séduisiez est ridicule.

— Je pourrais me vexer si j'avais une once d'humilité.

À en juger par son regard, il interprétait délibérément de travers les paroles de Miranda.

— Je peux échouer. Et alors, vous serez encore plus riche.

— Je… je ne peux.

— Vous ne voulez pas un exemplaire du *Bengale* ? Écoutez. Relevez ce défi une semaine, et je vous le donne. Avec le bracelet en plus.

Son oncle la tuerait si elle refusait, mais tout dans cette offre et le ton suave sur lequel il la lui faisait hurlait : « Danger ! Éboulements de terrain en vue ! »

— Où porterais-je un bijou pareil ?

— Où vous voudrez.

Elle le regarda avec ahurissement. Elle irait au marché avec une fortune en diamants au poignet.

— Il s'agit seulement de relever ce défi une misérable semaine. Sans autre condition.

Comme elle gardait le silence, il se pencha vers elle.

— Faites-le pour moi, ajouta-t-il d'une voix enveloppante. Essayez de me montrer ce que vous voyez.

— Très bien, souffla-t-elle.

Elle n'en revint pas. C'était elle qui avait accepté ?

Il sourit, et le cœur de Miranda s'emballa.

— Parfait. Je ne peux vous dire combien cela me fait plaisir.

Il se pencha davantage. Pétrifiée, Miranda sentit des lèvres chaudes lui effleurer l'oreille.

— Je vous promets que je ferai en sorte que la reddition soit très agréable.

Ces mots se lovèrent en elle. Et sa robe parut soudain trop petite pour contenir sa poitrine qui se soulevait et s'abaissait précipitamment. La joue du vicomte frôla la sienne comme il s'écartait. Les paupières de Miranda se fermèrent spontanément. Une partie de sa raison s'effondra comme elle tenta de s'imaginer à quoi ressemblerait un vrai baiser. Serait-ce aussi merveilleux que la découverte d'un nouveau livre ? Ou bien aussi fantastique qu'un feu d'artifice dans le ciel nocturne ?

— Quelle tentation, murmura-t-il. Je ne suis pas sûr de pouvoir résister.

Elle entendit à peine ces mots au-dessus des battements éperdus de son cœur.

S'il tournait un peu la tête sur la gauche. Et elle sur la droite…

Il se leva subitement, et un courant d'air froid frappa le visage de la jeune fille.

— Dois-je envoyer quelques valets pour vous aider ?

Elle relâcha son souffle et rouvrit brusquement les yeux. Avait-elle bel et bien accepté un défi qui consistait à être séduite par l'un des débauchés les plus célèbres du pays ? Et avait-elle quasiment plongé dans le prologue du défi en question ?

— Il faut d'abord que je mette un peu d'ordre, parvint-elle à articuler.

Un peu d'ordre dans son corps et son esprit, avant tout.

— Ah, pardonnez mes gestes négligents ! Je vous ai donné du travail supplémentaire en faisant tomber ces piles.

Son timbre avait un petit quelque chose d'inhabituel. Comme si ce qui venait de se passer ne le laissait pas totalement indifférent.

— Je reviendrai à 14 heures.

— Pardon ? Non, s'écria-t-elle.

— J'y tiens, insista-t-il tandis qu'il s'éloignait en direction de la porte. Après tout, je suis responsable du chaos, ajouta-t-il avec une ébauche de sourire, comme si cette phrase avait plusieurs sens possibles. Au revoir, mademoiselle Chase.

Il sortit, et elle demeura immobile, avec l'impression d'avoir été engloutie et rouée de coups par Charybde plutôt que précipitée contre un écueil.

Avait-elle vraiment accepté ce défi aberrant ? Comment diable allait-elle s'en sortir ?

Elle regarda le désordre autour d'elle. Et eut l'impression d'être emportée dans le tourbillon d'un maelström et de se débattre sans même une pagaie.

Elle tira une chaise, monta dessus et, les mains tremblantes, s'empara du premier livre d'une pile. Le travail. C'était la solution. Ne penser qu'au travail.

Elle penserait à ce qu'elle avait fait – et à ce qu'elle ferait – plus tard. Plus tard, lorsque l'essence de cet homme n'imprégnerait plus l'atmosphère de la pièce.

Grâce au ciel, la pile ne s'écroula pas en dépit des volumes disposés n'importe comment et des doigts gauches de Miranda. Elle attrapa les trois livres suivants et descendit de la chaise.

Un roman français, un manuel d'économie domestique, un classique grec, et un livre religieux... Comment ces ouvrages s'étaient-ils retrouvés ensemble ? À croire que quelqu'un les avait mélangés délibérément.

Ce qui serait stupide.

Elle baissa les yeux sur ses mains tremblantes.

Stupide, oui, ça l'était.

Elle secoua la tête et, sans qu'elle le veuille, ses yeux cherchèrent l'horloge. Il n'était même pas 10 heures.

Elle grimpa trois fois de plus sur la chaise avant de regarder à nouveau. 10 h 15. Vu la façon erratique dont son cœur battait, elle serait morte avant que les aiguilles indiquent 14 heures.

Elle tourna le dos à l'horloge et se remit au travail.

Les quinze minutes suivantes furent difficiles puis, à mesure qu'elle se plongeait dans sa tâche, le temps s'accéléra. Mme Humphries, la gouvernante, apporta un plateau bien garni et lui demanda si elle avait besoin d'aide. Miranda accepta volontiers. Des hommes et des femmes se succédèrent, travaillant en équipe selon ses instructions. Et l'observant lorsqu'ils pensaient qu'elle ne regardait pas.

La nourriture était parfaite. Du pain, du fromage et des fruits qui lui permirent de grignoter tout en travaillant. Elle entendit qu'on emportait le plateau vide. Levant les yeux, elle découvrit que les deux serviteurs s'étaient éclipsés.

— Merci, jeta-t-elle à la cantonade.

— Vous me remerciez, alors que j'arrive tout juste.

La voix rauque, pleine d'assurance, se glissa jusqu'à elle entre les piles de livres.

— Je risque de ne plus pouvoir me passer d'entendre vos lèvres prononcer ce mot. Voyons un peu ce qu'elles pourraient dire d'autre ?

5

Cher monsieur Pitts,
Une nouvelle et étrange rencontre me fait me poser
toutes sortes de questions sur moi-même. Peut-être
pourriez-vous m'aider à remettre de l'ordre dans mes
pensées. Mais dites-moi d'abord : pourquoi un homme
feindrait-il de l'intérêt ?

De la plume de Miranda Chase

Le pouls de Miranda s'emballa quand le vicomte
apparut, changé de frais mais toujours vêtu de noir
et affichant une allure insouciante. Haussant un
sourcil, il regarda les livres qui l'encerclaient.

— Hélas, je vois que vous êtes loin d'avoir fini !

Ce qu'elle voyait, elle, c'était une image où il lui
tendait les lèvres et plongeait les doigts dans ses cheveux dénoués. Maudite illustration dont le souvenir
la hantait, anéantissant tout le reste dans sa tête.

Elle ouvrit la bouche, mais rien n'en sortit avant
une longue seconde.

— Cela me prendra plus de quelques jours, milord.

Elle baissa les yeux et essaya de se ressaisir. *Où était passé tout le monde ?* Valets et servantes n'avaient pas arrêté de se succéder auprès d'elle toute la matinée et, soudain, il n'y en avait plus un seul.

— J'espère que votre portefeuille y survivra, ajouta-t-elle.

— Je m'en sortirai d'une façon ou d'une autre.

Mais elle ?

— Je l'espère. Comme vous l'avez dit, cette pagaille est votre œuvre, dit-elle en désignant les livres éparpillés sur le sol.

— C'est l'un de mes nombreux talents, dit-il en se laissant tomber dans un fauteuil, ses longues jambes étendues devant lui, chevilles croisées. Mais je suis à votre disposition. Utilisez-moi comme bon vous semble.

Sa bouche eut un petit pincement ironique.

Elle avala sa salive, et s'efforça de ne pas penser à la façon dont elle pourrait l'utiliser selon le texte enfoui dans son armoire – en particulier dans cette position.

Avec toutes ces images et pensées dans sa tête, le défi n'était pas nécessaire. Elle devait se reprendre. Ne pas trahir l'espèce féminine en succombant telle une tourterelle impuissante.

— Ce ne sera pas nécessaire. Votre personnel est très serviable. Et vous avez sûrement d'autres obligations.

— Mon personnel est subitement débordé. Et j'ai libéré mon après-midi. Pour vous, acheva-t-il en ouvrant les bras.

Elle tenta de réprimer le flot d'émotions qui l'envahissait. Excitation, peur. *Peur d'elle-même.* Mais, se dit-elle, il lui suffisait d'être patiente. Sous peu, il cesserait de s'intéresser à elle. Peu importait qu'il lui ait offert ce livre illustré. Elle avait lu des tas de choses sur lui. En particulier qu'il était rapide pour partir en chasse, et encore plus rapide pour se lancer aux trousses d'un nouveau gibier plein de vitalité.

Tant qu'elle réagirait avec intelligence, elle passerait un bon moment – car, lorsqu'il ne lui embrouillait pas l'esprit, le vicomte pouvait être amusant. Et elle l'amènerait à aimer l'œuvre d'Eleuthérios.

Elle devait juste éviter de se perdre en chemin.

— Je vais être très occupée tout l'après-midi à trier vos livres. Peut-être aimeriez-vous réfléchir de nouveau à votre défi et revenir à la raison demain ?

— Oh, voilà longtemps que je n'ai pas eu l'esprit aussi clair, déclara-t-il en s'avachissant un peu plus dans son fauteuil. Et je ne changerai pas d'avis.

— Vous devez vous ennuyer sérieusement, milord.

— Je ne pense pas que vous compreniez à quel point, dit-il en inclinant la tête.

Eh bien, au moins, il était honnête.

— Jusqu'à ce que je vous rencontre, acheva-t-il.

Ou pas honnête du tout.

— J'ai du mal à me croire suffisamment spirituelle et jolie pour avoir retenu l'attention du célèbre vicomte Downing.

— Dans ce cas, je suis le seul à en profiter.

Elle ne sut que répondre à cela.

Il lui fit signe de continuer à travailler.

— Quand vous aurez besoin d'aide, n'hésitez pas à me le dire.

Elle lui adressa un regard dubitatif, puis préleva les cinq premiers livres d'une pile. Se frayant ensuite un chemin entre les éboulis, elle se dirigea vers l'extrémité gauche de la bibliothèque, grimpa sur l'escabeau et posa les livres sur l'étagère la plus élevée.

Revenant sur ses pas, elle prit les cinq livres suivants et les rangea à côté des premiers.

— Voilà une façon originale de ranger une bibliothèque, commenta le vicomte. Ramasser des livres sur le sol et les disposer dans le même ordre sur les étagères. Cela relève de l'art, j'imagine.

Elle lui jeta un bref coup d'œil tout en prenant les cinq volumes suivants.

— Vous êtes diablement comique, lord Downing. Comment faites-vous pour survivre à tant d'esprit ?

— C'est extrêmement difficile.

Comme elle chargeait l'étagère suivante, un sifflement moqueur salua son initiative.

— Vous en commencez déjà une autre ?

Elle décida de l'ignorer et poursuivit ses allers et retours. Son objectif était de réserver un espace suffisamment vaste pour chaque sujet, qu'elle classerait dans un second temps. Cela demanderait nombre de manipulations, mais rien de mieux qu'une quantité de petites tâches concrètes pour s'occuper l'esprit.

Cela lui permettrait aussi de repérer les doublons. Elle avait déjà trouvé plusieurs exemplaires d'un même titre dispersés dans différentes piles.

Elle s'autorisa un coup d'œil discret en direction du vicomte. Toujours affalé dans son fauteuil, il avait calé une jambe sur l'accoudoir et la balançait doucement, l'air enchanté d'être là, à la regarder. Que faisait-il de ses journées d'ordinaire ? Elle avait toujours pensé qu'en plus de décider du sort de petites gens comme elle et de se pavaner dans des soirées, les riches devaient faire quelque chose. Elle n'avait pas encore eu le culot de l'interroger sur ses occupations. Mais chaque quolibet fusant des entrailles du fauteuil renforçait son audace

— Comment les rangez-vous exactement ? s'enquit-il.

— Par sujet, en laissant l'espace nécessaire au nombre d'œuvres qui en relèvent. Ensuite, je suivrai l'ordre alphabétique.

— C'est raisonnable.

Le ton la fit s'arrêter et croiser les bras.

— Vous n'êtes pas d'accord.

— Je n'ai pas dit cela.

— C'était sous-entendu.

— En disant que c'était raisonnable ? Ce mot n'implique-t-il pas que j'approuve ?

— C'est la façon dont vous l'avez dit.

— Pour quelqu'un qui prétend préférer lire des livres plutôt que de chercher à deviner ce que cache tel ou tel propos, vous semblez davantage portée sur la seconde option.

— Pour quelqu'un qui prétend ne pas vouloir ranger sa bibliothèque, vous semblez en avoir très envie.

— Pas du tout.

Elle le fusilla délibérément du regard. Irritation, amusement et méfiance s'entremêlaient de nouveau.

— Je n'ai jamais dit que je ne voulais pas *vous* regarder faire.

— Je vois.

Elle ne voyait rien du tout.

Il tapota la couverture du premier volume d'une pile érigée près de lui.

— Où enfouirez-vous ceux-ci ?

Elle se pencha pour lire le titre.

— Tout ce qui concerne la religion, l'Église ou le mysticisme va à droite. C'est le rayon le plus fourni de notre librairie ; c'est normal puisque la plupart des livres imprimés tournent autour de ces sujets. Mais j'ai le sentiment que ce ne sera pas le cas ici, et que vos goûts – ou ceux de votre bienfaiteur – vous portent à vous intéresser à des sujets différents. Aussi, je les mets à droite pour le moment.

La jambe du vicomte qui se balançait et ses sourcils en accent circonflexe en disaient plus que n'importe quel mot.

Elle alla lui reprendre le livre.

— Mais ne dites pas que vous n'avez pas d'opinion. Je vous vois froncer les sourcils ou hocher la tête selon l'endroit où je mets les livres.

— Hocher la tête ? Je n'ai pas bougé.

Elle agita la main.

— C'est dans l'air autour de vous.

— Je suis enchanté que vous m'accordiez suffisamment d'attention pour le remarquer.

— Difficile de vous ignorer, marmonna-t-elle.

— Pardon ?

Elle s'éclaircit la voix.

— Vous me payez pour faire du bon travail, je suppose. Je ne cherche qu'à vous contenter.

— Je suis heureux de l'entendre.

Il en ronronnait presque.

Elle se cacha derrière une pile de bonne taille jusqu'à ce qu'elle ait à peu près contrôlé la couleur de ses joues. Après quoi, elle tendit le cou.

— Vous avez beau ne pas vouloir l'admettre, vous voulez contrôler le rangement de vos étagères. Pourquoi feindre de me laisser libre de faire comme je veux… et m'accabler de railleries exaspérantes et de défis scandaleux ?

Il pencha la tête de côté si bien qu'elle parut reposer sur son épaule, et la contempla d'un regard paresseux.

— Parce que je veux vous retenir ici, et que cela m'a semblé un excellent moyen d'y parvenir.

Elle se figea et essuya la paume moite de sa main libre sur sa jupe.

— Eh bien, vous avez réussi.

Son oncle la forcerait à rester. Elle était bel et bien prise au piège.

Elle fronça les sourcils. C'était une piètre façon de penser. La voix de M. Pitts s'éleva dans sa tête, déclarant qu'elle n'avait nul besoin d'excuse pour rester ou se sentir sans recours. La décision de jouer avec celui qui l'avait prise au piège et d'envoyer au diable ceux qui désapprouvaient lui appartenait.

Le vicomte la dévisageait comme s'il tentait de deviner ses pensées.

— Qu'allez-vous faire ?

N'avait-elle pas décidé de venir sans en parler à son oncle ? N'avait-elle pas pris cette décision seule ?

Elle ramassa quelques volumes sur le tas concernant les bonnes manières et l'étiquette, et alla les ranger à droite sur une étagère qui serait facile à atteindre lorsque tout serait à peu près à sa place, mais ne l'était pas du tout dans le fouillis actuel.

— Je vais continuer comme j'ai commencé, répondit-elle.

Elle se retourna et s'aperçut qu'il l'avait rejointe sans faire de bruit. Il se tenait derrière elle, un paquet de livres dans les mains.

— Moi aussi, dans ce cas, annonça-t-il.

Il lui tendit les livres qu'elle prit sans mot dire, en essayant de déchiffrer ce regard mystérieux.

Un regard qui hanta ses rêves toute la nuit. La silhouette floue de ses rêves prenait de l'épaisseur. Elle se penchait sur elle, l'étreignait, la touchait de toutes sortes de façons scandaleuses.

Et puis ses lèvres frôlèrent les siennes, et elle se réveilla en sursaut, hors d'haleine. Et ne retrouva pas le sommeil avant un très, très long moment, avide de vraies lèvres, de vrais baisers.

Le lendemain, elle se demandait encore dans quel pétrin elle s'était fourrée. Son pouls battait furieusement. Les rêves de la nuit imprégnaient sa journée.

— Molière n'est pas à sa place, là, dit-il comme elle grimpait à l'échelle. Il serait mieux près de Swift.

Elle posa la main sur le mur d'étagères pour garder l'équilibre et, pinçant les lèvres, baissa les yeux sur le vicomte.

Il lui décocha un sourire.

— Je vous fais seulement profiter de mes connaissances.

— Dont je n'ai que faire.

Parfois, elle était horrifiée de s'entendre parler ainsi à un vicomte. Sa langue oubliait qu'il était un lord et ne cessait de revenir au style naturel qu'elle utilisait dans sa correspondance. Et quelque chose dans les yeux du vicomte semblait dire que ces échanges lui plaisaient.

Georgette serait aux anges.

— Je pense que vous n'aimez pas admettre que j'ai raison. Il n'y a rien de honteux à céder, Miranda.

Sa voix avait baissé d'un cran dans les graves.

— Je promets de prendre soin de tout.

Elle sursauta. Ainsi avait parlé le personnage de ses rêves. Promettant qu'il veillerait à satisfaire ses souhaits. Ses besoins. Ses désirs.

Tout.

110

Les illustrations du livre enluminé lui revinrent à l'esprit, et elle sentit presque ses doigts plonger dans ses cheveux et ses lèvres se poser sur les siennes.

Le livre qu'elle tenait bascula. Elle plongea en avant, se redressa trop abruptement et perdit l'équilibre. Elle chercha à agripper une étagère, mais sa main ne trouva que le dos de livres déjà en place. Ces derniers oscillèrent avant de tomber en pluie comme elle glissait de l'échelle.

Stupides livres. Stupides rêves. Stupide vicomte.

Deux bras puissants la rattrapèrent et la pressèrent contre un torse ferme. Elle sentit un souffle chaud dans ses cheveux tandis que les battements de son propre cœur faisaient écho à la chute des livres sur le sol.

— Savon à la vanille ?

Le timbre voilé de la voix du vicomte était dix fois plus troublant si près de son oreille.

— Cela vous va délicieusement.

Mordez. Goûtez. Le cou de Miranda s'inclina dans une invitation inconsciente.

Des lèvres frôlèrent sa peau sous l'oreille, et un rire rauque annonça d'autres choses.

Des baisers qui feraient pâlir n'importe quel rêve. Des rêves qui allaient bien au-delà des différences sociales et de fortune qui les séparaient. Mais comment réfléchir dans cette situation ?

Elle tenta de s'écarter et il desserra son étreinte.

Comme elle se retournait, elle sentit son sein s'insérer dans le creux du coude du vicomte. Elle s'affola de nouveau, un mouvement brusque la fit déraper sur l'un des livres. Les bras du vicomte se refermèrent aussitôt pour l'empêcher de tomber à nouveau.

Malheureusement, il recula d'un pas et, gêné par les gesticulations frénétiques de Miranda, lui aussi dérapa sur un livre. Lâchant un juron, il bascula en arrière, entraînant dans sa chute la jeune fille et deux autres piles de livres.

Elle s'affala sur lui, le souffle coupé, ses jupes les recouvrant pudiquement, mais n'empêchant pas ses mollets d'enserrer les jambes musclées du vicomte. Les yeux de ce dernier s'assombrirent, son étreinte se resserra.

Il roula sur elle, et le sang se mit à rugir dans les oreilles de Miranda. Elle était littéralement clouée au sol, soudée au grand corps qui la retenait prisonnière, sondée par un regard intense.

Que faire sinon succomber ? Une délicieuse langueur s'empara d'elle, se mélangeant à l'anxiété et l'excitation.

Un mouvement attira son attention, et elle vit un livre osciller au-dessus de la tête du vicomte, puis tomber, lui manquant l'épaule de peu.

— Ranger une bibliothèque est une activité beaucoup plus dangereuse que je ne le pensais, remarqua-t-il.

Il ondula légèrement pour se débarrasser d'un autre livre qui était tombé sur son dos, faisant naître de curieuses sensations en Miranda.

— Mais c'est aussi riche d'opportunités. Vous vous rendez ? demanda-t-il, baissant les yeux sur ses lèvres.

— Me rendre à quoi ? demanda-t-elle, le souffle court.

— À qui.

— À qui ?

Les mots sortaient de sa bouche, tout pâteux.

112

Il sourit, et se pencha. Un soupçon de bergamote mélangé à l'odeur des livres qui les entouraient émanait de lui.

Les lèvres sèches, elle ne put s'empêcher de les humecter.

— Que faites-vous, milord ?

Une question rationnelle émergeant du chaos.

Le regard du vicomte se promena sur son visage.

— Je savoure la beauté autour de moi. Ou sous moi, en l'occurrence. Inutile d'aller s'asseoir devant la Serpentine si la jolie brise qui glisse sur l'eau est déjà visible.

Qu'il se souvienne précisément de leur première conversation était presque aussi inquiétant que l'effet que ses mots produisaient en elle.

— Vous prenez mes propos trop littéralement.

Était-ce sa voix qui se brisait ainsi ?

Il bougea et elle entendit un autre livre tomber de ses hanches.

— D'abord, je n'apprécie pas le sens caché des choses, et maintenant je suis trop littéral ? Décidément, j'ai eu raison de vous mettre au défi de me montrer ce que je ne sais pas voir.

Son visage était trop près. Ses lèvres à un souffle des siennes. Elle distinguait chaque cil telle une longue pique prête à la transpercer.

— Je n'ai pas de telles compétences, balbutia-t-elle.

Mais la tentation demeurait. Telle une chose vivante, piégée, qui cherchait à se libérer.

Et il ne se relevait toujours pas.

— Vous êtes l'une des femmes les plus vibrantes que j'ai jamais rencontrées. Et enfermée derrière vos livres… cela fait encore davantage de vous un chef-d'œuvre attendant d'être délivré.

Elle avala sa salive.

— Vous ne savez rien de moi.

— Vraiment ? fit-il, la caressant d'un regard tout à la fois indéchiffrable et ardent. J'ai eu envie de tout savoir de vous à l'instant où je vous ai vue.

La chaleur qui se déployait dans le corps de Miranda gagna ses joues.

— Je me demande bien pourquoi.

En effet. Qu'il l'ait remarquée était aberrant. Qu'il flirte avec elle, qu'il cherche à la retenir n'était pas plus crédible. Il n'y avait aucune cohérence dans tout cela.

Elle remua pour se libérer.

— Vraiment ? fit-il.

Il s'appuya sur les mains et les genoux, la maintenant dans une sorte de servitude.

— Eh bien, je vais travailler à modifier cela.

— Pourquoi ?

— Parce que je le veux. Et je fais ce que je veux, ajouta-t-il en inclinant la tête.

Elle avait besoin de sortir de là, de respirer, de réfléchir.

— C'est ce que j'ai lu, en effet.

— Quelle dévotion envers l'écrit, commenta-t-il avec un sourire sans joie. Vous êtes bien téméraire de mettre votre confiance là où il est si facile de mentir. Ne croyez pas tout ce que vous lisez.

— Je ne le fais pas. Mais parfois c'est l'inverse. Il est plus facile de dire la vérité dans un article ou dans une lettre.

— Oh ? Vos correspondants... ils vous confient leurs secrets les plus noirs, n'est-ce pas ? Vous croyez tout ce qu'ils vous disent ?

Voilà qui répondait en partie à la question concernant le temps qu'il avait passé à écouter sa conversation avec Georgette.

— Je n'ai aucune raison de douter d'eux.

— Les mensonges des êtres proches sont souvent les plus nombreux et les plus paralysants.

Elle plissa les yeux et garda le silence.

— Et ce vieux coureur d'Eleuthérios, vous espérez un mot de lui, non ?

Elle repoussa soudain sa poitrine et tenta de dégager ses chevilles de l'amas de livres.

— Mieux vaut laisser ses rêves derrière soi et aller résolument de l'avant, déclara-t-il avec une véhémence inattendue.

Il bascula sur le côté, et une avalanche de livres se déversa derrière lui.

Sans mot dire, elle se redressa lorsque son pied se prit dans une reliure. Elle retomba sur le dos, les jambes coincées sous celles du vicomte.

Maudits bouquins.

— J'admire cette façon gracieuse que vous avez de capituler.

Sa véhémence avait fait place à cette langueur qui suscitait de drôles d'envols dans l'estomac de Miranda.

— Lord Downing ?

— Oui ?

— Vous pourriez peut-être m'aider à me relever ?

— Mon dos souffre de vous avoir protégée de tous ces volumes horriblement lourds. Je ne suis pas sûr de pouvoir effectuer un tel effort physique. Vous feriez peut-être mieux de rester tranquillement allongée là. Le spectacle est charmant.

La peau de Miranda s'échauffa de nouveau, et son cerveau mit la situation sur le compte d'une sorte d'absence due à sa chute. À moins qu'elle ne soit tombée plusieurs jours auparavant, et que cette scène ne soit le fruit de son imagination.

Le regard malicieux, il s'appuya sur le coude et se pencha sur elle.

— Oui, un travail urgent m'attend. À moins que vous ne vous rendiez sans condition dès maintenant, et que nous cherchions un endroit plus confortable.

La bouche de Miranda s'ouvrit, mais aucun son n'en sortit.

— Il vous suffit de dire un mot. Une petite concession aux doutes qui s'attarderaient encore. Une simple reddition.

Son regard se fit caressant.

Les hommes ne la regardaient pas ainsi. Son cœur n'y survivrait pas.

Mais peut-être était-ce uniquement le regard de cet homme-là qui lui faisait cet effet.

— Lord Downing ?

— Oui ?

— Retirez-vous de moi.

— Je ne suis malheureusement pas sur vous, dit-il en agitant la main. Vous pouvez bouger si cela vous chante. Je fais juste office de parapluie au cas où d'autres briques de papier comploteraient votre perte.

— Dès que je serai libre, vous ne risquerez plus d'en recevoir une à la figure.

— Très bien.

Feignant d'être aux abois, il se leva et tendit la main à Miranda. Elle la prit avec méfiance et il la tira sur ses pieds d'un geste fluide.

— À demain alors, dit-il sans lui lâcher la main. Peut-être dans les jardins derrière la maison ? Il paraît qu'ils sont couverts de mauvaises herbes et de choses qui poussent. Vous pourrez me parler de toutes ces merveilles. Peut-être me laisser découvrir le parfum d'une rose sur votre chair nue ?

Des frémissements inquiétants prirent naissance dans le ventre de Miranda.

— Ce ne sera pas nécessaire.

Il sourit, la dominant de toute sa taille.

— Oh, c'est très, très nécessaire ! Un petit oui de votre part, et nous pouvons même nous y mettre dès ce soir.

Un raclement de gorge lui épargna d'avoir à répondre.

— Lord Downing ?

La main du vicomte se resserra sur la sienne, mais ses yeux ne la quittèrent pas. Tournant la tête, elle aperçut le majordome sur le seuil. Elle se demanda depuis combien de temps il attendait là.

Des rides se creusèrent brièvement autour des yeux du vicomte. Il répondit sans se retourner. Et sans lâcher la main de Miranda.

— Dites-leur que j'arrive.

— Oui, milord.

Le majordome disparut.

— Eh bien, mademoiselle Chase, j'ai hâte d'être à demain pour vous convaincre de capituler.

Ses doigts lâchèrent lentement sa main, comme à regret.

— Et j'ai confiance, j'y parviendrai.

Miranda mordillait un ongle déjà rongé. Elle avait ôté ses gants sur lesquels elle croyait sentir la pression des doigts du vicomte, ce qui la rendait folle.

— Mon oncle, je ne peux pas y retourner.

— Retourner où ? demanda le vieil homme, la tête baissée sur un grand registre, ses lunettes en équilibre instable au bout du nez.

— Dans la bibliothèque du vicomte Downing.

Il la regarda par-dessus la monture de ses lunettes.

— Ah, oui ! C'est là que tu étais hier et aujourd'hui. Je ne me souvenais plus quand tu devais commencer.

Il jeta un œil à la fenêtre.

— J'ai dû t'en parler dans un moment de moindre lucidité, parce que j'ai oublié quand.

Miranda eut un geste désinvolte, ravie d'éviter de devoir raconter comment elle l'avait appris.

— Je ne peux pas y retourner.

Les yeux du vieil homme revinrent à elle.

— Pourquoi ? Je pensais que cela te plairait. Je ferai le travail moi-même si j'avais le temps.

Elle continua à se ronger fébrilement les ongles. Sa mère aurait été horrifiée.

— Ce n'est pas bien.

Qu'est-ce qui s'était échappé en premier de la boîte de Pandore ? La cupidité ? Le chagrin ? Sûrement, la tentation pure. Comment Pandore avait-elle pu la maintenir fermée aussi longtemps ?

Non, la solution était tout simplement d'enterrer la boîte et ne jamais retourner chez le vicomte.

Son oncle cilla.

— Qu'y a-t-il de mal là-dedans ? Ne pas obtenir le paiement promis pour chaque semaine de travail – voilà ce qui n'est pas bien. La caisse de la boutique sera renflouée. Ne pas récupérer les livres qu'il choisit de jeter – ça non plus, ce n'est pas bien. Il m'a laissé entendre que j'obtiendrai une édition originale du *Bengale*.

Son regard s'éclaira et dériva vers la droite.

— Ne pas l'obtenir – voilà qui ne serait pas bien du tout.

Le livre que son oncle convoitait était à portée de main. Tout ce qu'elle avait à faire, c'était de se mettre en danger pendant une semaine. Une semaine de caresses délibérées et de sourires enivrants.

— Il m'a donné un livre enluminé.

— Ah bon ?

Elle se pétrifia, un ongle entre les dents.

— Un livre sans valeur, s'empressa-t-elle d'ajouter avant d'arracher un bout de l'ongle.

L'idiote. Il fallait éviter de piquer la curiosité de son oncle au point qu'il demande à voir le livre en question.

— Ce qui ne va pas, c'est que je suis *seule* là-bas.

Prête à céder aux plus viles tentations.

Son oncle contemplait sa bibliothèque personnelle où il voyait sans doute le livre promis déjà rangé. Il tourna vers sa nièce un regard vide.

— Seule, sans surveillance, insista-t-elle.

Tous les serviteurs se dissolvaient dans l'éther dès que le vicomte apparaissait, et elle était convaincue qu'il en serait toujours ainsi.

Aucune lueur de compréhension n'éclaira le regard du libraire.

— Tu veux être surveillée ? Il a dit qu'il ne voulait qu'une seule personne. Et je pensais que tu détestais travailler avec M. Briggs.

— Non ! Oui ! Je ne pensais pas à ce genre de surveillance, protesta Miranda avec de grands gestes censés faire comprendre la situation sans qu'elle ait à la décrire explicitement. Thomas Briggs est... nous ne travaillons pas bien ensemble. Le problème, c'est que le vicomte vit seul, précisa-t-elle comme le regard de son oncle demeurait vide. C'est un célibataire.

— Eh bien, ce n'est pas moi qui le lui reprocherai, marmonna le vieil homme qui ne s'était jamais

marié. Je ne m'étais pas rendu compte que tu te sou-
ciais de…

— Mon oncle ! Ce n'est pas convenable. Moi non
plus, je ne suis pas mariée.

Et, manifestement, pas aussi inaccessible à la tentation qu'elle s'en vantait auprès de M. Pitts.

— Bien sûr que tu ne l'es pas. J'espère que j'aurais
été invité à ton mariage si tu l'avais été.

Elle le fixa et soupira. La sonnette de la porte tinta.

— Ce n'est pas la question, reprit-elle, espérant
qu'il comprendrait et la sauverait d'elle-même. Ce
n'est pas convenable.

— Convenable ? répéta-t-il, le front plissé. Nous ne
sommes pas dans le pensionnat de ta mère.

Non, en effet. Les dames du pensionnat lui
auraient déjà fait tâter de la badine. Et si elles
connaissaient ses pensées actuelles, elles la met-
traient au cachot pour une semaine.

— Cela ne se fait pas d'être seule avec un gentleman dans sa propre maison.

— Tu ne vas pas là-bas pour t'amuser, mais pour
travailler. Cela n'a rien d'inconvenant.

— Qu'est-ce qui est inconvenant ? demanda
Georgette, qui traversait le magasin, toutes voiles
dehors, en ôtant son chapeau.

Peter, qui tenait la caisse, tendit le cou derrière
elle.

— Je range une bibliothèque et établis le catalogue. Seule, précisa Miranda avec un regard appuyé
en direction de son oncle.

— Trier des livres et les ranger sur une étagère ?
s'écria Georgette. Franchement, Miranda, si seulement c'était inconvenant, je m'inquiéterais moins du
temps que tu y consacres.

Miranda pianota fébrilement sur la table.

— Il est impossible d'avoir une conversation sérieuse avec lui.

Et tout aussi impossible de l'ignorer.

Gênée, Georgette toussota et lui décocha un petit coup de coude.

— Je ne parle pas de mon oncle, s'écria Miranda, exaspérée. C'est impossible, mon oncle, croyez-moi.

Le vieil homme repoussa son registre.

— Je ne vois pas où est le problème. Le vicomte est un homme occupé. Il ne va pas perdre son temps à venir te faire la conversation.

C'était bien *là* le problème, au contraire. Même s'ils avaient conversé longuement, la conversation ne semblait pas figurer en tête de liste de ses activités préférées. Et lorsqu'elle était près de lui, l'esprit de Miranda ne craignait pas de s'égarer vers celles qui l'étaient. Raison pour laquelle il lui fallait éliminer la tentation et ôter le dessert de la table. Elle ignorait quelle fourchette utiliser pour un tel plat.

Au mot de « vicomte », les yeux de Georgette s'étaient écarquillés, puis avaient pris un éclat rusé. Miranda sentit son moral sombrer.

— Tu ne le verras sans doute même pas, continuait son oncle. Vas-y, amuse-toi, et veille à ramasser tous les trésors dont il ne veut pas. Comme le livre qu'il t'a donné, quelle que soit sa valeur. Il devait te faire envie puisque tu l'as pris.

Miranda rougit, quand bien même son oncle n'avait pas vu le livre en question.

— Et fais surtout attention au *Bengale*, conclut-il avant de retourner à ses comptes.

— Oui, Miranda, renchérit Georgette d'un ton sévère en lui faisant signe de se lever. Ce serait une honte de laisser cet ouvrage échapper à ton oncle.

Ouvrage dont Georgette entendait parler pour la première fois, Miranda en était sûre.

— Je vais avoir une petite conversation avec votre nièce et je suis sûre qu'ensuite elle sera d'accord pour continuer, promit Georgette au vieil homme.

Miranda ne put faire autrement que d'emmener son amie dans sa chambre.

— Eh bien ? demanda Georgette dès qu'elles furent seules.

Miranda toucha l'un des gants suspendus à la patère. Après avoir jugé impératif de les laver, elle avait rempli une bassine, puis avait contemplé l'eau un long moment sans y plonger les gants. La bassine était toujours là, intacte.

Elle se comportait comme une collégienne stupide. Qui aurait bien besoin d'un coup de baguette sur les doigts.

Elle se laissa tomber sur la courtepointe imprimée de roses aux teintes fanées qui recouvrait son lit.

— Je suis en train de ranger et de dresser la liste des ouvrages de la bibliothèque de lord Downing. Seule.

Georgette cligna des yeux, comme si elle ne l'avait pas vraiment cru, puis un sourire étira lentement ses lèvres.

— Oh, Miranda !

— Ne commence pas, Georgette. Mon oncle trouve que c'est tout à fait raisonnable.

— Pourquoi ne le penserait-il pas ? Tu es dans une maison pleine de domestiques. De gens comme toi. Tu ne vois pas l'une ou l'autre de ses servantes s'affoler parce qu'elle est seule avec son maître dans la maison ? Tu ne vois pas leurs petits amis ou leurs maris provoquer les lords en duel ? C'est parce qu'il y a une hiérarchie. Dans laquelle tu entres en triant les livres moisis du vicomte.

Miranda n'était pas sûre que cela la rassérénait. En fait, elle se sentait encore plus déprimée.

— À toi maintenant d'en profiter. C'est l'occasion de ta vie. Être une nouvelle Mme Q.

— Georgette...

— Il t'a toujours fascinée, ne mens pas.

— Je suis fascinée par un tas de gens que cite la rubrique mondaine. C'est comme lire la vie de personnages de romans. Ils ne sont pas *réels*.

— Ils sont réels, rectifia Georgette. Sinon tu ne serais pas là à pleurnicher.

— Je pleurniche ?

— Là, là, fit Georgette en lui tapotant la main. J'aime quand tu pleurniches. Ça me donne l'impression d'être la plus raisonnable des deux, pour une fois.

Miranda sourit à son amie.

— À présent dis-moi quel est le vrai problème. Et ne reviens pas sur cette crainte idiote d'être seule avec lui.

— Elle n'est pas idiote.

Georgette lui tapota de nouveau la main.

— Je t'ai déjà démontré que c'était idiot. Avec succès.

— Ce n'est pas parce que personne ne le sait que ce n'est pas un problème.

Miranda étreignit la courtepointe. Elle ne pouvait pas parler à Georgette du défi. Celle-ci y planterait les dents et ne lâcherait plus prise. Mieux valait trouver quelque chose de plus anodin, qui soit cependant vrai.

— Il m'embrouille l'esprit.

— Que c'est charmant, fit Georgette avec un sourire nostalgique.

— Tu es encore plus désespérante que moi, déclara Miranda en secouant la tête.

— Je suis une romantique, ma chérie. Toi, tu es trop pragmatique. Mais que cet homme te trouble est la meilleure chose que j'ai entendue depuis des années.

Miranda se renversa sur le lit, et fixa le plafond.

— Charmant.

Le matelas s'affaissa sous le poids de Georgette.

— Et s'il a réussi à te mettre dans cet état, c'est qu'il s'est donné du mal, et donc qu'il s'intéresse à toi.

Il y avait quatre boursouflures sur le plafond. Si on les reliait, on aurait dit une boîte qui s'ouvrait et laissait filer quelque chose de maléfique.

— C'est de me rendre folle qui l'intéresse. Rien d'autre.

— Je vous ai vus discuter. Il te dévorait du regard. Tu ne peux pas me convaincre du contraire.

Qu'elle ait envie d'être le repas du vicomte était une partie du problème. Mais admettre ses pensées et ses sentiments à haute voix les rendrait tangibles. Et l'obligerait à agir en conséquence.

Georgette s'allongea à côté d'elle.

— Ce qu'il te faut, c'est quelque chose pour t'occuper l'esprit avant que tu fasses une ânerie et refuses de retourner dans son délicieux repaire.

Elle se tapota la lèvre inférieure, puis :

— Écris à l'un de tes correspondants. Cela t'a toujours donné un regain d'énergie, le Seigneur te vienne en aide. Oh, demande où en est la suite des *Sept secrets* afin que je sois la première à l'annoncer chez les Morton !

Les cloques du plafond pouvaient aussi former un O d'embarras.

— Eleuthérios n'a pas répondu à ma dernière lettre.

— Et alors ? riposta Georgette. Écris-lui de nouveau. S'il ne répond pas, qu'auras-tu perdu ?

— Mais...

— Voilà un autre de tes défauts, Miranda, coupa son amie en la regardant. Tu respectes trop l'ordre des choses. Fais donc comme il te plaît.

Ces derniers jours, tout le monde essayait de la convaincre de faire comme il lui plaisait. Cela lui donnait envie de s'enfoncer davantage dans les études et de croiser les bras avec méfiance.

— Je le ferai quand j'aurai...

— Quand tu auras quelques billets de banque de plus, quelques années de plus, et pourquoi pas une autre excuse.

Miranda examina le plafond avec une attention accrue.

— Il n'y a rien de mal à se préparer.

— En revanche, brandir la préparation comme excuse pour ne pas s'élancer, *est* mal.

Aucune réplique n'apparut sur le plafond.

— Je suis prudente.

— Tu es trouillarde, assena son amie, l'air déçue.

— Ce serait stupide de parcourir seule le Continent avec si peu d'argent.

— Oh, arrête ! Tu es assez riche pour te faire accompagner. Mme Fritz irait volontiers.

Miranda songea à la femme d'un certain âge qu'ils logeaient au-dessus de la librairie en échange du ménage et d'un peu de cuisine.

— Mais...

— Voilà. Tu vas te chercher une autre excuse.

Miranda croisa étroitement les bras.

— Bon, je n'insiste pas, fit Georgette en se rasseyant. Je suis à la fois verte d'envie et rouge de colère en pensant à l'occasion que tu vas laisser filer. Ce pourrait être une bonne chose pour toi. Downing est célèbre.

Miranda agita un index triomphal en direction de son amie.

— Raison pour laquelle je dois l'éviter.

— Raison pour laquelle tu *ne dois pas* l'éviter, riposta Georgette en agitant à son tour l'index.

Miranda réfléchissait aux propos de son amie tandis qu'elle contemplait la feuille blanche posée sur sa petite écritoire éraflée.

Elle caressa du doigt le mot d'Eleuthérios qui avait accompagné l'envoi du roman gothique. Des lettres arachnéennes inclinées avec élégance.

Chère mademoiselle Chase,
Prenez plaisir à ceci.

Eleuthérios

M. Pitts aurait émis un reniflement de mépris devant le « chère mademoiselle Chase ». Il méprisait la tendance de l'auteur aux propos fleuris. La concision de ce mot était d'autant plus intéressante. Sans le cadeau rare qu'il lui faisait, elle n'aurait peut-être pas osé répondre.

Mais lui écrire deux fois sans qu'il ait répondu ? Elle se mordilla la lèvre. Georgette avait raison, se dit-elle. Pendant ce temps-là, elle cesserait de penser au vicomte.

Elle redressa la feuille sur l'écritoire, lissa le papier de la main gauche, tripota sa plume avant de la tremper dans l'encrier.

Elle écrivit les mots de salutation, s'arrêta sur la virgule légèrement empâtée, et releva la plume de peur de faire une tache d'encre. Puis alla à la ligne.

La rumeur d'une suite à votre belle œuvre m'a surprise, mais il est vrai que nous sommes à Londres, et je ne devrais pas m'étonner de mon ignorance des usages de la société.

Quant à la façon dont j'ai eu connaissance de cette rumeur, une étrange rencontre en est responsable.

Elle baissa les yeux sur la feuille et tripota le bout du porte-plume. Elle pouvait tout rayer, et recommencer depuis le début. Elle posa la plume sur le début de la phrase, et la releva. Non. C'était sans importance.

Si peu important que la rencontre avait seulement bouleversé son univers et l'avait laissée chancelante.

Elle planta sa plume avec un regain d'audace, déterminée à balayer le vicomte de ses pensées.

Un homme des plus effrontés et déroutants

Non, ce n'était pas aimable. Et allait à l'encontre de son désir de ne plus penser à lui. Elle raya le tout.

Un client de la librairie a raconté qu'il avait entendu dire que vous écriviez une suite et, le lendemain, la nouvelle était dans toutes les bouches. J'ignore comment ce client l'a su avant les plus célèbres

commères de Londres, mais je suppose que le bouche-
à-oreille emprunte des chemins mystérieux. Cet
homme a peut-être lui-même répandu cette rumeur.

Elle songea à tout rayer de nouveau. Son esprit semblait ne pouvoir suivre qu'une seule voie. Elle tapota le bout de la plume contre sa lèvre, puis décida de ne pas corriger. L'hypothèse était plausible. En outre, le vicomte méritait qu'elle l'émette pour monopoliser ainsi ses pensées.

Autre nouvelle, j'ai fini le roman gothique et vous
remercie encore.

Miranda fit preuve de lyrisme sur plusieurs paragraphes, puis conclut en affirmant qu'elle n'attendait pas de réponse, mais avait ressenti le besoin de le remercier de nouveau. Elle signa avec un tourbillon de lettres entrelacées et cacheta sa lettre avant de la poser près de la porte pour ne pas oublier de la poster.

À présent, il lui fallait répondre à M. Pitts. À lui, elle se sentait libre de tout dire concernant le vicomte. Il apprécierait sans doute que celui-ci déteste Eleuthérios, mais Miranda devinait qu'il détesterait aussi lord Downing, aussi omit-elle le titre de noblesse et emplit-elle toute une page de la rencontre.

M. Pitts pouvait se montrer parfois carrément désagréable. Dès son premier courrier au *Daily Mill*, il avait critiqué violemment Eleuthérios. À croire qu'il le connaissait personnellement et le méprisait.

Choquée, elle avait écrit au journal pour défendre l'auteur. Résultat, le correspondant sarcastique et grincheux s'était adressé directement à elle pour railler son opinion. Depuis, peu de jours s'écoulaient sans qu'ils s'écrivent. Jamais, après avoir découvert qu'elle était une femme, il n'en avait profité pour la ridiculiser, ou lui clouer le bec d'un mot méprisant. Il pouvait être charmant quand il le voulait, quoi qu'en dise Georgette.

Sous ses propos durs, elle pensait qu'il prenait plaisir autant qu'elle à leur correspondance amicale, et parfois belliqueuse.

Elle signa sa lettre.

Il allait probablement lui conseiller de jeter à la mer le livre scandaleux. Qu'Eleuthérios lui ait envoyé son roman gothique l'avait irrité. Il lui avait dit sans détour ce qu'il pensait du mot concis qui accompagnait le cadeau de l'écrivailleur. Lequel était soit un abruti soit un individu nourrissant des intentions malhonnêtes. Un homme à qui elle ne devait absolument pas se fier.

Mais elle ne pouvait pas plus repousser une tentation que l'autre. Était-il plus dangereux de prendre le cadeau que l'on connaissait que celui dont on ne savait rien ?

Elle caressa la couverture du roman gothique qu'elle avait reçu avant tout le monde et tenta de ne plus penser aux tentations, aux correspondants mystérieux, et aux lords charmeurs.

Les rêves gardaient en vie. Même les rêves stupides d'une modeste vendeuse. Ne l'avaient-ils pas aidée à surmonter les tragédies de sa courte vie ?

Elle contempla les paumes élimées de ses gants.

Était-il naïf de croire qu'un rêve ne pouvait être brisé ? Ou continuer à rêver rendait-il plus fort ?

6

Ce que je désire le plus dans la vie, c'est avoir l'esprit aux aguets et le cœur ouvert. Rêver permet les deux.

Miranda Chase à M. Pitts

Pour Maximilian Landry, vicomte Downing, qui enfilait ses gants faits sur mesure, rêver était vain. Agir était indéniablement plus efficace. Et la naïveté sous toutes ses formes était haïssable.

Les rêves ne lui avaient jamais rien rapporté. Les caprices d'autrui résistaient aux rêves qu'on avait pu faire. En revanche, l'action et la manipulation permettaient d'obtenir un résultat. Et séduire était la tactique la plus rusée et la plus agréable.

Mais, bon sang, c'était bien de lui de s'intéresser à une personne aussi différente de lui. Et aussi attirante. Miranda ne savait qu'observer de loin, sans participer. Aider au lieu de s'emparer de ce qu'elle désirait.

Il allait changer cela.

Il avait décidé, il y avait déjà un certain temps qu'il voulait Miranda, quand bien même elle pensait qu'ils venaient de se rencontrer. Oui, il voulait Miranda Chase. Et Maximilian Landry, vicomte Downing, obtenait toujours ce qu'il voulait.

7

Chère Chase,
Les hommes ne feignent pas de s'intéresser. Ou ils
éprouvent de l'intérêt, ou ils n'en éprouvent pas. Quoi
qu'il en soit, cela n'implique nullement qu'on puisse
leur faire confiance.

M. Pitts à Miranda Chase

Le soleil qui lui chauffait la peau faisait écho aux pensées non moins brûlantes qui s'agitaient dans son esprit tandis que Miranda se dirigeait vers la vaste demeure, cinq jours plus tard.

Si elle avait cru que le vicomte ferait preuve de loyauté, elle s'était leurrée. Il ne manquait pas une occasion de la décontenancer, de la choquer, de la toucher.

Des contacts qui se voulaient innocents. Des effleurements. Des heurts anodins. Les doigts du vicomte lui frôlant la peau avant que ses ongles ne l'éraflent comme par mégarde. Il l'attirait à lui telle une main plongée paresseusement dans l'eau ramenant une feuille à la surface. Ou comme s'il l'avait harponnée pour la ramener à lui.

Le mercredi, armée d'un exemplaire du livre d'Eleuthérios, elle avait joué le jeu et tenté d'attirer son attention sur toutes les merveilles de son jardin. Les papillons, la brise fraîche, le regard furtif d'un lapin en vadrouille. Et puis, sans savoir comment c'était arrivé, au lieu de chanter la vivacité et la pousse drue de chaque légume, elle vit en l'un une femelle épanouie, en l'autre un mâle bien développé. La rondeur d'une tomate, les feuilles serrées autour du cœur d'un chou bien pommé, l'étirement vaillant d'un concombre. Comment ne pas y voir l'extrémité d'un sein, ou des lèvres refermées sur un noyau frémissant. Et bien sûr...

Elle avait bredouillé en réponse aux commentaires faussement anodins du vicomte. Ses lèvres s'étaient retroussées sur le sourire le plus sensuel qu'elle ait jamais vu, et elle avait eu l'impression de s'embraser.

Après cela, elle s'était promis de ne plus jamais se laisser manipuler de cette façon.

Jeudi, elle l'avait emmené s'asseoir dans un café de Piccadilly, histoire d'observer les passants. Même vêtu de manière moins formelle, il ne se fondait pas dans la foule. Miranda n'avait pas attiré un seul regard, tandis qu'il émanait de lui une masculinité telle qu'il était impossible de ne pas le remarquer.

Il avait cependant ignoré les regards directs ou furtifs des femmes et concentré toute son attention sur Miranda. La couvant de son regard ténébreux, lui effleurant le coude comme par mégarde, lui chuchotant à l'oreille jusqu'à la frôler.

Elle s'était répété la promesse qu'elle s'était faite à elle-même.

Vendredi, ils s'étaient rendus à Newgate tout en discutant de crimes et de châtiments. Et tandis qu'ils observaient l'extérieur sinistre de la prison, il avait déclaré d'une voix grave :

— Ne plus jamais vous voir serait le châtiment le plus sévère que l'on puisse m'infliger.

Son regard s'était soudé à celui de Miranda. Indéchiffrable, fascinant, profond. Et si elle s'était fiée à son ton, à la lueur intense qui vacillait dans ses yeux, à la façon dont il s'était incliné vers elle, elle aurait presque cru qu'il était sincère.

La promesse devint son mantra.

Samedi, ils s'étaient promenés à Hyde Park et étaient allés contempler la cascade. Elle l'avait finalement fait taire en posant la main sur ses lèvres. La chair souple et chaude sous son gant avait fait naître en elle des pensées lubriques. Horrifiée, elle avait laissé retomber sa main en se promettant de s'enfermer dans la bibliothèque tout l'après-midi, et tous les après-midi qui suivraient. Au diable ce maudit défi !

Il l'avait suivie dans la bibliothèque et avait tenu l'escabeau, lui effleurant la cuisse de l'épaule.

Et sa promesse ? Ce soir-là, elle s'était surprise à ouvrir l'armoire de sa chambre. Aux illustrations du livre se superposait dans sa tête l'image du vicomte penché sur elle, la touchant, l'embrassant, l'étreignant, faisant tout ce à quoi il ne cessait de faire allusion.

Ses promesses à lui…

La voix du bon sens était de plus en plus étouffée sous celle du manuscrit qui la hélait et l'incitait à écouter le chant des sirènes. *Viens. Ouvre-moi. Trouve les réponses aux questions que tu t'es toujours posées.*

Tandis qu'elle remontait le trottoir, la retenue dont elle se vantait oscillait sous les assauts de la tentation qui semblait toujours présente dès que le vicomte était dans les parages. Il était tout bonnement stupéfiant qu'elle ne lui ait pas déjà cédé. Elle savait qu'elle était en train d'être séduite. Elle le *savait*. Et pourtant l'appel – *viens à moi, ouvre-moi* – était une flamme par laquelle, tel un papillon de nuit, elle était irrésistiblement attirée.

Elle attendait chaque jour avec plus d'impatience l'apparition du vicomte à la porte de la bibliothèque, en belle idiote qu'elle était, car un beau jour il ne se montrerait pas. Il en aurait assez, et s'en tiendrait là.

Elle secoua la tête. Stupide papillon de nuit. Stupide flamme.

Deux femmes venaient à sa rencontre. Têtes baissées, elles chuchotaient furieusement tout en jetant des regards furtifs sur leur gauche. L'une d'elles rougit et baissa un peu plus la tête. Miranda fronça les sourcils, bifurqua vers la demeure du vicomte, et s'arrêta net.

Une superbe statue d'albâtre vêtue de noir était assise sur les marches du perron. Statue qui s'anima à son approche et se leva, un paquet à la main.

— Milord, balbutia-t-elle.

— Mademoiselle Chase.

— Vous guettiez le soleil ?

— J'attendais que ses ravissants rayons percent les nuages, répondit-il aimablement.

Sans un regard vers le ciel, il la fixait avec intensité. Le visage de Miranda s'échauffa, virant au rose.

— Ah, ça y est ! fit-il en descendant tranquillement les marches.

Papillon de nuit. Flamme. Danger.

134

Elle voulut le contourner pour entrer dans la maison, sans tenir compte de ce que les battements de son cœur lui conseillaient de faire.

Le vicomte lui toucha le bras. Elle s'immobilisa, un pied sur la première marche.

— Venez.

Sa main glissa le long du bras de Miranda et se referma sur ses doigts.

Elle se figea, paniquée. Les derniers vestiges de ses résolutions étaient sur le point de s'effriter. Elle regarda droit devant elle.

— Mais je ne veux pas être en retard.

Mme Humphries lui en garderait grief, alors qu'elle s'efforçait justement d'entrer dans ses bonnes grâces lorsque le vicomte n'était pas là. Lorsqu'elle avait besoin de penser à autre chose.

— J'ai déjà informé le personnel que je vous emmène. Ils sont en train de mettre sur les étagères les livres que vous avez triés, après quoi ils commenceront à déballer ceux qui sont entreposés dans la remise.

Il y avait *d'autres* livres ? Elle croisa son regard.

— Mais...

— J'ai indiqué quelles piles ranger. Cela vous épargnera trois jours de travail à trimballer ces briques imprimées. Du reste, c'est moi, le patron, acheva-t-il avec un sourire.

— Mais...

— Et j'ai besoin d'une escorte.

Elle le dévisagea. Une escorte ? Sa main trembla dans celle du vicomte.

— Je désire votre compagnie.

Elle continua à le fixer sans comprendre.

Les lèvres du vicomte esquissèrent un sourire taquin.

— J'ai besoin de votre aide pour acheter quelques livres.

Une requête qui correspondait à sa position. Il était difficile de refuser.

Non qu'elle en eût envie, d'ailleurs.

— Très bien, fit-elle en libérant sa main pour lisser sa pelisse démodée. Dans quelle librairie allons-nous ?

— Ce n'est pas une librairie, répondit-il en lui faisant signe de le suivre.

Elle obéit, s'efforçant d'ignorer les passants qu'ils croisaient et les regards curieux qui se posaient sur l'homme à côté d'elle. Elle avait l'habitude d'être dans l'ombre de Georgette, mais ce n'était rien à côté de celle que le vicomte projetait autour de lui.

— Oh ? Un entrepôt alors ?

Son titre de noblesse lui ouvrait sans doute quelques portes à Paternoster Row, le quartier des éditeurs.

— Non. Chez lady Banning.

Elle chancela. Il tendit la main pour l'aider à recouvrer son équilibre. Pourquoi l'emmenait-il là-bas ? Elle s'y sentirait très mal à l'aise. Mille picotements lui parcouraient le bras et elle tenta de se soustraire à son emprise. Elle ne dit ni « je vous demande pardon ? » ni « j'ai dû mal comprendre », mais :

— Je ne suis pas habillée pour une telle destination.

— Nous nous arrêterons chez la modiste et achèterons une tenue adaptée.

Une grande voiture tirée par des chevaux à la robe assortie s'arrêta devant eux.

Le cocher resta sur son perchoir tandis qu'un jeune garçon en livrée bondissait pour ouvrir la portière d'un geste théâtral avant de tendre la main à Miranda pour l'aider à monter.

Comme tous les matins, elle s'était levée et habillée. Elle avait bavardé avec Mme Fritz. Après quoi, elle avait balayé le rez-de-chaussée et fait deux ou trois choses dans la librairie avant de se rendre à pied à Mayfair. Et, quelque part entre la rue et le perron de la demeure du vicomte, elle s'était rendormie. Et rêvait.

— Giles, dit le vicomte à l'adresse du cocher, nous nous arrêterons chez madame…

— Non, non, coupa-t-elle vivement. Puis-je vous parler une minute ? ajouta-t-elle en tirant sur la manche du vicomte pour l'entraîner à l'écart, ce qui lui fit hausser un sourcil. Que faites-vous ? reprit-elle dans un murmure.

— Je propose de vous emmener chez la modiste.

Elle le fusilla du regard.

— Vous voulez vraiment aller chez lady Banning ?

— Oui.

— Nous pouvons y aller à pied.

— Comment savez-vous où elle habite ?

— Lady Banning habite au coin de la rue.

— Vous l'avez suivie en vous cachant derrière les buissons ?

Miranda baissa les yeux.

— Tout le monde sait où habite lady Banning.

— Elle sera enchantée de se savoir aussi célèbre. Mais, dites-moi, vous saviez où j'habitais, moi ?

— Ne soyez pas bête, dit Miranda en rougissant.

— Je suis flatté, commenta-t-il avec un sourire.

— Vous ne devriez pas. Je vous ai pris pour votre majordome, rappelez-vous.

— J'en souffre encore, assura-t-il, sauf que, visiblement, il avait trouvé cela très amusant.

— C'est un jeu de connaître les adresses des gens de la bonne société. Cela n'a rien de nouveau.

— Et, en ce qui me concerne, c'est tout ?

— Oui, je n'avais quasiment pas entendu parler de vous, déclara-t-elle en croisant les mains.

— Je suis blessé. Mortellement.

Les yeux soudés à ceux de Miranda, il se frotta la lèvre inférieure.

Ils savaient tous les deux qu'elle avait entendu parler de lui. Qu'il l'avait sans doute intriguée, mais qu'elle ne l'admettrait jamais.

— Nous pouvons marcher, reprit-elle pour essayer d'en revenir à son problème.

À dessein, elle avait choisi pour leurs promenades quotidiennes des endroits accessibles à pied. Sauf Newgate qui se trouvait assez loin, mais elle avait expliqué que la promenade faisait partie de l'expérience.

— Marcher ? Jamais. Pas quand je peux arriver avec style.

Il lui désigna la voiture noire aux rideaux tirés.

— Je ne monte pas dans cette chose, décréta-t-elle.

— Je viens juste de la faire désinfecter. Je vous promets qu'il ne reste aucune bestiole ayant un faible pour la chair tendre d'une petite vendeuse.

Elle lui jeta un regard exaspéré.

— Eh bien, au moins vous avez décidé d'arrêter de me séduire.

Il arqua un sourcil.

— Vous séduire ? À quoi pensez-vous, mademoiselle Chase ?

Elle garda le silence, et il lui fit signe de monter. Elle regarda la voiture. L'attelage avait beau être superbe, cet engin la terrorisait. Les chevaux pouvaient prendre peur, bondir, s'emballer, détruire tout sur leur passage et tuer les misérables habitants du cercueil qu'ils tiraient.

Pourquoi monter là-dedans si l'on pouvait s'en passer ?

— Je vous retrouverai là-bas.

— Je crains que ce ne soit impossible. Nous devons faire un autre arrêt, avant.

— Où ?

— Vous voilà très rebelle aujourd'hui. À discuter les ordres de votre employeur.

— Vous n'êtes pas mon employeur. C'est mon oncle. En venant chez vous, je me contente de lui rendre service.

Et de gagner de gentils honoraires, ajouta-t-elle mentalement.

Mais si élégante que soit la voiture, elle ne s'y enfermerait pas pour remonter quelques pâtés de maisons.

Les doigts du vicomte lui touchèrent le menton, ranimant le feu qu'il semblait capable de ranimer à volonté.

— Je vous promets que le trajet sera tranquille. Je ne vous laisserai pas tomber.

Elle le regarda dans les yeux. *Flamme. Papillon. Danger.*

Une simple promenade en voiture. Elle hocha la tête, et fit un pas. Le garçon qui tenait la portière ouverte proposa sa main. Elle inspira à fond. Elle tâcherait de ne penser qu'à des choses heureuses, se dit-elle en prenant la main tendue.

Son pied était déjà à l'intérieur quand le vicomte ordonna :

— Chez madame G...

— J'aimerais mieux pas, s'écria-t-elle vivement en pivotant.

Georgette la maudirait si elle apprenait qu'elle avait refusé une robe neuve. Mais vêtue comme elle l'était, chez la comtesse, elle passerait pour la petite employée qu'elle était. Avoir honte de sa tenue était déplacé, et idiot.

L'idée seule qu'il puisse lui acheter des vêtements lui donnait le vertige. C'était donc hors de question.

Elle vit le cocher interroger son maître du regard.

— Plus tard, peut-être, alors, dit celui-ci en lui faisant signe de s'installer dans la voiture.

Ils allaient chercher des livres. C'était tout.

L'intérieur du véhicule n'était pas du tout tel qu'elle l'avait imaginé. Il lui était arrivé de tendre le cou pour tenter de jeter un œil dans une belle voiture, imaginant y découvrir un intérieur luxueux, des mètres et des mètres de soie et de velours. La voiture du vicomte était tendue de noir et de gris, ses couleurs préférées. Avec quelques touches argentées et dorées. Cela n'avait rien du paradis d'un sultan.

Mais il était vrai que bien peu de choses étaient à la hauteur des rêves de Miranda, raison pour laquelle elle s'efforçait de ne pas leur accorder trop d'importance.

Sauf en ce qui concernait Eleuthérios. Elle s'était fait une certaine image de lui. Et de M. Pitts.

Elle avait espéré qu'une multitude de fanfreluches et de petites choses précieuses lui ferait oublier qu'ils se déplaçaient dans un espace confiné. Elle regarda la fenêtre en face. Elle pourrait peut-être écarter discrètement le rideau avant qu'il entre.

Son postérieur toucha le siège, et le rembourrage moelleux l'attira dans une étreinte veloutée, effaçant d'un coup une partie de son appréhension. Le tissu somptueux sous sa main était comme une caresse l'invitant à s'attarder. Elle ignorait quel genre de rembourrage c'était, mais il valait un petit royaume.

Et le coûtait sans doute aussi.

Elle posa autour d'elle un regard neuf. Rien n'était tape-à-l'œil ou ostentatoire, juste somptueux. Délicieusement décadent. Un luxe enveloppant, chaleureux.

Elle s'était un jour risquée à regarder dans la voiture d'un comte. Dorée et m'as-tu-vu. Le comte et sa jolie comtesse auraient formé un beau couple s'ils ne s'étaient tenus raides comme des piquets sur leur siège, le visage froid et hautain. Ils sacrifiaient leur confort aux apparences. Ce que ne faisait pas le vicomte.

L'expression de Miranda avait dû trahir son étonnement.

— Quelque chose ne va pas ?

Il s'était assis en face d'elle, une jambe étendue devant lui, tout près de celles de Miranda, le mystérieux paquet sur la banquette à côté de lui.

— Je suis surprise, c'est tout. Je m'attendais à quelque chose de… différent.

— Ce qui compte, c'est ce qui est sous la surface, non ? Le matériau et non le vernis ?

Il avait l'air de plaisanter à ses dépens, mais son regard attentif disait autre chose.

— Je suppose que c'est là que je suis censée dire « touché ».

Elle aurait dû être agacée, mais n'y parvenait pas.

— Ne vous inquiétez pas, mademoiselle Chase, dit-il en se carrant dans son siège, ce qui amena son genou à frotter contre celui de la jeune fille. Je ne vais pas vous taquiner pour ça… enfin, pas trop.

141

La main de Miranda caressait machinalement le velours de la banquette. Ce contact lui permettait d'oublier qu'elle se trouvait dans une voiture.

— Pourquoi m'emmenez-vous chez lady Banning ? demanda-t-elle d'un ton désinvolte qui la surprit elle-même.

La comtesse était un membre important de l'élite littéraire de Londres. Le bruit courait qu'elle possédait un exemplaire de tous les livres publiés. Dont un *Beowulf*, le célèbre poème épique du Moyen Âge, en meilleur état que celui du musée.

Si quelqu'un d'autre avait annoncé à Miranda qu'elle allait se rendre chez une comtesse dont on disait qu'elle ne recevait que l'élite de la société, elle aurait pris cela pour une plaisanterie. Mais le vicomte semblait parler sérieusement plus souvent qu'à son tour – et qu'il n'était prêt à l'admettre.

La voiture s'ébranla. Le vicomte écarta les rideaux, et Miranda se détendit un peu.

— Pourquoi je vous emmène là-bas ? Pour acheter des livres, je vous l'ai dit.

Les chevaux prirent une allure régulière. À en juger par la façon fluide dont ils trottaient, ils valaient chaque penny dépensé pour leur achat. Le démarrage s'était effectué sans soubresaut ni cahot comme elle l'avait craint même d'un véhicule aussi luxueux.

— Vous connaissez la littérature autant que moi, milord. Vous l'avez prouvé.

— Ce n'est pas parce que je distingue Rousseau de Homère que je peux faire un bon choix en matière d'achat.

Sauf qu'il en savait beaucoup plus que cela. Elle s'efforça de se détendre et de prendre plaisir à la promenade. La voiture la berçait doucement. L'expérience était beaucoup plus agréable que les tressautements brutaux d'un fiacre déglingué sur les pavés – ce à quoi elle devait parfois se résigner, les doigts crispés et l'estomac nauséeux.

Mais… même la fortune n'était pas une garantie contre les accidents.

Elle se concentra sur le vicomte, dont les yeux ne quittaient pas les siens.

Si elle voulait vraiment réaliser son rêve et visiter le Continent comme sa famille avait souhaité le faire, elle devait apprendre à surmonter ses craintes. De courts trajets dans une voiture confortable pouvaient l'y aider.

Que pouvait bien coûter la location d'un tel véhicule ? Des pennies ou des pounds ? Peut-être des pièces d'argent massif.

La voiture ralentit et les nerfs de Miranda se tendirent de nouveau. Ils se rendaient donc bel et bien chez lady Banning.

— Que dois-je faire pendant que vous vous entretenez avec la comtesse ou quelqu'un d'autre ?

Elle n'était pas sa domestique. Mais elle n'était pas non plus membre de la bonne société. Elle pouvait jouer la comédie dans la bibliothèque du vicomte, mais se hasarder dans un autre endroit du royaume des gens de qualité, c'était comme se réveiller d'un rêve et se retrouver toute nue.

Devait-elle se comporter comme une femme de chambre ou comme un valet de sexe féminin ? En d'autres circonstances, la question l'aurait fait glousser mais, en cet instant, elle avait plutôt envie de vomir.

— « Quelqu'un d'autre », c'est plutôt vague, observa-t-il.

— Tous les gens à qui vous parlerez auront une position sociale supérieure à la mienne, ce n'est donc pas du tout vague.

Elle ne put retenir un soupir de soulagement lorsque la portière s'ouvrit, et qu'elle put sortir de l'engin.

— Ah. Mais la position sociale n'est qu'un vernis, non ? En grattant un peu, on peut en apprendre beaucoup sur une personne.

Elle lui adressa un regard noir tandis qu'il mettait pied à terre. Et se sentit dans la peau d'une gouvernante, en charge d'un gamin qui aurait bien besoin d'une bonne fessée. Non. L'image du vicomte couché sur ses genoux n'était pas drôle.

— Que dois-je faire pendant que vous bavardez ?

— Vous joindre à la conversation.

— Vous plaisantez ?

— En ai-je l'air ?

— Vous cherchez à vous amuser à mes dépens, dit-elle en lissant un raccommodage sur sa jupe. Vous… vous n'allez me présenter à personne, c'est ça ?

— Non, bien sûr. Une petite vendeuse comme vous ? Jamais.

Elle ne put discerner s'il était sérieux ou pas, et la mauvaise humeur la gagna de nouveau. Ce qui était absurde. À force de badiner, il la poussait à s'enhardir.

La demeure de lady Banning était terriblement intimidante, découvrit-elle lorsqu'ils pénétrèrent dans le vestibule. Même les domestiques affichaient un air important. Ceux du vicomte étaient dignes et efficaces, mais ils avaient l'air plus heureux. Ceux-ci pinçaient le nez et les lèvres comme si du crottin de cheval était enfermé dans le col de leur livrée.

Il y avait beaucoup plus de monde que prévu dans le vestibule. Les gens s'attardaient et discutaient comme dans une salle de café.

Le vicomte l'entraîna dans un coin désert de la vaste entrée et elle se glissa spontanément derrière la colonne la plus éloignée. Il eut un sourire amusé en la voyant prendre cette position en retrait, et s'apprêtait à lui lancer une remarque acide lorsqu'une femme en tenue bleu paon s'approcha et lui toucha le bras. Un effleurement de papillon assorti aux plumes de son chapeau et à son battement de cils.

— Downing. Cela fait une éternité que je ne vous ai vu.

— Lady Hucknun, c'est toujours un plaisir.

Il s'inclina sur sa main, et Miranda vit ses doigts recouvrir ceux de la femme. Un geste destiné au public, uniquement, sauf que l'acte en lui-même révélait un certain goût pour la séduction.

Miranda ne bougea pas. Les yeux de lady Hucknun passèrent sur elle sans s'arrêter.

— Vilain garçon qui nous a privés de sa compagnie, dit-elle en lui assenant un petit coup d'éventail sur le bras.

— Je mérite d'être châtié.

— C'est vrai, approuva-t-elle avec un regard rusé.

Un homme se glissa près du vicomte et Miranda dut passer la tête de l'autre côté de la colonne pour le voir.

— Downing, fit-il.

— Colin.

Le silence s'installa, et Miranda se sentit décidément hors de son élément. L'idée de s'éclipser lui traversa la tête.

Le regard interrogateur de la femme passait d'un homme à l'autre. Miranda y reconnut la lueur qui s'allumait dans les yeux de Georgette quand elle sentait un ragot prendre forme. Le vicomte affichait une grande indifférence tandis que le dénommé Colin semblait s'impatienter. Son regard se posa sur la dame, insistant.

— À plus tard, milord, fit-elle avec une petite moue.

Le vicomte la salua d'un hochement de tête et regarda Colin tandis qu'elle s'éloignait.

Les yeux de ce dernier n'avaient même pas effleuré Miranda. Sans doute la prenait-il pour l'un des nombreux domestiques qui allaient et venaient, attendant les ordres.

— La marquise t'a demandé, lâcha-t-il dès que lady Hucknun fut hors de portée de voix.

— Vraiment ? fit le vicomte d'un ton nonchalant.

Miranda remarqua cependant que sa main s'était crispée sur le manche de sa canne.

— Elle veut que tu l'aides.

— Quelle surprise.

— Surprendre, c'est l'objectif de mère, observa Colin d'un ton amer.

Mère ? Georgette saurait immédiatement situer ce garçon.

Miranda l'examina avec attention. Yeux bleus, cheveux blonds. La tenue des deux hommes était très semblable, nota-t-elle. Comme si l'un essayait de copier l'autre, consciemment ou non. Il était facile, cependant, de repérer l'original, les vêtements du vicomte lui allant remarquablement bien tandis que ceux de Colin avaient l'air d'avoir été empruntés.

Celui-ci, âgé de vingt ou vingt et un ans, évoquait une statue à l'état d'ébauche.

— N'est-ce pas celui de tout le monde ? répliqua le vicomte, mais sous la désinvolture du propos perçait une certaine dureté. Il y a si peu de quoi s'amuser ces temps-ci.

— Certains s'organisent des vies sages et studieuses, sans éprouver le besoin de se retrouver dans les journaux à scandales.

— Ah, la voix de la raison, le cadeau que te font tes inimitables professeurs dans leur grande sagesse ! commenta le vicomte avec une nonchalance étudiée. Je redoute ce qui se passera quand tu seras diplômé et devras affronter la vie.

Colin fronça les sourcils.

— Tu as déjà bu, Downing.

— Qu'est-ce que ça peut te faire, Colin ? Retourne à ta correspondance et à tes recherches littéraires, jeta le vicomte sur un ton plus sévère.

— Nos épreuves me concernent. Le nom de notre famille.

Le vicomte le fixa sans mot dire.

— Mon professeur de morale et d'éthique dit que nous sommes sur une spirale descendante.

— Un rustre.

— Un homme brillant, répliqua Colin.

— Et que veux-tu que je fasse au sujet de cette triste spirale ?

— Il est de ta responsabilité de la redresser.

— Vraiment ? fit le vicomte en haussant un sourcil.

— C'est toi l'héritier, rappela Colin en serrant les poings.

— Et ?

— Tu dois serrer la bride à mère.

— Je suis l'héritier. Ce qui signifie que ce n'est pas à moi de lui serrer la bride. Ni de lui retirer ses fonds. C'est à notre père.

Colin émit un vilain petit rire.

— Amusant.

— Tu trouves ? fit Downing qui prit un verre du plateau que passait un valet. Je crois me rappeler qu'il respirait encore l'autre semaine. Il peut en parler à mère si cela l'inquiète.

— Il ne pense qu'à se divertir. Nous pourrions tous être en train de mourir qu'il ne lèverait pas les yeux de la paire de jambes entre lesquelles il se trouve.

Miranda sentit ses joues s'empourprer violemment.

Le vicomte avala une gorgée du liquide doré.

— C'est tout à fait possible.

— Et ?

Le vicomte arqua un sourcil.

— Que comptes-tu faire pour mère ? s'impatienta son frère.

— Que veux-tu que je fasse ? Que je la batte ?

— Dis-lui d'arrêter ! C'est vraiment trop gênant. Les regards que tout le monde me jette à Oxford.

— Sois un homme, Colin. Retourne-leur leurs regards.

— Tu as entendu les rumeurs ?

— Encore des ragots, Colin ? Tss, tss. Je croyais que tu étais au-dessus de ce genre de choses.

Miranda aurait pensé que cette conversation n'affectait pas le vicomte si elle n'avait vu ses doigts se crisper sur le verre.

— Je ne te vois pas t'emporter contre père lorsqu'il fait la une des journaux à scandales, reprit-il.

Les poings de Colin se serrèrent.

— Je ne trouve pas ses actions beaucoup plus acceptables.

— « Beaucoup plus ». Exactement.

— C'est pire pour elle, s'entêta Colin.

— Indubitablement.

Miranda se demanda si Colin comprenait que les mots du vicomte avaient une double signification. Elle se sentit étrangement contente de Downing.

— Tu la dorlotes, déclara Colin.

— Ah bon ?

Le visage du jeune homme vira au rouge brique.

— Conrad pense que tu vas sauver l'honneur familial. Je ne partage pas son optimisme. Je veux savoir ce que tu as l'intention de faire.

— J'ai l'intention d'acheter un livre, de passer à mon club et de jouer le peu d'argent qui me reste en poche, puis me retirer passablement aviné avec une femme à peine vêtue.

La fin de la phrase s'accompagna d'un imperceptible mouvement du menton en direction de Miranda, et ce fut comme si on lui avait versé du thé bouillant sur la tête et qu'il dégoulinait sur son corps.

Trop énervé pour saisir les nuances, Colin ne parut pas avoir remarqué.

— Et mère ?

— Pourquoi ne vas-tu pas lui parler si tu es si inquiet ?

Colin se pinça les lèvres, si fort qu'elles en blanchirent.

— Cela ne lui ferait ni chaud ni froid. Tu es son premier-né. Son préféré.

— Nous avons tous notre fardeau à porter. Maintenant, si tu as fini ?

— Pourquoi est-ce que je me donne le mal de te parler ? Tu es aussi tordu que les autres. Aussi pourri.

Le vicomte se contenta de sourire aimablement.

— Le nom de notre famille est en train d'être *ruiné*.

— Est-ce que tu te rends compte que nous parlons de cela en public ? Est-ce pour ajouter au drame familial ? Tu ne t'inquiètes pas de qui pourrait nous entendre ? Ou as-tu trop à faire pour venir m'en parler chez moi ?

Colin blêmit, puis ricana :

— Personne ne risque de nous entendre.

— Permets-moi de te présenter Mlle Chase, dit le vicomte en reculant pour désigner la jeune fille de la main. Nouvelle venue dans la maison.

Colin parut gêné de ne la remarquer que maintenant, puis ce fut la colère qui l'emporta.

— Tes domestiques en entendent bien pire tous les jours, marmonna-t-il.

— J'espère que ce que Mlle Chase m'a entendu dire lui a permis de se forger une opinion.

Le regard de Downing se fit langoureux, et le visage de Miranda s'embrasa.

Son frère afficha subitement une expression très sombre, dans laquelle se sentait une crainte aussi étrange qu'inattendue.

— Tu badines avec ton personnel, maintenant ? Je pensais que tu t'imposais certaines limites.

— Tu vas trop loin, Colin, riposta Downing, le regard noir.

Colin blêmit et recula d'un pas.

— Tu ne peux pas badiner avec le personnel, lâcha-t-il. Si tu étais respectable, si tu faisais en sorte que le marquis et la marquise reconquièrent un peu de respectabilité, nous, tes frères et sœurs, nous pourrions compter sur la bonne volonté de la société, même les poches vides.

— Tu comptes entrer dans les ordres ? Reconquérir notre respectabilité grâce à la prière et aux sermons ? Ou bien faire du commerce et remplir nos coffres vides ? Ou encore vendre tes mémoires mélancoliques ?

Colin s'empourpra de nouveau. Aïe, le pauvre garçon ! Miranda pensait que cette affreuse couleur lui était réservée. Le plus étrange, c'était la pointe de désespoir que l'on percevait sous sa colère.

— Non ? Alors, contente-toi de fermer les yeux, comme Conrad et nos sœurs. Va au bal et ne te demande pas d'où vient l'argent ni où il va. Ignore les ragots. Maudis ceux qui les lancent, mais ne déverse pas la honte que tu peux en éprouver sur le reste de la famille.

Le vicomte s'arrêta pour boire une gorgée de vin.

Colin demeura muet. En fait, il avait l'air d'un homme qui aurait reçu un coup de couteau dans le ventre.

— Tu es empli de l'idéalisme de ton école, Colin, et incapable de le réconcilier avec le monde comme il va, reprit son frère en se penchant vers lui dans une attitude menaçante. Si tu t'en prends à mère, tu m'en répondras. Bonne journée.

Le vicomte s'éloigna à grandes enjambées. Miranda se hâta de lui emboîter le pas.

— La comtesse ne devrait pas tarder à apparaître, lui lança-t-il par-dessus son épaule comme elle tentait de le rattraper. Nous pouvons admirer les tableaux accrochés là en l'attendant. Ce sera plus agréable.

Elle jeta un coup d'œil au jeune homme qui les suivait des yeux.

— Vous êtes frères ?

— Bizarre, non ?

— Eh bien, vous êtes tous les deux un peu excessifs.

Il ralentit et la regarda brièvement, l'air franchement amusé.

— Excessif, moi ?

— Oui.

Il n'y avait rien de risqué à admettre l'évidence.

— Je n'ai jamais pensé que Colin et moi avions grand-chose en commun à part le sang dont il se réclame avec véhémence.

Elle avait très envie de lui poser des questions, mais n'osait pas. Cela ne la regardait pas, et c'était contraire aux bonnes manières. Mais tout le monde connaissait la marquise. La femme qui hantait en permanence les feuilles à scandales sous l'appellation de lady W. Qui avait une ribambelle de liaisons. Domaine dans lequel seuls son mari et son fils aîné l'éclipsaient.

Les scandales se succédaient selon un schéma très strict. Celui du père, celui de la mère, celui du fils. Si la marquise trempait dans un scandale, on pouvait être quasiment certain que le vicomte la surpasserait bientôt.

Le motif se discernait aisément si l'on prêtait attention au flot des commérages entourant Downing.

Miranda n'était sûrement pas la seule dans ce cas.

Les scandales du vicomte, particulièrement succulents au début, finissaient en général plutôt bien. Même si certains avaient viré au désastre. Mais pour la plupart, des paris énormes, scandaleux, avaient créé de nouvelles fortunes. Des entreprises hasardeuses avaient procuré des richesses obscènes. Des conquêtes de roués s'étaient achevées par d'heureux mariages – les mariages d'autrui. Lorsqu'on y réfléchissait, c'était un peu comme si ses scandales étaient conçus et réalisés selon un plan précis.

Mais son frère avait parlé de finances... il y avait peut-être autre chose.

— Colin est un sentimental, fit le vicomte tout en étudiant un magnifique portrait. Il dépend trop de l'opinion des autres. Et de ses émotions, comme notre mère. Encore qu'il serait furieux si on le lui faisait remarquer. Tiens, c'est ce que je ferai la prochaine fois que je le verrai, ajouta-t-il avec un petit sourire crispé.

— Vous êtes sûr... qu'il est raisonnable d'acheter des livres ? s'entendit-elle demander avec horreur.

Douter de l'honneur d'un gentilhomme... faire allusion à un ragot le concernant... il allait sûrement l'envoyer promener.

Au lieu de quoi, il eut l'air franchement amusé.

— Je crois que je peux me permettre la dépense. Pour le moment. Du reste, vous savez que nous autres, aristocrates, nous vivons de l'argent que les banquiers veulent bien nous accorder.

C'était quelque chose qu'elle avait souvent constaté à la librairie, et qui était tout à fait étranger à sa façon de vivre.

— Mais à la fin ça se termine mal.

— Vous m'accueillerez si cela m'arrive ?

Il s'inclina vers elle, et son coude frotta le bras de Miranda. Son visage était si proche qu'elle osait à peine respirer.

— Je pourrais être un homme entretenu. L'esclave de vos désirs.

Ses lèvres se retroussèrent sur un sourire tandis que les joues de Miranda prenaient feu.

— Cela ne coûterait qu'une petite concession de votre part. Faites-moi cette concession, Miranda. Rendez les armes.

Le sortilège enveloppait la jeune fille, réclamant une réponse.

Réclamant la capitulation.

La foule qui l'entourait s'estompa tandis qu'elle se préparait à se rendre.

8

Chère Chase,
Parfois, on ne peut jauger une personne qu'à sa
façon de se comporter avec les autres. Mais il faut
avoir l'œil vif pour voir ce qui se cache sous un sourire
désarmant.

M. Pitts à Miranda Chase

Une femme à la coiffure très élaborée et abondamment poudrée entra soudain, brisant l'atmosphère détendue de la pièce et l'espèce de transe de laquelle Miranda était prisonnière.

Cette femme était de toute évidence la personne la plus importante de la pièce. De la maison. Cela ne tenait pas aux bijoux ruisselant de son cou, ornant ses cheveux ou couvrant ses mains et ses poignets gantés, mais à sa façon de marcher. De s'arrêter, et d'attendre. De se tenir immobile une seconde de trop, au point que Miranda eut du mal à se retenir de bouger. D'autres n'en furent pas capables et se déplacèrent gauchement.

Puis la nouvelle venue leva la main, et retint l'attention de toute l'assistance sans avoir dit un mot. Miranda était impressionnée. Georgette cesserait d'admirer Mme Q. – elle la jetterait dans la Tamise – si elle venait à rencontrer lady Banning.

Celle-ci promena son regard sur la foule avant de se diriger vers le vicomte. Les conversations reprirent, plus étouffées qu'avant.

— Lord Downing.

— Lady Banning.

Il s'inclina sur sa main. Si près qu'un sourcil blanc se haussa.

— Toujours capable de rappeler tout le monde à l'ordre, dit-il. Et aussi belle qu'au jour de vos débuts dans le monde.

— Et vous, toujours aussi beau parleur, Downing. Votre père ne se souviendrait même pas de ce jour. Et vous n'existiez pas même en pensée dans sa tête vide.

— Je suis sûr que ses pensées auraient été remplies de moi après qu'il vous eut vue.

La comtesse lui jeta un regard glacial, non dépourvu cependant d'une pointe d'amusement.

— Beau parleur, ai-je dit ? Ne dépassez pas la mesure, vicomte.

— Je n'oserais pas, comtesse. Sauf s'il s'agit de faire un pas vers vous.

— Toujours aussi fripon.

— Toujours aussi acérée qu'une lame.

La comtesse tapota sa coiffure extravagante.

— Toujours. Voyons, qui nous avons là.

Ses yeux bleus se portèrent sur Miranda, l'épinglant sur place. Les autres personnes présentes dans la salle avaient laissé leurs regards planer au-dessus d'elle, mais pas cette femme. Pas leur maître à tous.

— Ce n'est que Mlle Miranda Chase, comtesse, dit-il avec un petit sourire. Une modeste vendeuse.

— Mmm. Comme si vous pouviez m'amener qui que ce soit de modeste, répliqua la comtesse en tournant autour de Miranda. D'où venez-vous, mon petit ?

— Du Leicestershire, milady. Et aujourd'hui de la librairie Books and Printers, sur Bond Street.

La comtesse inclina la tête, mouvement très délicat qui fit osciller sa montagne de cheveux et de joyaux.

— Une petite librairie, mais de bonne réputation.

— Merci, milady, dit Miranda qui eut grand mal à ne pas trébucher sur les mots.

La comtesse l'examina encore une seconde, avant de se tourner vers le vicomte.

— Alors, Downing, qu'avez-vous pour m'appâter aujourd'hui ?

— Un manuscrit enluminé du XIIᵉ siècle.

Il replia un coin du tissu entourant son paquet. Les bords dorés étincelèrent brièvement avant qu'il recouvre le livre.

Le visage de la comtesse demeura impassible.

— J'en ai déjà beaucoup, Downing.

— Mais vous n'avez pas celui-ci, comtesse.

Le regard dont elle le gratifia aurait fait se recroqueviller la plupart des hommes. Le vicomte conserva sa posture nonchalante. La comtesse étudia Miranda d'un air songeur.

— Retrouvons-nous dans la salle du jugement d'ici dix minutes. Il faut d'abord que je m'occupe de cette foule.

Le vicomte et la comtesse se séparèrent, elle visant le centre de la salle, lui se dirigeant vers un couloir.

Miranda aurait préféré le suivre, mais chaque fois qu'elle ralentissait, il en faisait autant. Bientôt, songea-t-elle, ils en seraient à marcher à tout petits pas en se dandinant comme des canards. Elle céda et accéléra l'allure.

Ils entrèrent dans une pièce magnifique emplie d'objets bizarres. Un globe terrestre se dressait au centre, et le vicomte le fit tournoyer au passage. Les méridiens dorés scintillèrent. Miranda s'arrêta pour le contempler, et ne put s'empêcher d'y poser le doigt une fraction de seconde. Elle leva les yeux et s'aperçut que le vicomte l'observait.

— Je suis désolée, je voulais juste…

— Désolée de quoi ? D'avoir touché le globe minable de la comtesse ?

— Il n'est pas minable, protesta-t-elle en reposant l'index sur le globe.

Le vicomte arqua un sourcil d'un air de défi, mais il y avait une pointe de satisfaction dans son sourire. Elle fronça les sourcils.

— À quel jeu jouez-vous ?

— Moi ? Oh, mais auquel faites-vous référence ?

Elle secoua la tête, et regarda le globe en le faisant doucement pivoter.

— Il est vraiment très beau.

Son doigt suivit machinalement les frontières du Continent, effleura l'Italie, revint sur la France.

— Vous y êtes allée ?

— Pardon ? Oh, non ! répondit-elle en laissant retomber sa main. Quand l'aurais-je fait ?

— Votre oncle ne fait pas des affaires avec Paris ?

— Parfois. Mais ce sont des courriers qui font le voyage.

— Vous devriez y aller.

Il s'appuya au socle de la statue certainement hors de prix d'un Grec qui leur jetait un regard impérieux.

Elle eut un rire sans joie.

— J'ai l'impression d'entendre Georgette.

— Votre amie ?

Georgette serait suprêmement enchantée d'apprendre qu'il connaissait son nom. Elle serait même capable de jeter Miranda dans la Tamise, histoire de prendre sa place comme elle l'en avait menacée.

— Oui. Elle me dit toujours de laisser derrière moi mes pensées stupides et de partir… Elle n'est pas la seule à me conseiller d'aller voir le monde, ajouta-t-elle en songeant à M. Pitts.

Il s'écarta du socle et prit la main de Miranda.

— Je vous emmènerai.

Elle émit un rire un peu trop aigu.

— Je pense que vous vous ennuieriez, milord, avant même que nous ayons aperçu la mer.

— Vous pensez que je ne peux pas visiter un musée sans me dissoudre d'ennui ?

— Je ne parlais pas de cet ennui-là.

Encore qu'elle ne pût l'imaginer en train d'étudier une œuvre d'art pendant des heures. Il était trop impatient. Ses mains ne cessaient de bouger et son expression de se modifier. En outre, il profitait de chaque occasion pour relancer leur défi.

— Je ne vous crois pas. Vous pensez que je ne suis pas capable d'apprécier la beauté toute simple.

Elle regarda autour d'elle les objets rares, les statues, les tableaux. Tout ce décor sophistiqué et onéreux.

— À ma connaissance, les membres de la bonne société préfèrent les choses plus compliquées.

— Vous lisez les ragots dans la presse depuis trop longtemps.

— Et vous, vous les alimentez depuis plus long-temps encore. En leur fournissant des histoires de plus en plus compliquées.

— Je suis heureux que vous y ayez prêté attention, dit-il avec un sourire paresseux. Mais cela prouve que vous préférez lire ces rubriques plutôt qu'expéri-menter vous-même les aventures qu'elles relatent.

— Vivre la vie qu'on y décrit ne me tente nullement.

— Mmm. Venez dîner avec moi, proposa-t-il tout à trac.

— Je vous demande pardon ?

— À Vauxhall.

— À Vauxhall, répéta-t-elle.

— Les jardins de Vauxhall, précisa-t-il. Vous en avez entendu parler, j'imagine, la taquina-t-il, ce qui lui valut un regard noir. Allons-y dîner.

— Je ne crois pas que ce soit raisonnable, balbutia-t-elle.

— Qui parle d'être raisonnable ? Vraiment, Miranda, je pensais que vous me connaissiez mieux à présent.

Elle ignorait ce qui était le plus dangereux – connaître mieux l'homme énigmatique qui lui faisait face ou ne pas en savoir plus que le reste de Londres.

— Il y a une soirée masquée. Tout le monde sera costumé. Et il se trouve que j'ai un domino qui vous ira parfaitement.

— C'est absurde.

Il haussa un sourcil.

— Beaucoup de gens ont un costume supplémen-taire au cas où ils auraient un invité.

— Ce n'est pas cela qui est absurde. Enfin, si, ça l'est aussi. Mais c'est le reste. La proposition. Le costume.

— Vous voulez que je la reformule ?

— Je ne suis pas de ceux que vous fréquentez d'ordinaire, dit-elle en tentant de libérer sa main. Je ne sais pas soutenir une conversation mondaine.

— J'aime votre conversation telle qu'elle est. Je fréquente qui je veux. Et j'ai choisi de vous fréquenter vous, déclara-t-il.

Ses doigts enveloppaient ceux de Miranda. L'index se détacha et alla tapoter le poignet de la jeune femme.

— Je...

— Beaucoup de réjouissances et d'actes déraisonnables s'ensuivront.

— Je...

— Vous serez surprise de constater quel effet un petit costume peut avoir sur la timidité.

— Je ne suis pas timide, riposta-t-elle sans réfléchir.

Il sourit et son petit doigt s'égara au bord de la paume de Miranda.

— Parfait, alors.

— Je n'ai consenti à rien, s'écria-t-elle d'une voix un peu trop stridente.

— Voulez-vous que je vous aide ? Que je décide pour vous ? Que vous n'ayez plus qu'à suivre librement ?

Cette dernière proposition, tout comme sa façon d'en parler, la mit très mal à l'aise. Comme s'il lisait dans son esprit.

Avant qu'elle puisse répondre, lady Banning entra. Miranda arracha sa main au vicomte, qui semblait prêt à la garder indéfiniment. Elle rougit, mais lady Banning ne parut pas avoir remarqué quoi que ce soit.

— Alors, Downing, montrez-moi ce que vous avez apporté.

Le vicomte ôta le tissu de façon que le livre glisse dans la main tendue de la comtesse. Elle le rattrapa de justesse, et le gratifia d'un regard glacial.

— Un de ces jours, vous irez trop loin, Downing.

— Jamais. Vous me trouvez trop amusant.

Elle lui adressa un autre regard tout aussi peu amène, puis baissa les yeux sur le livre.

— C'est à la hauteur.

Il retourna s'appuyer sur le socle de marbre et eut un geste négligent de la main.

La comtesse jeta un coup d'œil à Miranda.

— Ma fille, j'espère que vous savez ce que vous faites en vous acoquinant avec cet individu.

Miranda écarquilla les yeux tel un lapin affolé.

— Downing, dit la comtesse sur un ton d'avertissement.

Lady Banning le fixa encore une seconde, puis revint au livre.

— Parlez-moi de ceci.

— C'est un livre, dit le vicomte.

— Vous abusez de ma patience, Downing. Mademoiselle Chase, enchaîna-t-elle en se tournant vers Miranda. Que pouvez-vous me dire à propos de ce volume ? Je suppose que Downing, qui a oublié ses bonnes manières, vous a amenée ici pour en vérifier la provenance.

Miranda s'empara gauchement du manuscrit enluminé et l'examina.

— Le papier est authentique, dit-elle. L'écriture semble être bien du XIIe siècle.

Elle tourna délicatement quelques pages.

— Les illustrations correspondent à ce que l'on faisait à l'époque. L'état est excellent.

L'objet était bel et bien remarquable. Bien qu'après avoir dévoré le livre illicite caché dans sa chambre, feuilleter une œuvre vantant la chasteté soit très déconcertant.

— Ça ne vaut pas une œuvre scandaleuse du XIVᵉ siècle, mais c'est quand même admirable, admit la comtesse avec une petite moue.

Miranda s'efforça de ne pas rougir. Lady Banning aurait-elle lu dans ses pensées ?

— Admirable, en effet, répéta le vicomte d'un ton désinvolte.

La comtesse lui décocha un regard acéré.

— Très bien, Downing. Cette jeune personne a confirmé ce que je savais déjà. Que voulez-vous en échange ?

— Vous savez ce que je veux.

Elle pinça les lèvres, et demeura silencieuse une seconde. Puis elle claqua les doigts et un valet apparut sur le seuil.

— Allez chercher le paquet.

Le domestique hocha la tête et s'éclipsa sans en demander davantage.

Il réapparut peu après, un mince paquet entre les mains. La comtesse désigna le vicomte, et le valet lui tendit l'objet des deux mains.

Un léger sourire aux lèvres, Downing le prit et écarta le tissu épais qui l'enveloppait.

Ce n'était pas un livre, mais une feuille de papier glissée entre deux cartons.

Miranda se pencha, la curiosité l'emportant sur les bonnes manières. On aurait dit un brouillon griffonné d'une plume rapide. Elle fronça les sourcils et lut quelques noms. Viola. Sebastian. Orsino.

Clignant des yeux, elle se pencha davantage. Des phrases étaient biffées. D'autres étaient écrites par-dessus, en travers, sur le côté.

— Est-ce que ce ne serait pas...

— De simples gribouillages, dit le vicomte en rangeant la feuille dans son étui.

— La tête sur les épaules – et une tête bien faite, commenta la comtesse en jetant un regard approbateur à la jeune fille. Elle dépasse de loin ce dont vous vous contentez d'ordinaire. Comment l'avez-vous dénichée ?

— J'ai cherché sous un tas de livres.

— Mmm. Et moi qui pensais que vous saviez tout juste lire, Downing. Mais je suppose que, dans votre hâte à trouver un nouveau jupon, vous les avez seulement poussés de côté.

— Je n'ai plus goût à cela, comtesse.

Celle-ci ricana. Un ricanement très distingué.

— Que j'aimerais voir cela, Downing. Prévenez-moi quand cela arrivera.

— Bien sûr, dit-il en s'inclinant.

— Il est vrai qu'il m'est parvenu une rumeur selon laquelle vous étiez à la recherche de davantage de... permanence.

— Les rumeurs reflètent souvent les souhaits de ceux qui les propagent.

— Et cependant, de temps à autre, elles se révèlent exactes.

— La respectabilité ne m'a jamais tenté.

— Comme si vous pouviez être respectable, rétorqua la comtesse avec un reniflement non moins distingué. J'ai employé le mot « permanence ». C'est très différent.

— Et pourtant, pour nombre de gens, c'est la même chose.

La comtesse l'étudia un instant.

— La question est : l'est-ce pour vous ? En l'occurrence, j'aurais tendance à prêter foi à cette rumeur. Depuis quelques mois, vous n'êtes plus le même, Downing.

— J'avoue avoir laissé pousser un peu trop mes cheveux. Je vais corriger mon valet dès ce soir.

— Hmph, fit-elle, les sourcils froncés. Mais, quand même… je suis perplexe.

Elle se tourna abruptement vers Miranda.

— Je vous souhaite un bon après-midi, mademoiselle Chase. Jusqu'à présent, il n'a pas manqué d'intérêt.

Miranda s'inclina.

— Bon après-midi, milady. Cela a été un plaisir.

— Je pense que nos chemins se croiseront de nouveau. Venez me voir la semaine prochaine, avec ou sans Downing, fit la comtesse d'un ton négligent comme si elle ne formulait pas l'invitation la plus prisée de Londres. Downing, ajouta-t-elle en se tournant vers le vicomte.

Celui-ci s'inclina, mais avec raideur.

Miranda quitta la maison en proie à une espèce de transe. Elle ne se souvint même pas être montée.

— Un manuscrit de Shakespeare ! Un brouillon de *La nuit des rois*… murmura-t-elle comme la voiture s'ébranlait doucement. Comment diable a-t-elle pu mettre la main dessus ?

— La comtesse est douée pour obtenir ce qu'elle veut.

— Je suis surprise qu'elle ait accepté l'échange, dit Miranda en secouant la tête.

Trouver n'importe quel papier de la main de Shakespeare était très rare, quasi mythique. Le moindre brouillon ou note hâtive ne sortait d'un coffre-fort que pour plonger dans un autre – sans jamais atteindre le public.

— Pas moi, déclara le vicomte en pianotant sur le siège. La comtesse est folle des enluminures. Je me jette dessus quand j'en trouve, spécialement pour elle. Elle dépenserait une fortune pour ce genre de manuscrit. Elle en voulait trois pour cet échange. Celui-ci était le dernier, mais cela valait le coup.

Le cœur de Miranda s'arrêta de battre une seconde. La comtesse avait mentionné un texte licencieux du XIVᵉ siècle – ce qui signalait une préférence pour ce genre d'ouvrages. Et, si Miranda ne se trompait pas, il s'agissait du livre qu'elle avait secrètement, soigneusement, parcouru la veille au soir, dans l'intimité de sa chambre.

— Je... je dois vous rendre votre manuscrit.

Il arqua un sourcil.

— Pourquoi donc ?

— Je n'aurais jamais dû le prendre, de toute façon.

À quoi avait-elle pensé ? Eh bien, elle n'avait pas pensé du tout. Tout comme il lui arrivait de cesser de respirer quand le vicomte était à proximité. Le manuscrit était d'autant plus précieux qu'il pouvait l'utiliser pour un échange avec la comtesse.

— Il a trop de valeur.

— Sottise.

— Pas du tout, protesta-t-elle.

— Je ne vous l'aurais pas donné si j'en avais eu besoin.

— Mais...

— Vous semblez à l'évidence l'apprécier, dit-il en la regardant. Du moins, je l'espère. Je veux que vous le gardiez.

Elle sentit une sorte de bourdonnement lui emplir la tête, bousculant ses pensées, lui incendiant la peau.

— De même que je veux que vous m'accompagniez à Vauxhall.

— Oh ?

Pour mettre en pratique ce que décrivaient les illustrations, pour répondre à l'appel de la sirène, pour se sentir vraiment vivante.

— Pour vous remercier de m'avoir rapporté mes livres la semaine dernière, précisa-t-il.

Son discours nonchalant était à l'opposé des émotions qu'il savait si bien provoquer.

Elle s'efforça de répondre sur le même ton :

— Vous avez délibérément omis de les prendre. J'étais bien obligée de vous les rapporter.

— Alors, pour vous remercier de ranger ma bibliothèque.

— Je suis payée pour cela.

— Alors, pour vous remercier d'embellir ma journée.

Ses lèvres se retroussèrent lentement sur un vrai sourire. Le cœur de Miranda rata un battement. Des idées et des émotions stupides l'envahissaient.

— Dites que vous viendrez, reprit-il d'une voix sourde.

Elle ne le pouvait pas. C'était de la folie.

Le fantôme de sa mère la hanterait à jamais, il lui serait interdit de remettre les pieds dans l'enceinte du pensionnat. Mais Georgette la tuerait si elle refusait. Et quoi qu'elle décide, son oncle ne s'en rendrait même pas compte.

La voix autoritaire de M. Pitts résonna dans sa tête : *prenez votre décision toute seule.*

Elle allait dire non. Mentir et prétendre que cela ne l'intéressait pas. Non, faire un délicieux souper, profiter d'une soirée déguisée où elle pourrait être qui elle voulait, se promener dans des jardins éclairés par un millier de lanternes, voir un feu d'artifice… cela ne l'intéressait aucunement.

Pas plus que d'y aller en compagnie du vicomte – l'homme le plus intéressant qu'elle ait jamais rencontré et qui ne se cachait pas derrière une plume. Bref, elle n'écouterait pas la sirène qui promettait de lui enseigner des choses dont elle n'osait rêver.

— Très bien, s'entendit-elle répondre d'une voix lointaine.

Il se renversa contre le dossier de la banquette avec un sourire satisfait.

— Parfait.

Ils s'arrêtèrent quelques secondes plus tard. Miranda en était encore à essayer d'admettre qu'elle avait dit oui. Et sincèrement.

C'est alors seulement qu'elle s'aperçut qu'ils avaient roulé longtemps. Sous le contrecoup de leur visite à lady Banning, des propos du vicomte et de ses propres émotions, elle n'avait pas fait attention au trajet. Ni au fait qu'elle risquait de nouveau sa vie en voyageant dans une voiture.

— Où sommes-nous ?

— Chez la modiste. Il vous faut quelque chose à mettre ce soir.

— Je viens seulement d'accepter…

Abasourdie, elle laissa le reste de la phrase en suspens.

— Je suppose que je suis aussi prévisible que la première femme venue.

— Pas prévisible, protesta-t-il.

— Vous avez pourtant deviné que j'accepterai.

167

— Je l'espérais, admit-il avec un petit sourire qui poussa Miranda à se mordre la lèvre.

La portière de la voiture s'ouvrit.

— Je croyais que vous aviez un domino à me prêter ? s'étonna-t-elle en fixant le vicomte.

— Un domino, c'est ce qu'on met en dernier. Il vous faut une robe dessous.

— Je n'ai pas besoin de robe.

Il y avait quelque chose d'irréversible dans le fait d'accepter qu'il lui achète une robe. Elle pouvait fort bien en emprunter une à Georgtte.

— Vous voulez être nue sous le domino ? Voilà qui me convient tout à fait.

— Non ! Je…

— Se passer de domino ne serait pas raisonnable. Vraiment, mademoiselle Chase, je vous croyais plus pudique.

Elle croisa les bras et pinça les lèvres. Une petite toux lui rappela qu'un valet tenait la portière ouverte pour qu'elle descende, et qu'ils étaient demeurés plus longtemps que ne le voulaient les convenances dans un véhicule à l'arrêt.

— Un instant, Benjamin, dit le vicomte. Mlle Chase n'a pas encore décidé si elle devait sortir nue ou pas.

— Très bien, milord, répliqua aussitôt le garçon.

Miranda sauta hors de la voiture aussi vite qu'elle put.

— Non, non. Je ne…

— Vous avez fait le bon choix, mademoiselle, approuva Benjamin avec un hochement de tête.

Surprise, elle le dévisagea. Le regard amusé du garçon lui fit rétorquer :

— Vous êtes incorrigibles. Tous les deux.

— Merci, mademoiselle.

168

Ravi d'être rangé dans la même catégorie que son maître, le jeune valet se rengorgea.

Elle secoua la tête. Le vicomte lui indiqua la boutique d'un geste, et elle s'y dirigea en s'efforçant de ne pas regarder la vitrine dans laquelle une splendide robe était disposée avec art. À la toute dernière mode. En tulle semé de brillants.

— La comtesse Drayton l'a portée au bal du roi.

— Que diable sommes-nous venus faire ici ? chuchota-t-elle.

Elle n'était plus qu'une boule de nerfs que la brise emportait vers la porte.

— C'est totalement déraisonnable, ajouta-t-elle à mi-voix.

— Vous n'arrêtez pas de dire cela, observa le vicomte. Pourquoi ne pas vous détendre un peu et accepter de faire des choses qui ne sont pas raisonnables ?

— J'ai l'impression qu'avec vous, je n'arrête pas d'accepter de faire des choses déraisonnables, marmonna-t-elle.

— J'en suis heureux.

Il sourit. Elle eut très envie de suivre du doigt la courbe de ses lèvres.

— Je ne vais pas me laisser séduire, je vous préviens, lâcha-t-elle.

— J'espérais que *vous* décideriez de me séduire, avoua-t-il en ouvrant la porte de la boutique.

Elle s'arrêta sur le seuil, le temps de sonder son regard, plus grave qu'elle ne s'y attendait.

Puis elle entra.

9

Secret nº 4 : Ne perdez jamais le contrôle...

... Il pouvait sentir les doigts de Miranda sur sa peau, sous sa chemise, tandis qu'elle palpait en rougissant le tissu que Mme Galland lui proposait. Du petit salon où il attendait, il ne pouvait pas l'entendre, mais il imaginait sans peine sa voix douce, la façon dont elle articulait chaque syllabe avec un respect à l'image du désir qui devait briller dans ses yeux.

La couturière regarda nonchalamment dans sa direction et il dressa deux doigts. Elle hocha la tête, communication muette qui prit moins d'une seconde que Miranda ne remarqua pas. Absorbée par la contemplation du tissu, elle se mordillait la lèvre tout en marmonnant une excuse et un refus poli.

Mme Galland lui apporta un autre tissu tout aussi somptueux. La scène recommença jusqu'à ce que le vicomte incline la tête. Le reste se déroula malheureusement hors de sa vue, dans la pièce réservée aux essayages. Il aurait adoré la voir se déshabiller. Voir ses joues rougir et sa peau frémir.

Elle en émergea timidement, vêtue d'une robe qui ne demandait que de légères retouches. La couturière la poussa devant de grands miroirs disposés de telle façon que le vicomte la voyait parfaitement.

Le tissu la serrait aux endroits adéquats, soulignant ses courbes et la blancheur de son teint. Il révélait un aperçu tentateur de chair et de sous-vêtements par les coutures ouvertes qui l'étreindraient une fois fermées, mais béaient et dissimulaient tandis qu'elle se mouvait devant la glace.

Il fallut plusieurs changements de robes avant qu'elle commence à se détendre et à prendre du plaisir, semblant oublier qu'il était là, à l'exception d'un reste de timidité trahi par le doigt qui repoussait une mèche ou le coup d'œil dans sa direction quand elle ne se pensait pas observée.

Il sourit. Les choses progressaient.

Il n'aurait pas dû être surpris. Après tout, en dehors des épreuves familiales, il obtenait toujours ce qu'il voulait.

Le problème était qu'il ne s'expliquait pas ce besoin de l'avoir. De la briser. De la façonner. De la remodeler.

Et en même temps de la garder exactement comme elle était et de la protéger de gens comme lui.

Il n'avait pas pu se retenir plus longtemps. Il lui fallait agir à présent. Plus d'une fois il avait failli se dévoiler.

Il devait à son innocence qu'elle n'ait rien remarqué ni rien soupçonné. Mais pourquoi l'aurait-elle fait ? C'était grotesque. La situation dans son ensemble l'était.

Et si peu conforme à son caractère. Il prisait par-dessus tout le contrôle des émotions. Qualité dont les autres membres de sa famille étaient dépourvus. Seuls les faibles cédaient à leurs émotions.

Que quelqu'un ait pu le rendre ainsi malléable lui déplaisait fortement.

Il était là, dérouté, ému malgré lui par les grands yeux de la jeune fille et son sourire timide lorsqu'elle acquiesçait de la tête à ce que disait la couturière. Eh bien, il s'en rassasierait, il ferait d'elle la femme vive et sûre d'elle qu'elle pouvait être, puis il reprendrait le cours de sa vie, libéré des griffes invisibles de la jeune fille.

Cela devrait être facile. Il avait remporté des défis plus difficiles. La succession de drames et scandales familiaux qui faisaient de la réputation familiale une légende, après lesquels il lui fallait faire le ménage.

Sans jamais s'en prendre à quelqu'un de son sang.

Miranda Chase fournissait un bon matériau sur lequel travailler. Sous son innocence authentique, c'était une femme passionnée.

Cependant quelque chose chez elle lui donnait d'étranges et dangereuses pensées. L'idée de s'écarter de son chemin de destruction. De clouer le bec aux commères. D'interrompre le cercle infernal.

Était-il possible que la destruction d'une relation ne soit pas sa conclusion assurée comme il l'avait toujours cru ? Que les émotions n'affaiblissent pas la structure d'un être ?

Quelque chose chez elle faisait couler son sang plus vite. Un élément non identifié qui échappait à son contrôle.

Il chassa cette pensée.

Sans se débarrasser tout à fait de l'idée qu'il pouvait se tromper.

10

Secret n° 4 (suite) : ... et ne laissez jamais personne vous manœuvrer. Tenez-vous-en à ce que vous pensez, soyez sûr de vous, et votre proie tombera à vos pieds.

Miranda se dirigea vers la bibliothèque dans une sorte de brouillard. Le vicomte s'était fait déposer à un rendez-vous en lui laissant la voiture.

Qu'elle tire sur le cordonnet si elle voulait s'arrêter – le trajet ne manquait pas de sites à admirer, et peut-être aimerait-elle se dégourdir les jambes ? Puis il était descendu. Et le cocher avait fait faire à Miranda une longue et belle promenade. Avec des arrêts dès qu'elle le demandait.

Le vicomte aurait pu voir à ses doigts crispés que le début de la promenade s'était accompli sous le signe de la peur. Mais ne désirait-elle voyager de par le monde ? Ces courts trajets ponctués de brefs arrêts n'étaient-ils pas une bonne façon de s'endurcir ?

Des bruits lui parvinrent du bout du couloir. La curiosité dispersa le brouillard. La plupart du temps elle travaillait seule, car chaque fois que le vicomte apparaissait, les serviteurs s'éclipsaient. Aussi

173

s'attendait-elle à tomber sur une ou deux servantes en train de vider des caisses. Elle franchit le seuil et se figea.

Le personnel du vicomte ne consistait pas en quelques domestiques, mais en une armée.

À peine entrée, des servantes l'interceptèrent.

— Ah, mademoiselle Chase, vous voilà ! Par ici, s'il vous plaît.

L'une d'elles lui fit signe de ressortir, avant de s'adresser à une femme qui était entrée derrière Miranda.

— Galina, tu étais censée l'emmener directement dans la chambre.

— Elle est passée par la porte de service. De nouveau, précisa la jolie servante en décochant un regard glacial à la fautive.

Miranda avait en effet demandé au cocher d'aller directement aux écuries. Elle voulait voir les autres cercueils – pardon, *voitures* – et les chevaux. Elle en avait même caressé un, ce qui l'avait rassérénée. Et lui avait ôté un poids des épaules.

— Excusez-moi. J'ai demandé à Giles de me montrer les chevaux, et j'ai trouvé inutile de refaire le tour de la maison.

En entendant le nom du cocher, les regards passèrent de l'hostilité à la surprise. De nouveau, Miranda s'interrogea vaguement sur les autres personnes que les domestiques voyaient défiler.

— Pas de problème, mademoiselle Chase, lui assura l'une des servantes avec un sourire aimable.

— S'il vous plaît, appelez-moi Miranda.

La femme hocha la tête.

— Entendu, mademoiselle Chase.

Miranda soupira.

— Si vous voulez bien nous suivre, nous pourrons commencer.

— Commencer ? Mais on a déjà bien avancé. Vous avez fait du bon travail. Merci beaucoup de votre aide.

Un éclair agacé traversa le regard de Galina avant que la froideur revienne.

— Nous pourrons commencer à vous préparer, expliqua-t-elle.

— Me préparer ? Une inondation menace ?

La plaisanterie de Miranda fit long feu. Voyant le regard de la jolie servante se durcir, elle reprit :

— Me préparer à quoi ?

— À la sortie de ce soir.

Miranda la dévisagea. Elle arrivait tout juste de chez la couturière. Comment le personnel pouvait-il être déjà au courant ? Eh bien, peut-être le retour avait-il duré près d'une heure avec tous ces arrêts. Tout de même – la préparer ?

— Je dois répéter un texte ?

La servante ne semblant pas apprécier ses tentatives d'humour, Miranda se sentait de plus en plus mal à l'aise.

— Je vous en prie, mademoiselle Chase, suivez-nous, dit l'autre servante en lui désignant la porte.

Miranda leur emboîta le pas. Elles remontèrent le couloir jusqu'à une grande chambre joliment décorée, mais impersonnelle. Comme sans doute une douzaine d'autres dans la maison. Miranda secoua la tête. Il faudrait plus d'argent qu'elle n'en avait pour meubler un seul coin de cet espace.

— Ce sera votre chambre pendant votre séjour ici.

— Ma chambre ? s'écria Miranda, surprise. Mais je n'habite pas ici !

— À utiliser à votre guise. Si vous avez besoin de repos, vous pourrez vous retirer ici.

La servante désigna d'un geste circulaire le grand lit avec sa demi-douzaine d'oreillers, le canapé, la coiffeuse et son fauteuil, un autre fauteuil disposé à côté d'une petite table et un divan. Tout était luxueux et sûrement hors de prix, mais sans caractère. Cela rappelait un peu le salon rouge du vicomte, au style austère, indéchiffrable.

Puis elle remarqua une petite mappemonde dans une sorte d'alcôve près de la fenêtre. L'endroit parfait pour rêver et contempler le jardin. Le globe était plus petit que celui de la comtesse, mais tout aussi magnifique. Sa main la démangeait de suivre du doigt un méridien doré.

Une petite touche personnelle – à son intention – dans cette pièce qui n'avait aucune personnalité.

Comment... comment cela était-il possible ? Ils sortaient à peine de chez lady Banning.

— Je suis ici pour travailler, dit-elle dans un murmure.

Galina lui décocha un regard dubitatif, puis alla ouvrir une grande armoire. Une robe au tissu diaphane évoquant la mer et les embruns était suspendue à l'intérieur. Les touches blanches étaient l'écume des vagues d'une mer qui, passant du vert au bleu, n'était ni calme ni démontée. Quelque part entre les deux.

Miranda s'approcha, tendit un doigt pour l'effleurer, puis se ravisa.

— Votre robe, mademoiselle Chase.

— Ma robe ? répéta-t-elle, abasourdie.

Elle laissa son doigt achever son voyage, toucher le tissu, courir sur la crête d'une vague et plonger dans l'océan.

— C'est superbe.

Elle n'avait pas essayé cette robe. Et ne l'avait même pas vue dans la boutique.

— En effet, mademoiselle Chase, répondit automatiquement Galina, mais il y avait une pointe de réprobation dans son ton.

Miranda la regarda, mais son expression était absolument neutre. Sans trace de jalousie ni d'irritation. Cependant...

— Je vous remercie de votre aide, mademoiselle Lence. J'avoue que je ne suis pas dans mon élément ici.

Elle se félicita d'avoir fait l'effort d'apprendre les noms de toutes les servantes, et de se souvenir de celui-ci en particulier.

La servante la dévisagea une longue et pénible seconde, puis parut se décrisper. Elle indiqua le fauteuil de la coiffeuse.

— Asseyez-vous, s'il vous plaît, que nous commencions.

Miranda obéit sans discuter.

Une autre servante entra, plus âgée et sans doute située à un rang supérieur de la hiérarchie domestique. Elles la déshabillèrent, la laissant en sous-vêtements, puis commencèrent à lui tripoter les cheveux tout en discutant du style qui lui conviendrait le mieux. Miranda essayait de se faire à l'idée qu'on la pomponnait – elle, Miranda Chase, qui d'ordinaire se préparait aussi vite que possible, seule ou avec l'aide de qui était là en échange du même service tout aussi bâclé.

Derrière elle, la plus jeune et la plus aimable des servantes rassemblait ses cheveux de chaque côté en regardant ce que cela donnait dans le miroir de la coiffeuse.

— J'ai vu lady Jersey coiffée comme ça à Berkeley Square.

— De jour, ma fille. Il nous faut une coiffure du soir, riposta la servante plus âgée.

— Mais lady J...

— Est vieille, coupa Galina d'un ton mordant. D'un autre côté, Caroline Lamb...

— Tais-toi, voyons, s'écria la plus âgée, choquée par la référence à l'une des maîtresses de lord Byron.

— Mais si, insista Galina en fronçant les sourcils. Elle était à la pointe de la mode et ses cheveux étaient arrangés juste comme ça...

Une expression mélancolique dérida momentanément son visage. La jeune servante eut l'air intriguée, mais la plus vieille n'y prêta pas attention.

— Je dis qu'il nous faut un style classique.

— Et, moi, je dis qu'il faut quelque chose qui souligne la robe.

Cette dernière déclaration avait été formulée avec agressivité.

Les yeux de la plus jeune passaient de l'une à l'autre.

— Galina, d'habitude, tu ne t'intéresses pas à...

— Elle peut supporter ce style. C'est un mélange d'innocence et de maturité. Elle peut choisir ce qu'elle veut montrer.

Le regard de Galina croisa celui de Miranda dans le miroir.

— Je veux voir à quoi elle ressemble coiffée de cette façon.

— Je suis sûre que, quel que soit le style, Mlle Chase sera ravissante, décréta la plus âgée avec diplomatie.

Miranda se tortilla nerveusement. Mme Fritz était capable de lui planter deux ou trois épingles dans les cheveux quand c'était nécessaire. Et Georgette avait fait quelques vaillantes tentatives pour des coiffures plus sophistiquées, quoiqu'elle soit meilleur modèle que coiffeuse. En tout cas, aucune de ses coiffures précédentes n'aurait mérité l'adjectif « ravissante ». « Pas mal » peut-être, ou même « jolie » si elle s'était vraiment appliquée.

— Tu fais trop d'histoires, Galina, et, vu que c'est moi la responsable de l'étage...

— Très bien, acquiesça Galina dont le visage retrouva son expression morne. Fais comme tu veux.

La femme hocha énergiquement la tête, et elles entreprirent de coiffer Miranda de façon classique, les cheveux rassemblés sur le crâne avec de fines mèches encadrant le visage. L'effet était flatteur, et Miranda éprouva une vive excitation. Elle se *sentait* jolie. Et elle allait porter la robe suspendue dans l'armoire ? Son excitation grimpa de trois crans supplémentaires.

La plus âgée des servantes affichait une expression approbatrice. Le visage de Galina ne montrait rien.

— Nous sommes en avance, fit remarquer la plus âgée. Habillons-la, nous verrons si des retouches sont nécessaires.

Miranda avait l'habitude de devoir reprendre ses habits. Les seuls qui exigeaient d'être à sa taille étaient ses sous-vêtements. Le reste pouvait facilement se modifier à l'aide d'épingles.

— Elle n'aura pas besoin de retouches, décréta Galina qui avait l'air sur le point de croiser les bras.

— Ma fille, tu commences à m'agacer.

Galina pinça les lèvres et elle garda le silence. Elle prit les gants suspendus à un portemanteau et tendit la main à Miranda d'un geste impérieux. Celle-ci feignit de ne pas comprendre et tenta de s'emparer des gants.

Le regard de la servante se durcit, mais elle lâcha les gants comme si cela lui était égal. Miranda les posa sur ses genoux, se débarrassa de ceux qu'elle portait, puis elle se hâta d'enfiler l'un des gants neufs.

Un bref coup d'œil lui apprit que la servante l'observait. La vue de ses mains nues lui valut un regard intrigué. Sous ses propres gants, celles de la servante étaient probablement aussi abîmées, mais pour d'autres raisons, l'eau et le savon, les nettoyages divers, les piqûres d'aiguilles.

À moins qu'elles ne soient douces comme du beurre, une servante devant parfois toucher, les doigts nus, la peau délicate du maître ou de la maîtresse de la maison.

Pourquoi, diable, avait-elle accepté de dîner avec le vicomte ? D'aller où que ce soit avec lui ? Ridicule. L'idée semblait sortie d'un récit mythologique, mais au lieu de se retrouver sur l'Olympe, à la fin, elle serait métamorphosée en arbre ou en daim. Le châtiment infligé par un antique dieu païen à celles qui osaient frayer avec leur roi à tous.

La voyant se débattre avec le deuxième gant, Galina se pencha et le lui enfila d'autorité. Ni brutalement ni gentiment. Comme si elle luttait contre une inclination naturelle. Laquelle ?

Miranda n'eut pas le temps de s'interroger davantage sur le comportement de Galina, car les deux autres servantes avaient décroché la robe et la pressaient de l'enfiler. Elles l'ajustèrent, l'attachèrent, et lissèrent le tissu sur elle.

Ne voyant que le milieu de son corps dans le miroir de la coiffeuse, Miranda se demandait quelle allure elle aurait dans une glace en pied. Vêtue de cette robe qu'elle n'avait pas essayée. Qui avait dû être taillée et cousue en moins d'une heure, détail ahurissant qu'elle ne pouvait s'ôter de la tête.

Encore plus ahurissant, la robe lui allait extraordinairement bien. Seules deux épingles étaient nécessaires et elle s'en serait passée s'il n'y avait pas eu trois servantes décidées à transformer la robe en gant.

Quant aux gants eux-mêmes... ils étaient somptueux. Si doux. Dissimulant ses défauts. Lui donnant presque l'impression d'être chez elle dans le royaume étrange où vivait le vicomte.

— Parfait. Vous êtes très belle, mademoiselle Chase, déclara la plus âgée des servantes.

La plus jeune acquiesça avec enthousiasme. Galina se montra moins expansive, se contentant d'incliner la tête, mais son regard brillait.

Le domino bleu marine avait l'air neuf. Elles le drapèrent sur Miranda, rabattirent le capuchon. La dernière pièce fut un masque qu'on se contenta de lui tendre et qui était d'un bleu plus profond que la robe et plus clair que le domino, teinte qui lui donnait un je-ne-sais-quoi d'exotique.

Le domino n'était pas un accessoire qui attendait que le vicomte en ait besoin. La robe, le masque, le domino formaient un ensemble – un ensemble composé pour elle, de toute évidence.

Qu'il ait biaisé n'était rien comparé à la question du pourquoi. L'ennui ? Le plaisir de la chasse ? Mais quel genre de chasse était-ce quand le gibier cédait immédiatement, des étoiles dans les yeux, la main sur un journal à scandales dont il faisait le succès ?

— Venez, mademoiselle Chase. Nous devons vous emmener au salon rouge.

Elle les suivit. Les rares serviteurs croisés dans les couloirs s'arrêtaient pour la fixer du regard. Son anxiété s'accrut.

Le salon rouge était exactement comme dans son souvenir. Froid et sombre. Deux lampes seulement étaient allumées. Une grande, à deux pas d'elle, projetait sur le seuil une tache d'or blanc. Une plus petite, sur le bureau, éclairait le visage aux traits ciselés du vicomte. Un océan d'obscurité les séparait.

Renversé contre le dossier de son fauteuil, il faisait tournoyer sa plume dans un sens puis dans l'autre.

Il claqua des doigts et Miranda entendit la porte se refermer derrière elle.

— Mademoiselle Chase, est-ce vous ? s'enquit-il en scrutant la pénombre.

— Lord Downing, fit-elle, en proie à une émotion étrange, j'avoue que je ne sais pas.

Il se leva et contourna le bureau.

— Mmm... alors, qui vais-je emmener dîner ?

Un masque pendillait de ses doigts tandis qu'il approchait, et Miranda éprouva une espèce de griserie teintée de hardiesse. Comme si elle ouvrait un livre rare et y découvrait des merveilles inconnues. Ou entrait dans un rêve et devenait qui elle voulait.

Elle ouvrit la bouche pour répondre, mais aucun mot n'en sortit.

— Encore mieux, déclara-t-il. Je le découvrirai tout seul.

Une main se glissa sous le coude de Miranda, remonta le long de son bras et souleva la main tenant le masque. Le frottement du gant de cuir du vicomte sur la soie du sien produisit un son riche et profond. Très éloigné du bruit grossier auquel elle était habituée.

— Je peux ?

Comme elle ne répondait pas – elle en était incapable –, il esquissa un sourire et lui lâcha la main.

— Peut-être vais-je vous appeler Estella. L'étoile de la nuit.

Il prit le masque de Miranda et le mit en place. Comme il nouait les liens derrière sa tête, elle sentit ses boutons de manchettes lui effleurer les oreilles tandis que son parfum épicé l'enveloppait.

Il lui adressa un sourire assuré et mystérieux et sa main descendit le long de son bras pour se refermer sur la sienne. Aussitôt, tout ce qui n'était pas relié au vicomte se fondit dans un brouillard indistinct et elle n'entendit plus que les battements éperdus de son cœur.

— Ou bien Artémis, reprit-il, l'innocente déesse de la chasse, se baignant dans un étang. Et moi, je serais le pauvre Actéon, qui joue de malheur.

Sur ce, il l'escorta jusqu'à la voiture qui les attendait dehors.

Les rideaux étaient fermés, trop fermés au goût de la jeune fille. Le vicomte se mit à parler, évitant les silences, lançant des pointes ou des facéties au moment précis où la peur refaisait surface.

Elle frôla son loup du doigt. Elle pouvait être n'importe qui. Quelqu'un qui n'aurait peur de rien. Une fille déterminée.

La voiture s'arrêta et une multitude de papillons s'affolèrent dans l'estomac de Miranda.

Le vicomte lui prit la main et l'aida à descendre. Il sourit comme elle le remerciait dans un murmure. Le bruit des réjouissances qu'elle avait entendu du fond de la voiture se mua en un rugissement sourd. Elle attendit une seconde avant de lever les yeux, et retint un petit cri. Éclairée d'un millier de lanternes, l'entrée des jardins étincelait comme si on l'avait aspergé d'une poussière féerique. La lumière était aussi vive que si des milliers d'étoiles avaient été arrachées du firmament pour être accrochées là. Plus loin, une allée menait à diverses attractions, fontaines, folies, temples. Une foule déambulait, observait et discutait, recueillant les ragots qui alimenteraient les journaux et les réunions mondaines du lendemain.

Georgette adorait observer les gens du monde et mettre des noms sur les visages. Miranda, qui ne pouvait oublier les leçons de sa mère, se l'interdisait. Ce n'était pas une chose que faisaient les dames. Même si son statut n'était pas celui d'une dame, c'était ainsi qu'elle avait été élevée.

Vauxhall en soi était un joyau étincelant. Lorsque, sans y penser, elle toucha la manche du vicomte, elle eut l'impression d'étinceler elle aussi. Ils passèrent sous une arche et pénétrèrent dans le lieu des réjouissances

Ici, aristocrates et roturiers occupaient le même espace, bien que lors d'une nuit comme celle-ci, où les gens de qualité étaient en nombre, il y ait une séparation nette, les valets maintenant les masses à distance de leurs maîtres. Franchir cette frontière invisible valait à l'imprudent un bon coup dans le tibia ou les questions d'un gardien prévenu apparu comme par magie.

Ce soir les personnalités les plus célèbres étaient là. Les débutantes, leurs mères et les jeunes gens songeant au mariage avaient préféré les salons de l'Almak ou quelque lieu tout aussi vénérable. Aussi la foule était-elle bigarrée et animée. Messieurs accompagnés de leurs maîtresses, femmes de vertu douteuse entourées de leur cour, jeunes garçons jetant leur gourme.

Un certain nombre de femmes – celles qui souhaitaient désespérément faire partie du saint des saints – paradaient sur la ligne de démarcation, montrant un bout de cheville ici ou une épaule dénudée là. Parfois, l'une d'elles était appelée dans une loge remplie de jeunes gens tout juste sortis de l'école qui s'excitaient les uns les autres, s'assenaient de grandes claques dans le dos, échangeaient de l'argent et des paris. Les femmes manœuvraient de façon à obtenir une position clé sous leurs yeux.

Le vicomte guida Miranda dans la foule, sans s'arrêter aux salutations lancées dans le brouhaha ni aux hochements de tête discrets. Quelques regards curieux suivirent Miranda que le vicomte se hâta de pousser dans un box privé.

Un buffet somptueux les attendait : paniers de fruits frais, fines tranches de jambon, biscuits salés et gâteaux au fromage blanc, accompagnés du célèbre punch de Vauxhall. Les serviteurs disparurent dès qu'ils furent assis.

Miranda vit l'un d'eux se poster dans un recoin sombre, légèrement penché en avant, prêt à accourir au premier appel. Son regard croisa celui de Miranda avant de balayer la petite pièce afin de s'assurer que rien ne manquait. Comme elle continuait à le fixer, il avança d'un pas. Honteuse, Miranda lui fit signe qu'elle n'avait besoin de rien. Il recula, au garde-à-vous.

Miranda avala sa salive. Que faisait-elle là ? Sa place était dehors avec la plèbe, ou chez elle, dans sa chambre glaciale, blottie sous ses sept couvertures dont plus d'une était effrangée, élimée, ou rapiécée.

Elle baissa les yeux sur ses beaux gants neufs.

— J'ai l'impression que vous aimez vos gants plus que la robe ou ce décor.

La voix rauque du vicomte lui arracha un frisson des plus agréables.

— Je les aime d'autant plus que je peux les voir entièrement, contrairement à la robe.

— Eh bien, croyez-moi, la robe est encore plus belle. Sur vous ou jetée sur le sol.

Les yeux mi-clos, il l'examinait avec un sourire qu'elle trouva ravageur.

Seigneur !

Elle battit des paupières, et quelque chose s'alluma en elle. Une étincelle qui renvoya dans un recoin de sa tête les pensées déplaisantes – dissimulées mais pas oubliées pour autant.

— Ce serait une honte de jeter une robe pareille sur le sol, commenta-t-elle.

Le défi tirait à sa fin. Elle le sentait et savait que le vicomte le sentait aussi. Ils n'étaient plus que des pantins sans défense.

— Ce serait une honte de ne pas le faire.

Comment se faisait-il que cet homme, tellement éloigné d'elle socialement qu'il n'appartenait même pas au royaume de ses rêves, l'émeuve autant ? Était-ce simplement dû à ce qu'elle éprouvait, elle ? La solitude dont elle commençait à se lasser, le désir de sortir de son apathie ? De cesser d'observer pour participer ?

Dieu sait que Georgette la tarabustait pour qu'elle saisisse sa chance, qu'elle déploie ses ailes et prenne son envol. Ce que faisait aussi M. Pitts quoique en des termes moins flatteurs.

Le vicomte passa le doigt sur le duvet d'une pêche mûre.

— Ce tissu se froisserait si joliment sur vos reins cambrés.

Quelque chose grandissait en elle, prêt à souffler sur l'étincelle, à en faire une flamme. Deux longues et tristes années s'étaient écoulées depuis la mort de ses parents et de son frère. Et, depuis, elle n'avait pas fait un pas vers les choses qu'elle avait toujours voulu faire.

Aveu qui provoquerait les railleries de M. Pitts.

— Est-ce pour cela que vous l'avez achetée ? demanda-t-elle d'un ton léger.

De plaisir anticipé, un orteil se dressa et deux autres se replièrent.

— Quel que soit l'état de votre robe à la fin de la nuit, elle vous va très bien.

— Et moi qui pensais que vous ne vous intéressiez pas aux caprices de la mode, commenta Miranda, qui ne put s'empêcher de songer aux sirènes ensorcelant les marins de leurs chants.

Elle porta le regard sur les box qui leur faisaient face, et où des femmes étaient entourées de leur cour, rivalisant entre elles. L'une l'emportait visiblement. Sa robe verte était à la dernière mode et la mettait en valeur.

Pourtant, elle n'était pas belle. Du moins, pas selon les canons habituels. Mais elle avait quelque chose de particulier, un regard vif, un sourire expressif. Elle dit quelque chose à l'homme assis à sa droite, lequel s'esclaffa.

La rose épinglée à son revers annonçait son identité à tout le monde. C'était la célèbre Mme Q. que Georgette aurait adoré voir en pleine action.

— Vous voilà intriguée par notre chère Mme Quembley ? demanda le vicomte qui faisait rouler nonchalamment un grain de raisin entre le pouce et l'index.

— Oui, admit-elle.

187

Puisqu'il l'avait surprise penchée sur la rubrique des commérages, il serait idiot de prétendre ne rien savoir de cette femme.

— Elle est en chasse, apparemment, observa-t-il. Elle trouvera quelqu'un rapidement. Comme toujours.

— Je crois me souvenir que Mme Q. et vous avez été assez liés, lâcha Miranda que le loup rendait plus hardie.

Honteuse, elle espéra avoir pensé et non prononcé sa remarque.

— Je pense que Mme Q. a été liée à presque tout le monde.

Et voilà pour l'espoir.

Réponse partiellement exacte – si Mme Q. avait en effet été liée à un certain nombre d'hommes, elle s'était cantonnée aux membres les plus convoités de la bonne société, dont le vicomte faisait assurément partie.

— Êtes-vous jalouse ?

— D'être, par votre intermédiaire, liée à presque tout le monde ?

Il sourit, et de mystérieux son sourire se fit d'une sincérité troublante.

— Je devrais sans doute être blessé, mais je suis plutôt amusé.

Il fit rouler le grain de raisin le long de ses doigts. Après quoi, il le lança en l'air et le rattrapa sur le dos de la main, sur le creux entre deux doigts.

Le cerveau de Mélinda reprit un cours à peu près normal. Jalouse ? La possibilité d'une relation exclusive avec l'homme assis à côté d'elle était si éloignée de la réalité qu'elle n'avait pas compris ce qu'il voulait dire.

De la jalousie ? Peut-être un peu de désir.

188

Du désir ?

Cette pensée accrut sa nervosité. Elle tenta de la refouler, en même temps que les envies d'aventure qui s'insinuaient en elle. Elle se concentra sur Mme Q.

— C'est intéressant, murmura-t-elle. Elle n'est pas aussi belle que sa voisine de droite.

Celle-ci, très blonde et hautaine, régnait sur une cour moitié moins importante, et son teint virait au vert chaque fois que ses yeux s'égaraient sur la gauche.

— La beauté est difficile à évaluer. Chaque homme estime que son idéal est ce qu'il y a de mieux.

Le vicomte la parcourut d'un regard brûlant, et elle sentit sa température intérieure s'accroître tel un fourneau trop chargé en bois.

— Mais une femme d'esprit se situe au sommet de l'échelle, la beauté conventionnelle étant souvent éclipsée par celle qui possède une langue plus acérée.

— Pourquoi ? demanda Mélinda, sincèrement curieuse.

— La beauté froide peut convenir dans le mariage ou dans un menuet. Mais la chaleur, la passion et la sensualité... c'est ce que l'on cherche chez une compagne.

— Et une épouse n'est pas une compagne ?

Les sourcils du vicomte apparurent au-dessus de son masque.

— Vous me posez la question ou vous voulez mon sentiment ?

— Je vous pose la question.

— Je ne l'ai constaté que dans très peu de cas, ceux-ci étant trop uniques pour espérer qu'ils se renouvellent.

Il leva les yeux au ciel avec une nonchalance affectée.

— La plupart des mariages d'amour sont dus à un désir dévorant qui n'a pas eu la possibilité d'être assouvi.

— Vous êtes cynique.

Évidemment, avec des parents comme les siens…

— Non, réaliste.

Elle le regarda. La posture trop désinvolte. La façon dont il jouait lentement avec un grain de raisin.

— Vous en parlez comme si cela vous irritait qu'il en soit ainsi.

— M'irriter ?

Il arqua de nouveau un sourcil infernal.

— Je doute que vous puissiez lire dans mes pensées, Miranda, répliqua-t-il, reprenant mot pour mot ce qu'elle lui avait dit au début de leur rencontre.

Elle rougit.

— Certes. Mais malgré votre cynisme affecté, vous savez être éloquent parfois. Même lady Banning l'a remarqué.

— Le plus habile des serpents peut être éloquent.

— C'était un compliment.

Différentes émotions se succédèrent brièvement sur le visage du vicomte. Phénomène si inhabituel chez lui, d'ordinaire imperturbable, que, surprise, elle faillit ne pas le voir.

Irritation, amusement, désir. Désir ? Pourquoi pas ? Le désir ne faisait-il pas partie de son arsenal habituel ?

Il pinça les lèvres, puis les entrouvrit. Elle se crispa. Allait-il acquiescer ou tirer l'épée ?

— Downing, quelle surprise ! s'écria un homme qui pénétra dans leur box d'un pas mal assuré.

D'autres badauds tendirent le cou. Voilà pourquoi elle avait refusé de venir ici pour épier les gens. Et elle se promit que rien de ce que dirait Georgette ne la ferait se raviser sur ce point.

— Ne faites pas attention à eux, cela les fait enrager, jeta-t-il d'un ton mordant.

Elle trouvait difficile de les ignorer. C'était comme regarder les pages noires et blanches du journal se colorer subitement, devenir vivantes. Avec elle au milieu du texte imprimé. Empêtrée dans une tache d'encre qui allait s'élargissant.

Soudain, un funambule apparut au-dessus de l'allée tandis que des acrobates bondissaient devant leur box.

— Ils vous amusent ? demanda le vicomte, voyant l'expression ravie de la jeune fille.

— Oh oui, ils sont merveilleux !

Il héla les artistes et fit un signe à l'un de ses serviteurs, sans doute pour qu'il leur donne une pièce.

— Ils viennent de Paris. C'est la dernière mode là-bas. Mais c'est beaucoup plus spectaculaire lorsqu'on les voit dans leur décor habituel.

Ils devaient donc appartenir au cirque Diamant, devina Miranda qui en avait entendu parler.

— Je les verrai donc un jour, fit-elle.

— Un jour ? Pourquoi pas demain ? Ils sont à Londres pour plusieurs semaines, au Claremont.

— Les journaux disent que tous les billets ont été vendus jusqu'à la fin de la tournée.

— On peut toujours trouver des billets si l'on sait où chercher.

— Demain, je dois ranger votre bibliothèque.

— Et le lendemain aussi. Je ne vous laisserai pas partir. Mais le soir vous êtes libre… Du moins, pour le moment, ajouta-t-il avec un demi-sourire charmeur.

Elle rougit et repoussa une mèche derrière son oreille.

— Peut-être.

Elle devait aussi travailler pour son oncle, et économiser pour le Grand Tour qu'elle comptait bien faire.

— Mmm. Vous n'avez pas l'air convaincu… Je vais donc devoir vous emmener à un spectacle de la cour.

Elle le regarda, abasourdie.

— Pourquoi ?

— Parce que j'en ai envie, répondit-il avec un sourire indolent. Et, comme je vous l'ai déjà dit, je fais toujours ce dont j'ai envie.

Vus de près, les artistes étaient encore plus merveilleux. Les musiciens qui les accompagnaient jouaient sur un rythme rapide tandis que les jongleurs lançaient des bâtons et des quilles, et les acrobates exécutaient des sauts et grimpaient sur les épaules les uns des autres.

— Vous aimez la musique, observa le vicomte.

— Oui. Et le spectacle. La liberté.

— Vous ne vous sentez pas libre ?

— Oh, je suis plus libre que beaucoup de gens ! Mais, quand même, faire ce dont on a envie, comme vous, ce doit être délicieux.

— Parfois, on semble plus libre qu'on ne l'est réellement. Il est facile de voir ce qu'on a envie de voir.

Elle ouvrit la bouche pour répondre, mais des voix retentirent.

Le sentiment de ne pas être à sa place se renforça lorsqu'une femme au visage nu, qui ne pouvait être que la marquise de Werston, vu sa ressemblance

196

avec le vicomte, pénétra d'un pas gracieux dans leur box au bras d'un homme.

— Chéri ! On m'a dit que tu dînais là.

— Mère.

— Qui est-ce ? s'enquit-elle en posant sur Miranda un regard ouvertement curieux.

Il écarta la question d'un geste de la main.

— De quoi avez-vous besoin, mère ? Bonsoir, Dillingham.

Sa voix, chaleureuse lorsqu'il s'adressait à sa mère, était devenue glaciale pour prononcer le nom de l'homme.

La marquise s'appuya sur son cavalier.

— M. Easton a fait une chute malheureuse dans notre box. Un peu plus violente que prévue. Règle cela pour moi, Maxime chéri.

Elle tendit la main et toucha la joue de son fils. Ses yeux trahissaient une émotion qui surprit Miranda.

L'attitude du vicomte se modifia. Il parut se crisper de la tête aux pieds, prit la main de sa mère et l'ôta de sa joue. Dans le même instant, ses traits redevinrent indéchiffrables.

— Très bien.

Il détourna les yeux – et Miranda crut lire, si brièvement qu'elle n'en aurait pas juré, du dégoût de soi-même dans son regard. Il tapota doucement la main de la marquise.

— Pourquoi ne rentrez-vous pas à la maison ?

Elle soupira.

— Mettre un point final aux réjouissances ? Très bien. Venez, Dilly, allons faire autre chose. Vous avez gagné cette tournée, après tout.

— Et je compte bien gagner de nouveau, très chère.

— Tout droit à la maison, Dillingham, lâcha le vicomte d'un ton sec.

Mal à l'aise, le comte cessa de sourire et se dandina d'un pied sur l'autre.

— Entendu. Bonsoir, Downing.

La marquise et Dillingham s'éloignèrent, et le silence tomba.

— Votre mère est vraiment…

Cherchant le mot, elle s'interrompit.

— Frivole ? suggéra-t-il d'une voix distante.

— J'allais dire insouciante.

— Le terme est plus gentil.

— Elle a l'air triste.

Le vicomte la fixa, sourcils froncés.

— Qu'est-ce qui vous fait dire ça ?

Miranda haussa les épaules. La scène l'avait épuisée.

— Quelque chose dans ses yeux. La façon dont elle vous regardait.

— La plupart des gens la trouvent un peu trop exubérante.

Miranda ne dit rien. Que dire, du reste ? *Votre mère porte un masque. Vous le savez, si j'en juge par votre réaction et votre expression. Apparaître aussi souvent dans la rubrique des scandales, c'est presque un appel au secours.*

— Ou irresponsable, scandaleuse, débauchée, reprit-il. Mais pas triste.

— Je suis désolée.

Il regarda au loin une seconde, et de nouveau elle crut voir ce dégoût de soi-même passer fugitivement dans ses yeux.

— Vous n'avez pas à vous sentir désolée de quoi que ce soit.

Elle s'apprêtait à répliquer que *lui* en avait le droit, mais il reporta son attention sur elle, l'expression impénétrable comme s'il ne s'était rien passé.

— Quelles autres choses aimeriez-vous voir ou faire, sans avoir encore osé ?

Le brusque changement de sujet la fit sursauter, mais elle en comprit la nécessité.

— Vous dites cela comme si j'étais dépourvue du courage qui permet d'aller de l'avant.

— Ne pas tendre la main et éviter de s'emparer de ce qu'on veut n'est pas forcément le signe d'un manque de courage. Plutôt d'un manque d'initiative et d'impulsion.

— Ou de courage.

— Bon, d'accord. Un manque de courage.

— Vous voilà subitement très conciliant.

La remarque lui arracha un rire sans joie.

— Je le suis rarement, n'est-ce pas ?

— Vous pourriez l'être. Mais ce n'est pas votre façon habituelle de procéder.

— Vous connaissez ma façon habituelle de procéder ? Et si je faisais l'inverse afin de vous piéger plus sûrement ?

— Je suppose qu'il me faudra prendre ce risque.

Il tendit la main et joua avec une petite boucle échappée de la capuche domino.

— *Il me faut rester ici emprisonné par vous* [1], dit-il. Je désire plus que tout que vous preniez ce risque avec moi.

Le cœur de Miranda s'emballa.

— Pourquoi ?

---

1. Extrait de *La tempête*, de Shakespeare. Tous les extraits sont issus de l'édition bilingue des éditions Aubier. *(N.d.T.)*

— Parce que vous m'intriguez. Et parce que j'en ai envie, ajouta-t-il en inclinant la tête de côté.

Il regarda au loin une fois de plus, puis repoussa sa chaise et se leva.

— Venez. Fuyons ces regards curieux.

Elle glissa ses doigts gantés de soie dans ceux, gantés de cuir, du vicomte. Textures contraires et complémentaires.

Ils remontèrent l'allée centrale du jardin. Les gens s'écartaient sur leur passage. Miranda ignora les chuchotements et les regards, concentrée qu'elle était sur l'homme qui marchait à ses côtés.

Un peu plus loin un sentier leur fit signe ; les haies qui le bordaient étaient comme une invitation ou une menace.

— Venez, Miranda, murmura-t-il en pivotant pour reculer dans le sentier.

Sa voix était ensorcelante.

Venez. Ouvrez-moi. Trouvez les réponses aux questions que vous vous êtes toujours posées.

Elle le suivit.

11

Élément n° 1 : Il est non seulement essentiel d'attirer votre proie, mais vous devez aussi veiller à être l'unique objet de ses pensées, matin, midi et soir.

Les huit éléments de l'enchantement
(œuvre en cours)

Le sourire aux lèvres, il reculait sans s'inquiéter de là où il posait les pieds, comme s'il était venu là cent fois. Ce détail ne la troubla pas. Cédant au sortilège, elle se laissait entraîner dans le labyrinthe touffu.

Les rares lanternes ne servaient qu'à souligner les ombres et rendre le décor plus intime. Le disque amputé de la lune accroissait cette impression.

Elle était lasse de lutter contre le désir de *voir, explorer, sentir*.

Une petite clairière s'ouvrit au détour du chemin. La statue d'un Cupidon s'y nichait près d'un banc de pierre. Les doigts du vicomte caressèrent les siens.

— Que dirait votre expert en séduction de cet endroit ?

Miranda regarda autour d'elle. Tel un amant patient, les rayons de lune caressaient les pétales refermés d'une fleur.

— Vous n'avez pas semblé très réceptif lors de mes précédentes tentatives, observa-t-elle. Que vous arrive-t-il ?

— Peut-être que je désire vous entendre parler de ce ton enchanté. Sentir votre voix m'envelopper et m'étreindre.

Suivant son regard, il caressa les pétales fermés de la fleur.

— Allons, insista-t-il. Quel secret pourrait suggérer cet endroit ?

— Jouissez de tout ce qui vous entoure, même si vous l'avez déjà vu un millier de fois ?

Elle avait adopté un ton léger car, comme d'habitude, elle ignorait s'il plaisantait ou parlait sérieusement. Il lui souleva doucement le menton.

— Je pourrais vous voir un millier de fois, chacune me séduirait.

— Vous devez être fréquemment séduit.

— Pas assez souvent.

Il y avait un accent de vérité dans les propos du vicomte qui fit caracoler le cœur de Miranda. Elle avait beau savoir qu'elle n'était que Miranda Chase, une roturière, il lui donnait toujours l'impression d'être bien davantage.

— Vous devriez écrire votre propre livre, milord. Révéler vos secrets.

Il haussa un sourcil tandis que sa main glissait sur la joue de Miranda, puis derrière son oreille, pressait légèrement pour l'inciter à se pencher vers lui.

— Je préférerais découvrir les vôtres, murmura-t-il.

— Oh ? dit-elle faiblement.

— Oh, oui ! Je veux goûter vos secrets.

Il caressa des lèvres l'oreille de la jeune fille, et murmura :

— M'y autorisez-vous, Miranda ?

Elle vit ses propres mains se lever d'elles-mêmes, et agripper les épaules du vicomte. Il l'attira à lui et posa les lèvres sur son cou, lui incendiant la peau. Ses mains descendirent le long du dos de Miranda, jusqu'à ses fesses et la pressèrent contre lui.

La tête rejetée en arrière, elle oscillait sous l'assaut. Il s'inclina, les lèvres se mouvant à l'endroit où son cœur menaçait d'exploser. Attirance, appât, séduction… tous ces secrets de séduction étaient réduits à rien sous l'embrasement du désir. Le parfum des fleurs, jasmin et lys, l'assaillait de toutes parts, glissait sur sa peau, l'odeur grisante de l'eau de toilette du vicomte lui montait à la tête comme si elle était ivre.

Sa peau garderait à jamais cette odeur, songea-t-elle tandis que les lèvres du vicomte se promenaient sur son cou et que ses doigts descendaient plus bas.

— J'ai eu envie de vous contempler au clair de lune la première fois que je vous ai vue, avoua-t-il.

— Dans la pénombre poussiéreuse d'une librairie, lui rappela-t-elle d'un ton résolument léger, en réprimant un petit cri comme il mordillait un point sensible derrière son oreille.

Il s'arrêta un instant, puis, plongeant les doigts dans les cheveux de Miranda, fit basculer davantage sa tête en arrière.

— Non, pas dans la pénombre.

Ses lèvres touchèrent celles de Miranda, et ce fut comme si la lune s'était débarrassée du dernier quartier d'obscurité et rayonnait dans toute sa plénitude. Un premier baiser, puis un deuxième, et d'autres dont elle perdit le compte. Des doigts avides lui caressaient le cou, les joues, la gorge, les épaules, faisant naître des sensations que ni les mots ni une illustration n'auraient pu décrire.

— « *Mais relâchez-moi de mes liens / Par le secours de vos mains charitables* », murmura-t-il.

Pressé contre elle, il la dévorait de baisers tout en la faisant reculer. Elle heurta ce qui ressemblait à du marbre, enroula la main autour de la nuque du vicomte, sentit sa chevelure épaisse et soyeuse lui frôler les doigts.

Jamais elle n'avait été la proie d'une telle explosion de sensations, jamais elle n'aurait cru cela possible.

— Je… je crois que vous avez gagné, balbutia-t-elle comme les lèvres du vicomte descendaient le long de sa gorge.

— Oh, j'aime à penser que c'est *nous* qui avons gagné, Miranda.

Glissant la main derrière sa nuque, il la fit doucement s'allonger sur le banc, puis s'installa près d'elle. Son autre main s'aventura sur le décolleté de Miranda, puis un peu plus bas, elle se cambra comme si des ficelles la reliaient aux doigts du vicomte. Elle le sentit tracer une ligne jusqu'à son ventre, s'arrêter une seconde avant de repartir vers la jonction de ses cuisses.

Le souffle coupé, elle se laissait faire. Il se pencha sur elle et lui sourit.

— Et je vous assure que ceci n'est qu'une partie de l'entreprise de séduction. Une bouchée, précisa-t-il en picorant sa gorge. Une promesse, ajouta-t-il en lui mordillant le menton. Un espoir.

Ses lèvres réclamèrent à nouveau celles de Miranda. Il avait inséré la jambe entre celles de la jeune fille, la pressant à l'endroit que décrivaient complaisamment les illustrations illicites.

Quelque chose s'érigeait peu à peu en elle. Quelque chose qu'il avait initié dès leur première rencontre et entretenait jour après jour depuis. De petits gémissements lui échappèrent.

Il s'écarta légèrement pour la regarder dans les yeux.

— Oh, mon cœur perdu !

Ses lèvres s'incurvèrent dans le sourire le plus sensuel qu'elle ait jamais vu.

— Quelle passion sous cette peau délicate. À peine effleurée et cherchant déjà l'assouvissement.

Ses doigts caressèrent les seins de Miranda par-dessus le tissu de sa robe et elle sentit sa peau flamber. Les étoiles au-dessus d'elle se mirent à étinceler, briller comme jamais.

— Je pense que je pourrais devenir fou rien qu'en vous touchant. En vous regardant prendre feu.

Ses lèvres étaient douces et chaudes. Comme un dessert dont elle ne finirait jamais de se régaler. Mais plus bas, là où la cuisse du vicomte appuyait, un incendie faisait rage. Elle se frotta contre lui, et la brûlure se mua en désir fiévreux.

Les étoiles parurent s'élargir, se rapprocher comme pour lui permettre de les atteindre.

Jamais elle n'avait imaginé qu'une telle chose soit possible. Toucher les étoiles. Absorber leur éclat. Sentir la lumière inonder ses doigts et transpercer ses paumes, ses poignets, le creux de son coude, jusqu'au centre de son être. S'y nicher, palpitante, avant d'exploser. Vagues sauvages, crêtes élevées au sommet arrondi.

Il s'écarta et elle plongea son regard dans le sien.

— À peine touchée. Je sais quel potentiel gît là. Depuis…

Ses lèvres restèrent entrouvertes. Il y avait quelque chose dans ses yeux, une émotion qui fit naître une vague en elle.

— Depuis…

Un rugissement ébranla les tympans de Miranda, couvrant les mots qu'il prononçait.

Enivrée, elle se demanda si la terre allait continuer à trembler sous son corps. Si ce rugissement allait se poursuivre indéfiniment.

— Downing ! cria une voix.

Elle sentit les doigts du vicomte se crisper sur sa hanche.

— Je reconnaîtrais n'importe où cette tête sombre et ce dos noir penché sur une femme.

Quelqu'un siffla. Une voix avinée lâcha une remarque incompréhensible. Le tremblement de terre devint des pas lourds. Le vicomte semblait avoir été changé en pierre.

— Regarde les jambes de la fille. Sacré veinard ! Dis donc, vieux, où est-ce que tu les déniches ?

Son visage était dans l'ombre si bien que Miranda ne vit pas son expression lorsqu'il répliqua :

— J'ai déniché celle-ci dans l'arrière-boutique poussiéreuse d'une boutique, lâcha-t-il.

Le cœur de Miranda s'arrêta de battre.

L'homme s'esclaffa.

— Excellent. Mais où l'as-tu vraiment trouvée ?

— Si tu en es à me le demander, peut-être que tu ne regardes pas aux bons endroits.

Les doigts du vicomte s'étaient serrés en poing contre la hanche de Miranda et sa voix avait pris un ton sec et hargneux, comme s'il se retenait de se ruer sur les importuns.

Ou de l'envoyer promener, elle.

Un autre homme se joignit au chœur.

— J'ai quelque chose pour elle quand elle en aura fini avec toi.

L'humiliation s'ajouta à la tristesse, et elle tourna la tête.

— C'est une princesse, murmura l'un des hommes, manifestement éméché.

— Je sais, riposta le premier arrivé. Et, moi aussi, j'ai quelque chose pour elle quand Downing aura fini. J'adore les restes de Downing.

Le vicomte se leva d'un bond et pivota. Miranda balança les jambes de l'autre côté du banc et, tête baissée, s'affaira à rectifier sa tenue.

Un autre tremblement de terre la fit se retourner. Les ivrognes s'éloignaient à toutes jambes. Le vicomte lui tendit la main.

Elle reconnut sur son visage l'expression écœurée qu'elle lui avait vue lors de la visite de sa mère.

— Venez, dit-il.

Elle le regarda sans bouger, les vestiges des sensations brûlantes qu'elle avait éprouvées refluant dans la nuit froide.

La main du vicomte bougea légèrement.

— C'était la façon la plus rapide de faire ça. Je vous présente mes excuses, dit-il d'un ton froid.

La pire façon de faire quoi ? De se débarrasser d'eux ? Elle regarda encore sa main, puis chercha son regard.

— Vos excuses sont-elles hypocrites une fois de plus ?

Il laissa retomber sa main, garda le silence une seconde, puis lui tendit de nouveau la main.

— Je n'ai jamais été aussi sincère.

Il avait l'air d'être en guerre contre lui-même. Perplexe, elle le dévisagea encore un instant, puis se leva et prit sa main. Les doigts du vicomte se refermèrent sur les siens et il la tira à sa suite.

Ils reprirent le sentier. Juste avant de sortir de l'ombre, il réajusta le masque de Miranda et lui caressa la joue.

Il lui reprit la main et l'entraîna vers la sortie d'un pas pressé. Les visages et les couleurs se fondirent en un brouillard opaque tandis qu'ils fendaient la foule. Miranda ne remarqua quasiment rien, tant elle était confuse et embarrassée. Blessée.

Dès qu'il les vit, Benjamin sauta à terre et leur ouvrit la portière. Miranda se hâta de monter.

— Une nuit bizarre pour un pareil clair de lune, remarqua le vicomte d'un air presque songeur tandis que la voiture s'ébranlait.

— Oui. En fait, le clair de lune cache autant qu'il révèle, observa-t-elle dans un murmure.

Il tendit la main et joua avec une boucle sur la tempe de la jeune fille.

— Chaque fois est une nouvelle séduction.

Elle aurait aimé voir ses yeux, mais il faisait trop sombre.

— *Dans ce stérile îlot par votre sortilège.*

Ses doigts retombèrent, le sortilège shakespearien s'attardant entre eux. Elle croisa étroitement les mains, déchirée entre l'incertitude et le désir.

La circulation de la fin de journée s'étant allégée et celle de la soirée n'ayant pas encore commencé, le trajet fut rapide.

Lorsque la voiture s'arrêta, le vicomte esquissa un geste puis se ravisa. Il se contint.

— Bonne soirée, mademoiselle Chase.

Un fossé s'était creusé entre eux, comprit-elle en mettant pied à terre.

12

Chère mademoiselle Chase
Ne laissez personne vous dire ce que vous devez
éprouver. Et ne laissez jamais le sortilège de la séduc-
tion menacer votre bon sens.

Eleuthérios

Lorsque, le regard hagard, Miranda entra dans la librairie le lendemain matin, ce fut pour découvrir Georgette, parée d'un nouveau chapeau et d'une pelisse neuve, en train d'importuner son oncle, lequel restait rivé à son livre de comptes, et de taquiner Peter qui la dévorait des yeux.

— Miranda ! s'exclama Georgette dès qu'elle vit son amie.

Miranda salua tout le monde du bout des lèvres. Elle était épuisée. Elle s'était couchée bien après son heure habituelle et avait passé la nuit à se retourner dans son lit en pensant à ce qu'elle aurait pu faire mais n'avait pas fait, ce qu'elle aurait pu dire à la fin, et surtout ce qui s'était passé au clair de lune. Un tourbillon de merveilleux souvenirs très concrets et de pensées extrêmement dérangeantes.

— Viens, fit Georgette en la prenant d'autorité par le bras. Laissons ton oncle à ses chiffres et ce cher M. Higgins à la caisse qu'il tient de façon si magistrale.

Elle entraîna son amie vers le fond de la boutique, derrière les étagères. Le journal était coincé sous son bras, remarqua Miranda avec effroi et les pensées dérangeantes submergèrent les souvenirs les plus exquis.

Georgette attendit qu'elles soient hors de portée de voix pour attaquer :

— Alors ? Où étais-tu hier soir ? Je suis passée te voir, et tu n'étais pas encore rentrée. Or, il était presque 22 heures !

Elle tira une chaise, y poussa Miranda, et s'accouda en face. Le journal glissa sur la table.

— À te voir, on dirait que ce sont les miaulements d'un chat qui t'ont tirée du lit ce matin.

— Je viens juste de me réveiller, admit Miranda.

— Quoi ? s'écria Georgette. Heureusement que ton oncle est un innocent. Il m'a renvoyée hier soir en disant que tu étais une bonne fille et que tu ne devais pas être loin. Mon père, lui, m'aurait attendue en marchant de long en large. Où étais-tu ? Que faisais-tu ? Dis-moi tout.

Miranda se frotta la nuque, et le gouffre entre les propos lénifiants de son oncle et ses actes lui arracha un rire nerveux.

— Tu tombes toujours bien.

— Je sais, dit Georgette, qui ajouta avec un petit geste de la main : Vas-y, parle.

— J'étais sortie.

Son amie la fixa un instant, puis lui fit signe de poursuivre.

— Je suis allée à Vauxhall.

— Un soir de bal masqué ? Toi ?

Les sourcils de Georgette s'élevèrent comme des plumes dans une rafale de vent.

— Voilà qui devient intéressant, déclara-t-elle.

Elle se débarrassa en hâte de sa pelisse élégante et de son nouveau chapeau. Son riche négociant de père veillait toujours à ce qu'elle ait ce qu'il y avait de mieux.

Encore que la robe suspendue dans la chambre de Miranda lui eût coupé le souffle.

— Bon, que faisais-tu dans ces jardins un soir où tous les débauchés de Londres s'y donnent rendez-vous ?

— J'y dînais.

— C'est délicieux, dit Georgette avec un sourire. Downing t'a emmenée dîner dans les jardins de Vauxhall, puis faire quelques pas dans les allées obscures. C'est ça, non ?

— Je ne l'ai pas dit, répliqua Miranda d'une voix faible.

La bouche de Georgette s'affaissa une fraction de seconde avant qu'elle se ressaisisse.

— Il t'a vraiment emmenée là-bas ? Doux Jésus !

Miranda jeta un coup d'œil derrière le mur d'étagères pour s'assurer que personne ne les écoutait.

— Tu as l'air de penser que c'est impossible.

— Tu dois admettre, ma chérie, que les circonstances justifient ma surprise. Tu n'es pas du genre à marcher sur un sentier obscur en compagnie d'un gentleman. Mais pour un début, c'en est un sérieux.

— Je n'ai pas vraiment marché.

Il l'avait allongée sur un banc.

— C'était pour regarder des fleurs.

De très près. Et d'en bas

— Tu es allée te promener dans les allées non éclairées ? s'écria Georgette, bouche bée.

— Mais tu viens de le dire…

Georgette eut un geste agacé.

— Raconte-moi tout. En détail.

— Il s'est comporté en parfait gentleman.

En gentleman très vilain.

— Il n'y a rien eu d'inconvenant.

L'une des coutures de sa robe avait cédé lorsqu'il avait inséré sa jambe entre les siennes.

— Le clair de lune était exceptionnellement lumineux.

Éclairant peau dénudée et désir sans fard.

Georgette afficha un air déçu, et Miranda ressentit du soulagement en même temps qu'une certaine tristesse à l'idée que son amie puisse la croire.

— Pourquoi t'a-t-il invitée alors ?

— Je ne sais pas, Et, toi, qu'as-tu fait hier soir ?

— Je suis allée chez les Morton, mais c'était un peu ennuyeux. Le dîner de la semaine prochaine devrait être plus amusant. Il y a quelques nouveaux venus en ville. Je suis sûre qu'il y a quelque chose sur Vauxhall dans le journal, enchaîna-t-elle. Des choses plus excitantes que les trois pas que tu as faits sur un sentier obscur.

Elle tira le journal à elle.

Jamais un texte imprimé n'avait autant effrayé Miranda.

— Mais j'aimerais bien que tu me racontes ta soirée, insista-t-elle.

— Je t'épargne le récit insipide d'une soirée sans intérêt. Je préférerais en apprendre un peu plus sur ta nuit avec le délicieux vicomte. Il doit quand même être possible de te faire avouer une once de vilenie à son sujet.

Georgette lui décocha un clin d'œil et ouvrit le journal directement à la page des ragots.

Terrorisée, Miranda la regarda parcourir la feuille.

— Oh, les artistes du cirque Diamant étaient là ! Je rêve de les voir, mais tous les billets ont déjà été vendus. Comment étaient-ils ?

— Euh…

— Euh ? Ta nuit t'a privée de la parole ?

— Ils étaient très bien.

— Ils étaient très bien. Vraiment ?

Miranda vit là l'occasion de changer de sujet.

— En fait, ils étaient plus que bien. Les jongleurs et les acrobates. Et le funambule ! Ils étaient extraordinaires. Laisse-moi te raconter.

— Quelle vilaine amie tu fais ! Tu as vu le cirque Diamant, tu t'es *presque* promenée dans les sous-bois, et il faut que je t'arrache les mots de la bouche !

— C'est que je suis fatiguée. Épuisée de les avoir applaudis. Figure-toi qu'il y avait un homme qui faisait deux sauts périlleux de suite et retombait sur les épaules d'un autre.

Georgette parut impressionnée, mais cela n'empêcha pas son doigt de descendre le long de la page.

Miranda se pencha carrément sur la table, dans l'espoir d'empêcher son amie de lire.

— Tu ne veux pas en entendre davantage ?

— Je peux écouter et lire en même temps. Je t'en prie, continue.

Miranda se pencha un peu plus et posa la main sur le journal.

— Et il y avait un souffleur de feu qui…

— Attends, fit Georgette en écartant la main de Miranda. Il y a quelque chose au sujet d'une princesse.

Le picotement de la panique commença à se répandre dans le corps de Miranda.

— Mais écoute un peu, c'est important ! s'entêta-t-elle.

Georgette repoussa vivement ses doigts.

— Il est question d'une princesse russe ! s'exclama-t-elle en pointant l'odieux article. Tu l'as vue ? Avec une robe en soie somptueuse, poursuivit-elle sans attendre la réponse de Miranda. Oh, la description est divine ! Il y en a deux paragraphes entiers.

Elle prit le journal et le redressa légèrement. Jamais Miranda n'avait eu autant envie et redouté de lire un article.

— J'aimerais tellement l'apercevoir un jour, soupira Georgette.

— Je suis sûre que tu la verras.

— Vraiment ? Pourquoi ?

Mais avant que Miranda ait le temps de répondre, le doigt de Georgette s'immobilisa.

— En compagnie de lord D. ?

Elle battit des paupières.

— Très occupée dans les buissons, *les jambes en l'air* ?

— Vraiment ? fit Miranda d'une toute petite voix. Ce n'est pas un comportement digne d'une princesse. Et que de lord D. dans les journaux ces derniers temps !

Georgette leva lentement les yeux.

— Tous les trois sont capables de ce genre de choses.

— Trois ? Il y a sûrement plus de trois lord D. capables de faire cela.

— Ils sont trois. J'ai vérifié la semaine dernière, tu te souviens ? fit Georgette, les yeux rivés sur Miranda. Lord Dillingham a été vu avec la marquise, c'est écrit là. Et je sais par ailleurs que lord Dustin se trouve dans le Yorkshire en ce moment.

— Ah bon ?

Georgette pianota sur le journal, puis croisa les mains.

— Georgette ? plaida Miranda.

— Chuut, laisse-moi réfléchir. Je réfléchis à la façon la plus cruelle de te tuer pour ne m'avoir rien dit.

Miranda soupira.

— Premièrement, je veux voir la robe, déclara-t-elle en commençant à compter sur ses doigts.

— La robe ? répéta Miranda, tentant de feindre l'innocence.

Georgette darda sur elle un regard qui eût fait geler la Tamise, et dressa un deuxième doigt.

Les épaules de Miranda s'affaissèrent.

— Elle est en haut.

Le regard glacial vira à l'excitation.

— Très bien, s'écria Georgette en croisant les doigts. Très bien.

— Georgette ? supplia Miranda.

— Oh, Miranda ! gémit-elle. Je te tuerai plus tard pour ne m'avoir rien dit. *Dans les buissons, les jambes en l'air ?*

— Chuut ! fit Miranda en jetant un regard inquiet derrière elle. Ce n'était pas comme ça.

Ses jambes n'étaient pas *en* l'air.

Mais Georgette n'écoutait plus.

216

— Apprends *tout* ce que tu peux de lui. Prends des notes s'il le faut. Et promets-moi de tout me dire.

Calant le menton sur la main, elle fixa Miranda comme si celle-ci s'apprêtait à déverser des tonnes de secrets.

— Apprendre quoi ? Noter quoi ?

— Tout ce que tu peux. Ensuite, sers-t'en sur l'homme que tu souhaites épouser.

Un instant, Miranda se sentit semblable à son oncle – perdue hors de sa sphère habituelle.

— Utiliser ces... sur... Georgette, tu es devenue folle ?

— J'admets une très mince tranche de folie envieuse.

— M'en servir sur l'homme que je souhaite épouser ?

— Tu l'auras si tu t'appliques, assura Georgette en tortillant une boucle d'un air songeur. Oh, je compte bien t'arracher tous les détails, sache-le !

— Je n'ai aucun détail à te donner. C'était un malentendu, reprit-elle. Je ne recommencerai pas.

Du moins pas si le gouffre qu'elle avait senti se creuser dans la voiture entre le vicomte et elle était un indice fiable.

— Bien sûr que tu dois recommencer !

— Je suis dans le journal.

— Je sais, et j'en suis verte de jalousie. Aussi verte que la robe de Mme Q.

Miranda demeura silencieuse un moment, puis, croisant les bras sur la table, elle y posa la tête en gémissant :

— Seigneur ! Je ne peux pas retourner chez lui.

— Ne pas y retourner ? Je pensais que nous en avions déjà discuté. Et que mon point de vue l'avait emporté si je me souviens bien.

— Elles sauront.

— Qui *elles* ?

— Les servantes ! Elles m'ont habillée hier soir.

— C'est vrai ? dit Georgette avec un soupir rêveur. Je parie que tu étais ravissante. Tu étais coiffée comment ? Il faut absolument que je voie cette robe !

Miranda tendit la main pour empêcher Georgette de se lever.

— Je suis dans le journal. Elles lisent sûrement le journal. Elles savent.

Un petit rire hystérique fusa.

— Mais de quoi je m'inquiète ? J'ai une chambre. Elles m'ont préparé une chambre !

— Ma chérie, fit Georgette de ce ton apaisant qu'elle aurait pris pour calmer un chiot énervé. Tu parles comme une folle.

— Je *suis* folle.

— Vraiment, Miranda, gronda Georgette. C'est moi qui ai le droit de faire un drame.

Miranda porta la main à sa tête.

— Tout le monde va imaginer que je ne me contente pas de ranger sa bibliothèque. Même les journalistes.

Et, vu les événements de la nuit précédente, ils ne se tromperaient pas.

Miranda ouvrit la bouche pour continuer à se lamenter.

— Attends, l'arrêta Georgette. *Qui* va imaginer cela ?

Miranda repoussa derrière l'oreille ses cheveux qui ne cessaient de retomber sur son visage.

— Ses domestiques, répondit-elle. Et toute personne qui apprendra qu'il m'a emmenée là-bas.

— Tu parles des aristocrates qui te saluent dans la rue ? Des dames de la haute société qui pourraient t'empêcher de faire tes débuts à l'Almack ? demanda Georgette avec une gravité feinte.

Le sarcasme fit rougir Miranda.

— Euh, non. Bien sûr que non.

— Alors, tu veux parler des gens qui savent que tu es une princesse russe ?

— Euh…

— Cette information – une scandaleuse princesse russe est parmi nous – éclipse même les ragots concernant lady Werston et ses soupirants, et l'histoire du duel. Il y a une petite note en bas de page au sujet d'un homme qui en a frappé un autre, continua Georgette en indiquant la feuille. Juste quelques mots. Tout le reste t'est consacré. Crois-moi, s'ils savaient qui tu es réellement, ce serait là, imprimé en noir et blanc.

» Eh bien, voilà une… une information intéressante.

Un vague malaise saisit Miranda.

— Laisse-moi voir, dit-elle en prenant le journal.

Que M. E. ait été trouvé assommé dans la loge de lady W. fut à peine un événement. Nous, chers lecteurs, sommes beaucoup plus intéressés par ce que son fils mijotait…

Elle fixa la feuille.

— Il l'a fait exprès, souffla-t-elle.

— Quoi ? Qui ?

— Le vicomte.

— Qu'a-t-il fait ?

— Il m'a utilisée pour cacher les nouvelles concernant sa mère.

Georgette la regarda en clignant des yeux, l'air perdu.

Miranda fronça les sourcils.

— Il m'a utilisée.

— Eh bien, rends-lui la pareille, utilise-le. Et dis-moi exactement de quoi il s'agit.

Les doigts de Miranda martelèrent la table à un rythme martial.

— Oh, il s'est bien amusé !

— Alors, le journal n'a rien inventé au sujet des buissons ? Des jambes en l'air ? risqua Georgette en se penchant en avant. Comment c'était ? Est-ce qu'il t'a rendue folle de désir ? Est-ce que tu as ressenti toutes ces choses merveilleuses dont tout le monde parle ? Dis-moi tout. N'omets rien.

Miranda ignora sa requête.

— C'est sans doute mieux ainsi de toute façon.

— Mieux comment ? Tu me tortures, gémit Georgette.

— Parce que, franchement, cette histoire était plutôt affolante. Et le vicomte aussi.

— Ce n'est pas l'un de ces blondinets vaporeux que tu crois aimer. Je n'arrête pas de te dire que tu te trompes, mais est-ce que tu écoutes ? fulmina Georgette en agitant le poing sous le nez de Miranda.

Laquelle, les pensées en pleine déroute, continuait à marteler la table.

— C'est pour cela qu'il m'a appâtée avec sa bibliothèque.

— Et alors ?

— Un vil stratagème.

Les sourcils de Georgette s'agitèrent.

— Un vil stratagème ? Franchement, Miranda.

— Je te le dis, il m'a appâtée.

— Et ?

— Eh bien, commença Miranda dont les doigts battaient de plus en plus vite, ce n'était pas normal, tu comprends ? Pourquoi moi ?

Le regard de Georgette s'adoucit.

— Ma chérie, pourquoi pas toi ?

Miranda secoua la tête, lèvres pincées, avant de lâcher :

— Et maintenant cela ! À quoi joue-t-il ?

Georgette soupira.

— Tu es de mauvaise humeur, et ce n'est pas le moment de discuter, même si j'aimerais t'assassiner sur-le-champ. Te voilà bouche cousue et c'est odieux de ta part de laisser ta meilleure amie sur le gril.

Incapable de dire un mot, Miranda hocha la tête.

L'inquiétude assombrit les yeux de Georgette, qui se réfugia dans la légèreté.

— Je te pardonnerai, ma chérie. Juste pour cette fois.

Miranda sourit, les yeux embués.

— Je ne sais pas ce qui s'est passé, reprit Georgette avec douceur, mais ne te cache pas dans un coin. Dresse le catalogue de ses livres. Ou pars si cela te met mal à l'aise. Sinon, va visiter sa chambre à coucher. Mais ne rêve pas de complots sordides et de chevaliers blancs en laissant filer un homme réel et parfaitement délectable.

— Il est inaccessible.

— Dans ce cas, utilise ces secrets de séduction dont tu n'arrêtes pas de parler, et mets la main dessus.

— Je ne veux pas mettre la main dessus. Je suis trop mal à l'aise avec lui.

— Bien sûr, fit son amie d'un ton exagérément patient. C'est un homme. Un vrai, pas un dandy aux cheveux vaporeux ni l'un de ces messieurs guindés que tu prétends préférer.

— Je ne prétends rien. Mais un homme raisonnable...

— Est ennuyeux, acheva Georgette. Tu as besoin de vivre autre chose, Miranda. Vraiment. Protège juste ton cœur, et tout ira bien.

Il lui fallut faire appel à tout son courage pour retourner chez le vicomte. Elle sentait les regards des servantes peser sur elle. Mais, franchement, fallait-il qu'elle soit gourde ! fulminait-elle en son for intérieur. Qu'avait-elle imaginé ? Les servantes avaient sans doute entendu le vicomte lui lancer le défi de la séduction. Probablement savaient-elles tout.

Enfin, peut-être pas l'histoire de la princesse russe et le fait qu'elle avait été froidement utilisée – mais les tentatives de séduction, la robe, la chambre, les visites quotidiennes que lui faisait le vicomte sous prétexte de l'aider, tout cela ne leur avait pas échappé. Ni où cela pouvait mener...

L'avait-il réellement piégée ? Si c'était le cas, pourquoi ? Pour en faire sa maîtresse ? Mais Downing ne prenait pas de maîtresse. Il s'était toujours contenté de brèves liaisons. D'aventures. Selon les journaux, une maîtresse avait le défaut d'être trop permanente pour cet homme.

La chambre qu'on lui avait attribuée devait rester rarement libre. Miranda fronça les sourcils de dégoût.

Et si tel n'était pas son objectif, que voulait-il ? Faire d'elle une princesse pour couvrir les scandales de sa mère et le duel éventuel dont parlaient les journaux ? Dans ce cas, il aurait mieux fait de confier ce rôle à quelqu'un de plus compétent – une comédienne, par exemple.

Pourquoi elle, Miranda Chase ?

Eh bien, peut-être parce qu'il l'avait sous la main quand le besoin d'un esclandre s'était fait sentir. C'était le plus plausible. Le fait qu'elle soit capable d'y réfléchir rationnellement lui remonta le moral.

Miranda tapotait de sa plume le bureau de la bibliothèque tout en mangeant les tranches de pomme qu'une servante silencieuse lui avait gentiment apportées. Il lui fallait organiser ses pensées avant de le voir. Écrire un mot pourrait l'y aider.

Cher monsieur Pitts,

J'avoue que j'ai rencontré quelqu'un qui me met sens dessus dessous. La respectabilité est-elle quelque chose que nous devons rechercher à tout prix ? Ou bien ses normes sont-elles si contraignantes que je ferais mieux de les ignorer pour tracer mon propre chemin ?

Je sais que vous me conseillez toujours de me fier à mon bon sens, mais j'ai l'impression qu'il s'est divisé et me tire dans des directions opposées. L'une vers la passion de l'aventure et l'autre vers la respectabilité que mon éducation m'a appris à désirer.

Quand on lit un conte, la confusion et les désirs dangereux apparaissent toujours captivants. Mais, en réalité, ils font que mon estomac se noue, que mon pouls s'affole, que mes émotions s'élèvent et retombent comme un papillon pris dans une tempête.

Que faire alors ? Vivre l'aventure qui se présente ou se satisfaire d'un choix honorable ?

M. Pitts avait toujours une opinion, et qu'elle décide de l'adopter ou non, il était utile de la connaître. Elle donna une pièce à une servante pour qu'elle aille poster sa lettre.

Que penserait-il de son aventure avec lord Downing ? Comment réagirait-il en la voyant étalée dans

223

les pages des ragots, quand bien même son identité n'était pas révélée ?

Elle posa brutalement un livre sur une étagère. Elle étranglerait lord Downing lorsqu'elle le verrait. Pour le punir de faire naître en elle ces pensées confuses et contradictoires.

Mais il ne se montra pas.

Pas une seule fois durant la longue matinée et le tout aussi long après-midi. On lui apporta son déjeuner, qu'elle mangea seule. Puis des biscuits et du thé, des propositions d'aide, et la suggestion qu'elle aille se reposer un instant dans sa « chambre »... mais jamais elle n'entrevit le vicomte lui-même.

Les ombres s'allongeaient lorsqu'elle descendit l'escalier principal. Jeffries émergea des profondeurs de la maison.

— Mademoiselle Chase, le cocher va vous ramener chez vous.

— Merci, mais ce n'est pas nécessaire.

Le majordome ouvrit la porte.

— La voiture attend au bout de l'allée. Lord Downing a insisté. Et ceci est pour vous, ajouta-t-il en lui tendant quelque chose. Bonne soirée, mademoiselle.

Miranda prit le paquet. Elle parierait son salaire d'une semaine qu'il contenait le *Bengale*. Elle descendit les marches du perron dans une sorte de brouillard, en proie à un trouble sans nom. Trouble qui s'accrut lorsque Giles et Benjamin l'accueillirent comme si elle était toujours une invitée de marque.

Le vicomte n'apparut pas non plus le lendemain.

Jeffries déclara en guise d'excuse que Sa Seigneurie avait dû s'absenter pour une affaire urgente et qu'il lui adressait ses hommages.

Ses hommages ? Pas même un mot de sa main pour la femme qu'il avait séduite ?

L'amitié et le flirt avaient disparu dans les jardins sombres, sous le clair de lune faiblissant. Et les ricanements d'hommes grossiers.

Le soir, on lui tendit une boîte sans explication. Un beau bracelet orné d'un diamant était niché dans un écrin de velours. Elle l'examina, bouche bée, puis le fourra dans son armoire, à côté de l'autre objet tentateur qu'il lui avait offert.

M. Pitts n'avait toujours pas répondu.

Lorsqu'elle ramassa le courrier, Miranda se rappela le commentaire de Georgette. L'écriture fine d'Eleuthérios sur un paquet lui fit bondir le cœur. Ce n'était pas un dandy aux cheveux bouclés. Enfin, s'il ressemblait à ce qu'elle imaginait, peut-être tomberait-il dans cette catégorie. Sur ce point, M. Pitts serait d'accord. Mais Georgette avait admis qu'Eleuthérios savait probablement se servir de ses mains.

Des jeunes gens aux cheveux bouclés... Qu'elle aime se représenter les héros des romans avec des cheveux bouclés et de doux yeux bruns ne signifiait rien en soi. Un regard noir et des cheveux de jais se surimposèrent à cette image dans son esprit. Elle les repoussa énergiquement. De même, qu'elle rêve d'expressions alanguies – non, rêveuses – plutôt que de sarcasmes et de traits ciselés ne signifiait rien.

Fronçant les sourcils, elle rompit le cachet du mot attaché au paquet.

Chère mademoiselle Chase,
Que vous ayez aimé le roman que je vous ai offert me
fait battre le cœur de contentement. Je vous en prie,
prenez aussi plaisir à celui-ci.

Eleuthérios

Elle n'en crut pas ses yeux lorsque, ouvrant le paquet, elle découvrit un autre roman attendu du public avec impatience.

Elle commença aussitôt à le dévorer, heureuse d'avoir une occupation qui lui permette d'oublier le vicomte. Mais chaque fois que l'homme censé être le héros, une espèce de blondinet vaporeux, apparaissait, elle le comparait au ténébreux qui jouait le rôle du méchant.

Elle en était à la moitié lorsque sa bougie s'éteignit. En temps normal, elle aurait cédé à la tentation d'allumer un autre de ces précieux bâtonnets, mais, le lendemain matin, elle devait aider son oncle à la librairie avant de retourner chez le vicomte.

Et elle avait du mal à se concentrer sur l'histoire, car son esprit ne cessait de faire apparaître de ténébreux personnages qui n'étaient plus dépourvus de visage comme autrefois.

Elle adressa une pensée irritée au vicomte.

Ainsi qu'à M. Pitts. Pourquoi n'avait-il pas répondu ? Pour une fois que son opinion cinglante lui serait utile, il choisissait de garder le silence.

Le vicomte ne se montra pas le lendemain non plus.

Une autre raison plausible lui fut fournie par le majordome taciturne, en même temps qu'une boîte qu'elle déposa sur la table de la bibliothèque sans l'ouvrir.

La maison était silencieuse. Aux aguets, semblait-il. Les domestiques qui se succédaient pour aider Miranda étaient plus chaleureux au fur et à mesure que les jours s'écoulaient sans leur maître. Elle était étonnée du nombre de servantes capables de déchiffrer les titres. Elle en parla à Lottie, l'une des femmes qu'elle avait rencontrées dans la cour lors de ses premières visites.

— Non, je sais pas lire. Mais je peux reconnaître les mêmes motifs. Celui-ci et celui-là, expliqua Lottie en pointant le doigt. C'est le même auteur, non ?

Miranda jeta un œil sur le dos des livres, tous deux de Locke.

— Oui, en effet. Mais si vous pouvez les reconnaître, vous n'êtes pas loin de savoir lire. Vous aimeriez apprendre ?

— Voyons, mademoiselle. À quoi ça me servirait ? Chester lira pour moi. Et puis, Dieu m'a fait cadeau de cette grande bouche et ces grandes oreilles pour que je sois capable de trouver mon chemin qu'en demandant.

Lottie retourna à son travail. Galina, cependant, regardait fixement Miranda. Celle-ci s'apprêtait à lui poser la même question, mais la jeune fille pivota vivement et se remit au travail. Un peu plus véhémente que les autres, elle était toutefois encline à montrer le respect que le statut de Miranda, quel qu'il soit, exigeait.

La situation commençait d'ailleurs à peser sur Miranda.

Plus tard, ce jour-là, elle suivit avec détermination le couloir qui menait à l'escalier de service. Des servantes la regardèrent passer avec curiosité. Un bruit joyeux montait des entrailles de leur domaine.

Elle était à dix pas de la cuisine lorsque la cuisinière l'intercepta.

— Mademoiselle Chase, je peux vous aider ?

— Bonjour, madame Harper.

Le regard de la femme passa de l'indifférence à la perplexité. Bien qu'elles ne se soient pas encore rencontrées, Miranda avait mis un point d'honneur à apprendre son nom en même temps que ceux du personnel des étages supérieurs, puis ceux des étages inférieurs, si bien qu'à présent, elle pouvait appeler presque tout le monde par son nom – un exploit vu le nombre de serviteurs.

Il était toujours bon de connaître son environnement et de se faire des alliés, s'était-elle dit. Ou du moins d'éviter de se faire des ennemis.

— Je voulais juste aller chercher une pomme, et un peu de pain et de fromage.

— Je vais vous faire porter un plateau, mademoiselle Chase. Comme d'habitude, dit la cuisinière en lui indiquant l'escalier.

— Oh, ça ne me gêne pas de me servir et d'éviter le dérangement à quelqu'un ! assura Miranda en essayant de la contourner.

Mme Humphries, la gouvernante, apparut et se planta prestement devant elle, les deux femmes offrant un front uni.

— Ne soyez pas ridicule, mademoiselle Chase, intervint Mme Humphries. Je vous en prie ajouta-t-elle en lui faisant signe de rebrousser chemin.

Miranda accepta la « suggestion », et regagna en soupirant la bibliothèque déserte. C'était franchement pénible. Si le vicomte ne lui avait pas accordé son attention, une quantité déraisonnable d'attention,

228

elle aurait pu entretenir des relations amicales avec son personnel. Ils avaient l'air de former une équipe joyeuse, si l'on ne tenait pas compte du personnel plus hautain de l'étage supérieur. Maintenant qu'il s'était bien amusé, il l'abandonnait à son sort.

Mais n'était-ce pas son lot dans la vie que d'être laissée pour compte. Chassant ces idées noires, elle carra les épaules et s'attaqua à une pile de livres.

Elle était partie ce matin-là avec la ferme intention de demander où était le vicomte et s'il avait oublié à quoi servaient les plumes, l'encre et le papier, mais l'attitude fermée du majordome l'avait incitée à tenir sa langue.

Du reste, cela ne la regardait pas. Vraiment. Elle avait été embauchée pour ranger sa bibliothèque et la mettre sur catalogue, et c'était ce qu'elle faisait. Elle avait vécu quelques moments délicieux à prétendre être ce qu'elle n'était pas. Souvenirs singuliers, rien de plus.

Souvenirs de mains chaudes et de mots murmurés.

Eh bien, elle se souviendrait de l'enchantement et oublierait l'embarras de la fin. Ressasser des pensées négatives ne servait à rien. *Jouis de la vie maintenant !* Elle continuerait à se répéter le mantra qui l'avait aidée à survivre à ces deux dernières années sans famille. La première avait été horrible. Car comment peut-on jouir de quoi que ce soit lorsque des êtres chers ont disparu à jamais ?

Elle se plongea dans sa correspondance, et lentement mais sûrement les mots d'Eleuthérios s'allongèrent et se firent plus nombreux – un jour, elle en reçut trois. Quelque coursier privé devait user ses semelles à courir sur les pavés de Londres.

Chère mademoiselle Chase,
Je vous prie de m'excuser de n'avoir répondu à vos
charmantes missives que par quelques mots.

Chère mademoiselle Chase,
Je travaille à un projet dont le fruit commence tout
juste à fleurir. Trop tendre encore pour que je puisse
dire quand je pourrai le montrer ou de quelle manière
il pourra être cueilli. Quant au genre de projet auquel
vous faites allusion, sachez que les rumeurs s'achèvent
souvent en tourbillons de fumée.

Chère mademoiselle Chase,
C'est avec un grand respect que j'ai lu votre dernière
lettre.

Chère mademoiselle Chase,
Vos missives me donnent l'impression d'être vivant.

Cette dernière réponse lui avait fait battre le cœur un peu trop rapidement. Et Dieu sait pourquoi, elle n'avait pu s'empêcher de penser au vicomte, le parfum des lys et du jasmin de Vauxhall se mêlant à ses pensées.

Il y avait aussi quelques mots de M. Pitts qui, après s'être montré réticent, s'était de nouveau échauffé, surtout après qu'elle eut chanté les louanges d'Eleuthérios.

Le vicomte ne revenait toujours pas. La seule preuve qu'il ne l'oubliait pas complètement, c'étaient les boîtes qui s'entassaient, sans avoir été ouvertes, dans un coin de la bibliothèque.

Le lendemain, elle tenta à nouveau de pénétrer dans la cuisine, et se fit renvoyer.

230

Elle refit une tentative le jour suivant.

Le troisième jour, elles la laissèrent entrer à contrecœur.

Assise au fond de la librairie, elle tripotait la manchette élimée d'un corsage usagé. Une semaine s'était écoulée. Toute cette histoire la mettait franchement mal à l'aise. Avait-elle fait quelque chose de mal ? Ou bien était-ce juste un caprice inhérent aux gens de qualité ?

Georgette plongea la main dans son sac.

— Tiens, le journal. Je n'ai même pas pris le temps de m'arrêter au salon de thé.

Les journaux à scandales n'avaient été que spéculations. La semaine avait été étrangement calme, presque morne. La famille du vicomte avait été anormalement silencieuse et convenable, si bien que les colonnes dédiées aux ragots demeuraient sur leur faim.

Georgette lissa le journal.

— Voyons ce que le barde nous réserve ce soir.

Elle parcourut la colonne.

— On ne parle que du bal masqué que les Hanning donnent demain. Imagine un peu. Tu pourrais y apparaître en princesse. Ce serait superbe.

Miranda devait admettre que ce bal s'annonçait magnifique, même en dehors des folles suppositions de Georgette quant à sa présence là-bas. Les Hanning donnaient tous les ans un bal fort couru. Et qui chaque année semblait gagner un peu en lubricité. Cependant, même les matrones les plus collet monté y assistaient parce que tous ceux qui comptaient en ville s'y donnaient rendez-vous. C'était une nuit durant laquelle d'étranges choses pouvaient survenir – du moins à en croire les commérages.

— Et qu'est-ce que c'est que cela ? Un accord secret a été signé entre les soupirants de lady W. et tous deux ont mystérieusement disparu. *Y a-t-il anguille sous roche ? Quand le marquis et la marquise feront-ils leur retour sur scène ?* lut Georgette.

Elle haussa les sourcils.

— As-tu vu ou entendu quelque chose de particulier à Vauxhall ? En plus d'avoir découvert les talents du vicomte ?

Miranda secoua la tête, un reste de loyauté la retenant de raconter la très brève scène dont elle avait été témoin et dont les ragots se délecteraient sûrement.

— Il ne se serait pas confié à moi, dit-elle, sans mentir car il ne lui avait rien dit, après tout.

Georgette parut déçue.

Miranda repéra la ligne avant son amie et tenta de la cacher. Georgette repoussa ses doigts.

— Oh ! s'écria-t-elle. *La ravissante princesse russe n'a pas été vue depuis cette nuit dans les jardins de Vauxhall. Était-elle le fruit de l'imagination de quelques plaisantins ? Nous espérons vivement qu'elle reviendra afin que nous puissions satisfaire notre curiosité.*

Le visage de Miranda s'embrasa.

— Cette expression que tu viens de prendre, là, c'est exactement pour cela que tu dois m'accompagner chez les Morton demain soir. Mon Dieu, c'est aussi la raison pour laquelle tu dois continuer à aller chez le vicomte, même s'il ne réapparaît pas.

Miranda se contenta de ricaner.

— Tu sais, ma chérie, un jour d'absence – ou cinq –
ne fait pas que tous les autres événements du passé
sont réduits en fumée.

À propos de n'importe quel autre sujet, Miranda
aurait pu acquiescer. Mais s'agissant du vicomte, elle
ne le pouvait pas. Heureusement qu'elle n'avait pas
parlé des cadeaux à son amie. Georgette les aurait
ouverts et le détail de leur contenu se serait répandu
dans le monde en moins de temps qu'il n'en faut pour
dire « Pandore ».

Georgette agita l'index.

— Il est séduisant. Et riche. Et ces yeux qu'il a.
Pars à sa recherche, jusque dans son domaine cam-
pagnard, s'il le faut.

— Tu entends ce que tu dis ? Tu veux que je har-
cèle un vicomte ? Tu viendras m'apporter le journal
quand je serai emprisonnée à Newgate.

— Ça n'arrivera pas si tu utilises les artifices dont
tu as fait bon usage jusqu'à présent. Mme Q.,
Miranda. *Mme Q.* Pense à elle.

Mais imiter Mme Q., c'était le désir de Georgette,
pas le sien. Elle n'allait pas pourchasser un homme
dans toute l'Angleterre. Elle avait passé un bon
moment à Vauxhall – du moins jusqu'à ces quelques
minutes avant la fin –, voilà tout. Elle avait de splendides souvenirs et ne pouvait honnêtement en
demander plus. Bien sûr, cela ne signifiait pas qu'il
n'y avait pas une partie d'elle qui désirait revivre ces
instants magiques.

Elle s'était sentie si vivante. C'était terrible, non ?

Georgette lui jeta un regard exaspéré.

— Tu te languis de lui. Je n'en reviens pas. Pourquoi n'as-tu pas commencé avec une version plus
modeste de débauché – un M. Hanning ou bien
Thomas Briggs – en me laissant le premier choix ?

C'est ahurissant. Mais, enfin, c'est comme ça, et tu te languis.

— Je ne me languis pas.

— Si. C'est très triste.

Miranda agita le doigt sous le nez de son amie.

— Je fais de gros efforts pour avoir des pensées positives, et tu fiches tout en l'air.

— Moi, à la place de pensées positives, je me mettrai à la recherche de cet homme.

— Tu aimerais que je te présente en bonne et due forme si jamais il revient ?

À l'idée de son retour, une vive démangeaison la fit se gratter le bras.

— C'est très gentil de ta part. Mais, j'ai beau en parler, ton lord Downing ne m'accorderait pas un regard même si j'étais allongée nue en travers des œuvres de Shakespeare, écrites à la main par le Barde en personne.

— Il en a, marmonna Miranda.

— Quoi ?

— Rien. Mais je ne crois pas un mot de ce que tu dis.

Les hommes n'accordaient pas un regard à Miranda quand Georgette était dans la pièce.

— Rappelle-toi : lorsqu'il est entré dans la librairie pour te voir il ne m'a même pas jeté un coup d'œil.

— Il pensait à autre chose. À récupérer ses livres.

— Non. Il n'était pas intéressé. Crois-moi, je sais faire la différence.

Georgette baissa les yeux.

— Il était ennuyé, insista Miranda. Et peut-être un peu fou, aussi.

— En plus, c'est un affreux débauché. Tu es beaucoup trop bien pour ce genre d'individus.

Georgette hocha la tête avec véhémence, changeant du tout au tout de point de vue, signe d'une réelle inquiétude.

— Aussi, oublie-le, empoigne tes jupes, rameute tous tes talents de séductrice et accompagne-moi dans mes sorties. Prête à flirter, s'il te plaît.

Miranda ne dit pas non tout de suite, ce qui parut apaiser Georgette.

— Bien. Nous irons au dîner des Morton demain et tâcherons de nous dégotter quelques beaux jeunes hommes.

Le lendemain, Miranda ramassa un exemplaire de *La tempête*, de Shakespeare, qui traînait par terre. Symbole parfait du fouillis qui semblait s'accroître durant la nuit. Les domestiques apportaient d'autres caisses qui l'obligeaient à reprendre son classement presque de zéro. Si elle continuait de soupçonner le vicomte de l'accabler de travail afin de la garder sous la main en vue de quelque vil dessein, elle en avait là la preuve.

Mais un vil dessein exigeait qu'il soit là.

Elle soupira et commença une nouvelle section d'œuvres de Shakespeare. Le Barde obsédait le vicomte. Il y avait trois ou quatre versions de chaque titre – certains en avaient même cinq avec les traductions et différentes éditions – et elle était loin d'avoir exploré toute la bibliothèque. Il semblait aimer tout particulièrement les tragédies les plus sombres et les comédies les plus légères – celles dont le héros court à sa perte ou celles dans lesquelles tout finit par s'arranger après moult farces et changements d'identité.

Il s'entendrait bien avec M. Pitts. Celui-ci semblait trouver de quoi rire amèrement de tout. Elle l'imaginait en vieux monsieur bougon, intolérant et prompt à railler. Très différent d'Eleuthérios, qui avait plutôt une tournure d'esprit à la Byron et qu'elle se représentait avec des cheveux ondulés et un regard langoureux. Leurs lettres n'avaient pas le même effet sur elle. Et, bien que M. Pitts la rendît folle parfois, elle prenait plus de plaisir à lui écrire qu'à Eleuthérios.

Cela étant, jamais elle ne pourrait vivre avec un homme comme lui.

Elle lui avait envoyé un mot la veille pour parler du dernier cadeau d'Eleuthérios – dans l'espoir, comme toujours, de le convaincre que ce dernier n'était pas le Mal incarné – et lui dire qu'elle comptait accompagner Georgette chez les Morton pour y dîner en joyeuse compagnie. Qu'il comprenne ce qu'il voulait. Elle ne lui avait jamais dit précisément quelle bibliothèque elle rangeait, mais elle n'avait que trop souvent évoqué le propriétaire pour qu'il n'ait pas remarqué qu'il l'intéressait.

M. Pitts était de plus en plus odieux envers Eleuthérios.

Quant à Eleuthérios... il était presque *trop* parfait. Tel qu'elle l'avait espéré en lisant ses œuvres. Ses lettres étaient aussi bien écrites que les plus beaux sonnets. Il était intimidant, vraiment.

Elle souleva la pile déjà triée d'ouvrages coquins prêts à être rangés. Un exemplaire fragile d'un manuel franchement licencieux était sur le dessus. Elle jeta un coup d'œil furtif autour d'elle, soulagée pour une fois d'être seule. Les servantes devenaient de plus en plus amicales. Miranda avait même été invitée à se joindre à leurs petites réunions.

Cela la ramenait à la relation – ou l'absence de relation – avec le vicomte. Les seuls liens restants entre
eux étaient les cadeaux – qu'aucun message n'accompagnait ; elle avait déballé les premiers avant de
s'apercevoir qu'il lui suffisait de secouer le paquet
pour s'assurer qu'il n'y avait pas de mot à l'intérieur – et l'usage de sa voiture pour rentrer chez elle,
ce à quoi tenait le vicomte, selon Jeffries.

À présent, elle n'avait plus peur de monter dans
une voiture. Le seul obstacle à franchir pour partir
enfin en voyage, c'était sa propre réticence à se lancer dans ce dont elle avait envie sans se tourmenter
quant aux éventuelles conséquences.

Elle ouvrit prudemment le livre, en veillant à ne
pas abîmer la reliure ni les pages, et le feuilleta.
L'une des illustrations montrait deux silhouettes
unies d'une façon défiant toute logique, avec un texte
indéchiffrable en dessous. Toutes les images avaient
un côté descriptif, à la différence des enluminures
médiévales cachées dans ses sous-vêtements.

L'expression de la femme était peu convaincante,
comme si elle montrait le mouvement sans en jouir
le moins du monde. Il n'émanait de ces pages aucune
des émotions qu'elle avait éprouvées à Vauxhall. De
la frayeur enivrante que les chevaux s'emballent et la
voiture échappe au contrôle du cocher. En passant
par la beauté d'un millier de lampes scintillantes, et
l'explosion du feu d'artifice résonnant jusque dans
ses membres tremblants.

Georgette avait raison. Ainsi que M. Pitts qui l'avait
dit et redit, mais moins aimablement. Elle avait
besoin d'expérimenter le côté sauvage de la vie et ne
pas rester tapie dans le recoin qu'elle s'était creusé à
l'écart du monde.

Elle hocha la tête. Elle irait plus souvent se promener à Hyde Park et dîner avec des fils de commerçants. Chez les Morton, entre autres. Elle utiliserait ses aptitudes toutes neuves en matière de flirt. Un flirt inoffensif. Elle n'était pas prête à plus.

Sauf avec l'homme qui n'avait pas réapparu depuis une semaine... Elle chassa vivement cette pensée.

Un flirt léger. Oui. Une tradition, censée précéder une cour en bonne et due forme. Elle avait une réputation à soutenir, après tout. La voix de Georgette résonna dans sa tête : « Ces bourgeoises guindées qui croient régner sur la classe moyenne... Pense à Mme Pennyweather. Jadis la maîtresse de trois comtes simultanément et invitée partout. Aujourd'hui, les journaux pensent que tu es une princesse. Si on apprend ta réelle identité, tu seras célèbre, ton nom sera sur toutes les lèvres, y compris celles des personnes les plus respectables. Tu seras très recherchée, ma chérie. »

Cela, c'était le rêve de Georgette, pas le sien. Mais elle pouvait jouer la comédie encore un peu. Sentir les étincelles se ranimer.

Ç'avait été glorieux.

Et cela ne lui était arrivé avec personne d'autre. Mais peut-être parce qu'elle avait juste besoin qu'une étincelle s'allume. Elle tourna la page, et une autre illustration apparut. Le couple était dans une autre position. La tête de la femme était rejetée en arrière, mais le reste n'était pas clair.

Elle voulait revivre ces ébats sauvages impossibles à fixer sur le papier. Sentir le souffle du vicomte sur sa peau tandis que ses mains l'emplissaient de feu. Elle voulait revoir ses yeux sombres et brillants, et tenter de déchiffrer le message qu'ils gardaient secret. Elle voulait entendre sa voix rauque chuchoter son prénom.

— J'aimerais énormément voir quelle page vous captive autant, Miranda.

Les mots tout juste murmurés lui frappèrent la nuque. Elle sursauta et le livre lui échappa. Voulant le rattraper, elle se pencha. Des cheveux noirs et des yeux d'onyx apparurent brièvement dans son champ de vision comme il imitait son geste. Elle heurta une main chaude – à nouveau dépourvue de gants –, s'écarta et perdit l'équilibre.

Des bras solides l'entourèrent. L'émotion l'embrasa comme si elle ne s'était jamais éteinte.

13

Cher monsieur Pitts,
Il est difficile de choisir entre l'ivresse qui jaillit d'un cœur qui bat et la prudence que recommande un cerveau sain. Comment tracer sa route entre les deux ?

De la plume de Miranda Chase

Ses mains étreignaient la taille de la jeune fille comme si, de même qu'à Vauxhall, là était leur place.

La semaine passée avait été épouvantable. Être impliqué dans un drame familial qu'on espérait oublié, lutter contre l'attirance qu'exerçait sur lui Miranda, se noyer dans le stratagème aberrant qu'il avait monté. Se haïr pour ce qu'il avait fait. Et pour ce qu'il allait faire.

Et puis, il avait été incapable de l'ignorer plus longtemps. L'attirance.

Il la sentit frissonner et sourit dans ses cheveux. Son parfum vanillé l'enveloppa. Une femme réelle et solide. Quelqu'un vers qui revenir à la fin d'une journée éprouvante. D'une semaine éprouvante.

Ses mains lui agrippèrent plus farouchement la taille, puis descendirent plus bas. Il ouvrit le livre du bout du pied, l'image d'un homme prenant une femme par-derrière apparut. Il sentit les joues de Miranda se colorer.

— Intéressant, commenta-t-il. Qu'avez-vous fait de spécial pendant mon absence, mademoiselle Chase ?

— Rien, fit-elle d'une voix fêlée.

— Rien ?

— Rangé vos livres, c'est tout, se reprit-elle vivement en tentant de se libérer.

Pas assez énergiquement pour qu'il la lâche. Il sourit dans les mèches douces au sommet de son crâne.

— Je regrette de ne pas être venu vous aider plus tôt.

Du pied, il poussa le livre devant Miranda, puis plaça les mains sur ses hanches comme l'homme de l'illustration.

— Votre Seigneurie, souffla-t-elle. Que faites-vous ?

— Vous avez dégagé un chemin dans cette pièce. Est-ce pour atteindre les volumes qui vous intéressent le plus ?

Après la soirée à Vauxhall, il avait discuté longuement avec lui-même, et était arrivé à la conclusion que s'il devait en passer par là, autant qu'il ait tous les atouts dans son jeu. Son désir n'allait pas se modifier, quoi que murmure la petite voix au fond de sa tête.

Ni le prix élevé qu'il aurait à payer.

Il la laissa se dégager.

Elle lissa sa robe sur ses hanches.

— Vous avez beaucoup de livres intéressants.

— Certains le sont plus que d'autres.

L'expression agacée de Miranda l'enchanta.

Elle ramassa le livre tombé et, les joues en feu, se hâta de le refermer et de le poser sur l'étagère la plus proche. Cela fait, elle leva le menton et afficha une expression aimablement neutre.

— J'espère que vous avez passé une semaine agréable ? fit-elle en revenant à la pile de livres qu'elle était en train de ranger avant son arrivée.

— La semaine a été… longue.

Interminable, en réalité.

— Oh ? fit-elle sans cesser d'examiner chaque livre, le rideau de ses cheveux masquant son expression. Quel dommage, acheva-t-elle d'une voix plaisante, quoique froide.

Elle emporta quelques volumes, les disposa à différents endroits, et revint à la pile.

— Vous essayez de m'ignorer ? demanda-t-il.

— Je suis simplement en train d'effectuer la tâche que vous m'avez confiée, Votre Seigneurie.

Une semaine passée à discuter avec Colin, leur mère, ses autres frères et sœurs. Charlotte Chatsworth et son père. Dillingham et Easton. Et le marquis, son propre père.

Cette dernière conversation avait été la plus éprouvante. Il en avait toujours été ainsi. Car malgré ses erreurs et ses manquements évidents, sa mère était totalement prévisible. Ses mobiles étaient transparents. Alors que ceux de son père ne l'avaient jamais été.

— Vous essayez aussi de m'ignorer, insista-t-il.

Il s'approcha d'elle, lui prit la main et retira lentement le livre qu'elle serrait dans ses doigts.

Une semaine à se détester pour l'avoir abandonnée abruptement. Et pour ce qu'il avait fait avant.

— Êtes-vous fâchée contre moi ?

— Pourquoi le serais-je ?

— Pour ne pas avoir réapparu après une nuit délicieuse dans les jardins de Vauxhall ?

Une semaine à se haïr pour des raisons qu'il n'osait s'avouer. Puis à craindre d'avoir tout gâché et de la perdre définitivement.

— Je n'ai aucune raison d'être fâchée contre vous. Vous êtes libre de faire ce qui vous plaît.

Elle détourna les yeux et poursuivit :

— Il n'y a rien entre nous en dehors de la tâche que vous m'avez confiée.

Elle le regarda à nouveau, et reprit, sincère en dépit de l'irritation à peine perceptible :

— Le dîner a été agréable, et je vous remercie de m'avoir invitée.

Ses remerciements lui donnaient l'impression d'être le pire des goujats. Ce qu'il *était*.

— À vous entendre, on dirait que je me suis contenté de vous acheter une paire de chaussures.

— Je vous exprime ma gratitude, répliqua-t-elle. Ce n'est pas moi l'hypocrite.

— Vous êtes *bel et bien* fâchée contre moi.

Le ton critique de la jeune fille lui plaisait. Lutter contre le feu, il le pouvait. Mais si elle fondait en larmes, il n'aurait plus qu'à s'enfoncer un sabre dans le ventre.

Pinçant les lèvres, elle rassembla une autre pile de livres.

— Pourquoi serais-je fâchée contre vous ?

— À vous de me le dire.

Elle inclina la tête de côté et réfléchit une seconde.

— Non, lâcha-t-elle avant de continuer son travail.

— Non ?

— Non.

— Eh bien, cela ne me semble pas vraiment honnête.

— Êtes-vous en train de me parler d'honnêteté, Votre Seigneurie ?

Il haussa un sourcil.

— C'est un sujet interdit ?

— Vous m'avez délibérément séduite dans les jardins de Vauxhall.

Il sourit.

— Ce n'est ni une nouveauté ni une circonstance aggravante. Cela fait des semaines que j'essaie de vous séduire.

Des mois.

— Non, je ne parle pas de ça. Vous m'avez séduite de manière méprisable.

— Je vous ai séduite de manière méprisable ? répéta-t-il sans pouvoir retenir un sourire ironique.

— Vous l'avez fait pour créer un scandale qui surpasse les autres.

Un froid glacial s'insinua dans les os du vicomte. Il savait qu'il n'aurait pas dû la laisser si longtemps livrée à elle-même. Elle était beaucoup trop perspicace. C'était entre autres ce qui l'avait attiré chez elle.

Cela et le désir d'être quelqu'un de mieux. D'être la prunelle de ses yeux. Et que ce bonheur ne soit pas abandonné à quelqu'un d'autre.

— Vous croyez que j'éprouve le besoin d'alimenter les ragots ?

— Je ne sais pas, dit Miranda dont les doigts frappaient en cadence le livre qu'elle tenait à la main. C'est le cas ?

— Non. En fait, je me suis retiré à la campagne. Pour mener une existence agréable et tranquille. Évidemment, elle aurait été encore plus agréable si vous m'aviez accompagnée.

244

Ah. La peau de Miranda commença à se colorer. Il aimait cela, comme il aimait son regard soudain en alerte.

— Vous n'êtes pas amusant.

— Non ?

— Non. Faites-vous cela pour chasser l'ennui ? Me tirailler d'un côté et de l'autre ? M'utiliser afin de détourner les ragots ?

— Puis-je vous utiliser ainsi ? Vous allonger sur le journal, et que votre corps en froisse les feuilles ?

Elle s'empourpra davantage et redressa le menton.

— Vous le pourriez probablement, si vous le décidiez. Je ne représente pas vraiment un défi pour les gens de votre espèce.

Elle se sous-estimait. Il voulait la vêtir de soie et de satin, ou de rien du tout. Lui montrer combien elle l'enivrait.

Il y avait en elle trop de passion attendant d'être libérée. Peut-être que s'il se contentait d'une aventure physique – comme il l'avait projeté au début – elle ne présenterait guère un défi, en effet. Il aurait pu continuer à la séduire méthodiquement. Profiter de la soirée à Vauxhall pour plaider plus avant sa cause.

L'approcher de nouveau le lendemain. Et probablement obtenir ce qu'il voulait, ici même, sur le parquet, ou dans un fauteuil, ou encore debout contre le mur. S'enfoncer en elle, satisfaire la soif qu'il avait d'elle, avaler chaque cri qui lui échapperait forcément, contempler son regard ivre de passion.

Mais il n'en avait pas été capable. Le chemin de la séduction était devenu ténébreux, meurtrier. Il s'était leurré en pensant que la posséder physiquement lui suffirait.

Et il ne voulait pas que sa propre réponse soit simplement physique. Et c'était là le vrai danger.

D'où sa fuite. Il avait signifié à ses parents leurs ultimatums respectifs avant de partir à la campagne. Réfléchir à sa propre perte, car aucune sorte de permanence ne finissait bien.

Il sourit sans joie, ce qui la fit froncer les sourcils.

— Notre défi existe toujours.

— Est-ce que vous séduisiez votre institutrice pour l'empêcher de terminer la leçon d'arithmétique ? demanda Miranda en déposant un paquet de livres sur une étagère. La semaine est finie depuis longtemps. Et vous avez gagné.

— Pas dans mon cœur, non.

— Si je croyais à son existence, je pourrais peut-être être d'accord.

— Oh, il est là. Recroquevillé et ligoté. Attendant que vous le libériez.

— Vous êtes un provocateur impénitent, Votre Seigneurie.

— Comme je vous l'ai déjà dit, un provocateur ne va pas jusqu'au bout, répliqua-t-il en faisant courir son doigt sur le dos d'un livre.

— Je ne doute pas que vous soyez heureux d'aller jusqu'au bout sur le plan physique, mais vous faites trop de promesses vaines en ce qui concerne les sentiments.

L'accusation le troubla et il eut du mal à conserver une expression détendue. Il désigna du menton les boîtes fermées dans un coin.

— Vous n'avez pas aimé mes cadeaux ?

— Je n'en vois pas la raison.

— C'est une preuve de mon affection. Pour vous remercier d'avoir accepté le défi.

— Un petit mot aurait suffi.

Bien sûr que cela aurait suffi. Car il savait qu'elle aimait par-dessus tout en recevoir. Mais c'était la seule chose qui était hors de question.

Il s'approcha. Elle se raidit.

— Venez avec moi.

— Non.

— Vous ne savez même pas où je veux vous emmener.

— Je suis sûre que ce sera à mon désavantage, où que ce soit.

— Dans ce cas, ce sera un changement. Vous avez fréquemment l'avantage sur moi.

Elle croisa les bras, incrédule et agacée. En vérité, l'avantage qu'avait le vicomte sur elle tenait uniquement au fait qu'elle ignorait dans quelle mesure ses déclarations étaient exactes.

— Alors venez avec moi. Je vous promets que vous ne le regretterez pas.

— J'ai à faire, répliqua-t-elle en désignant les piles de livres.

— Et, moi, je suis votre employeur.

Les épaules de Miranda se crispèrent un peu plus et elle se détourna. Il aurait aimé voir son visage. Manifestement irritée, elle reposa brutalement les livres. Lorsqu'elle se tourna vers lui, son expression était indéchiffrable, son regard limpide.

Cela l'énerva. Était-il déjà en train de la corrompre ? De l'entraîner dans son enfer personnel ?

— Très bien.

Miranda ne se fia pas une seconde au lent sourire qui retroussa les lèvres du vicomte. Il avait le regard trop sombre. Comme s'il était mortellement blessé et avait besoin d'elle pour trouver la blessure, soigner la plaie.

Il tourna les talons et elle le suivit dans le couloir. Le cœur battant, elle le vit entrer dans la chambre qu'il lui avait attribuée. S'il pensait achever tout de suite ce qu'il avait commencé dans les jardins de Vauxhall, il allait être déçu.

Elle n'était pas retournée dans cette pièce depuis ce jour-là. Aucune de ses tâches ne l'y amenait et elle ne s'y était pas sentie à sa place.

Il ouvrit l'armoire. Plusieurs robes splendides étaient suspendues à l'intérieur et toutes avaient l'air d'être à la taille de Miranda. Comme si elles avaient été livrées tout au long de la semaine, emplissant le ventre en bois de l'énorme armoire.

Une des employées de Mme Galland devait avoir les doigts meurtris et le portefeuille plus épais.

Miranda croisa les mains pour se retenir d'y toucher.

— Celle-ci.

Les mains du vicomte lissèrent la mousseline verte, puis la soulevèrent, et la tinrent devant Miranda comme l'eût fait une femme de chambre. Sauf que le cintre pendillait sur son épaule, glissant légèrement, et que les doigts du vicomte la caressaient d'une façon qu'aucune servante ne se serait permise.

— Oui, c'est parfait.

— Parfait pour quoi, Votre Seigneurie ? demanda-t-elle après s'être raclé la gorge.

— Je pense vraiment que vous devriez m'appeler Maximilian. Ou Max. Ou encore Maxime, si vous préférez.

Il s'était exprimé d'un ton faussement léger. Elle en fut brièvement décontenancée.

— Les prénoms sont réservés aux proches, répliqua-t-elle, sentant sa colère revenir. Aux gens à qui l'on peut parler tous les jours.

— Il faut vraiment que je vous mette en colère plus souvent, commenta le vicomte avec un sourire.

La robe glissa un peu plus bas.

— Et je dois rectifier votre point de vue selon lequel nous ne serions pas proches. Sachez que je projette de vous être très proche, Miranda.

Sa déclaration la troubla. Il semblait dire qu'il ne se satisferait pas d'un échantillon, mais la voudrait tout entière.

— Enfilez cette robe.

— Pourquoi ? demanda-t-elle d'une voix haut perchée. Où allons-nous ?

— Quelle importance ? Vous n'avez pas l'intention de céder à mes viles tactiques. Considérez cela comme une excuse, notre destination. Je vous promets d'être un gentil garçon.

Il posa négligemment un mince volume sur la table.

— J'ai pris cela chez Colin quand il ne regardait pas. Cela vous plaira peut-être.

Elle regarda le livre, une édition des sonnets de Shakespeare somptueusement reliée de cuir.

— Il ne manquera pas à votre frère ?

— C'était indubitablement pour un devoir. Il ne voudrait pas être vu avec un livre de sonnets qu'il n'aurait pas écrits lui-même. S'il rouspète, je lui en achèterai un autre, dit-il en caressant le cuir. Venez avec moi, Miranda. De bon cœur. De votre plein gré.

Elle chercha quel argument opposer à l'appel de la sirène.

— Je n'aurai jamais fini de ranger votre bibliothèque si je sors tout le temps avec vous.

— Eh bien, je suppose que je serai capable de vous garder ici indéfiniment.

Il y avait quelque chose dans sa voix… elle l'aurait presque cru. Il sortit de la chambre à reculons, le regard si intense qu'elle en eut le souffle coupé.

— Bientôt, peut-être, je le ferai, Miranda.

Elle le suivit du regard, en proie à une confusion sans nom.

— Sa Seigneurie a bien calculé les choses, fit une voix. La vieille bique est occupée. Je peux vous coiffer comme je veux.

Pour apparaître aussi vite, Galina avait dû attendre dans le couloir. Guettant le moment pour faire son entrée.

Miranda fut un instant déconcertée en se rendant compte une fois de plus que tout le monde dans la maison devait écouter leurs conversations.

Sans être chaleureuse, ce qui n'était sans doute pas dans sa nature, Galina était un peu moins froide avec elle depuis qu'elle avait forcé la porte du quartier des domestiques.

La servante lui désigna une chaise.

— Je savais que Sa Seigneurie vous reviendrait. J'ai étudié quelques coiffures pour ce jour-là.

Miranda battit des paupières.

— Vous écoutez aux portes.

— Oui. C'est pour ça que je savais qu'il vous reviendrait, Contrairement à toutes les autres que nous avons eues.

Miranda devint écarlate.

La servante étrécit les yeux.

— Vous n'êtes pas comme les autres. Elles… elles étaient pour la façade.

Elle désigna la chaise. Miranda s'y installa.

— Pour la façade ? répéta-t-elle.

— Ne craignez rien. Ce n'est pas en écoutant les gémissements de plaisir que nous l'avons deviné.

Miranda rougit encore plus, ce qu'elle n'aurait pas cru possible.

La servante se pencha et prit la brosse.

— Mais c'est évident qu'il ne s'est jamais vraiment intéressé à toutes ces femmes. Et qu'avec vous, c'est différent.

— Je ne suis qu'une simple vendeuse, dit Miranda en regardant sans le voir le miroir de la coiffeuse.

— Pas si simple, à présent, non ?

— Je suppose que non, admit-elle doucement comme la servante lui soulevait les cheveux.

Le chemin de moindre résistance dans l'immédiat était de rester assise sur cette chaise, de laisser Galina la coiffer et de suivre le vicomte de son plein gré. Mais c'était aussi prendre des risques à long terme. Car elle pouvait regagner la bibliothèque, demander qu'il la laisse tranquille, et poursuive son chemin, sans avoir vraiment changé.

Ignorer à jamais la fin de l'aventure. Dans ses bras. Le défi n'étant plus de séduire l'autre, physiquement ou intellectuellement, mais de devenir une partie du tissu de sa vie – au moins momentanément.

— On prend l'habitude d'écouter quand on est domestique, expliqua Galina. Il y a un rythme propre à chaque maison. Mais le rythme d'ici a changé ces dernières semaines. Il y a des pauses et des pas. Des craquements de parquet. Le bruit étouffé de chaussures sur un tapis. Un piétinement nerveux. On prend l'habitude d'écouter quand on est domestique, répéta-t-elle avec un sourire amer.

— On prend l'habitude de vivre dans les pages d'un livre quand on est vendeuse dans une librairie, répliqua Miranda d'un ton léger.

Elle vit dans le miroir la servante pincer les lèvres, et crut qu'elle s'en tiendrait là.

— Vous lisez beaucoup ? demanda-t-elle finalement.

— Oui. Cela me permet de m'évader dans un autre monde, dit Miranda en s'efforçant de garder un ton léger. D'écarter les souvenirs pénibles. Parfois c'est le meilleur moment d'une dure journée.

— On n'a pas beaucoup le temps de s'évader quand on est domestique.

— Mais on a des raisons de chercher à le faire, non ?

La servante tira ses cheveux un peu brutalement, marmonna une excuse, et ses gestes redevinrent doux.

— Peut-être.

Après avoir coiffé Miranda, elle l'aida à enfiler la robe. Le style était simple, mais elle n'en était pas moins ravissante. Plus jolie que tout ce qu'elle avait jamais porté, exception faite de la robe qu'elle avait à Vauxhall. La servante mit quelques touches finales, pinçant ici et là, cherchant et atteignant la perfection. Elle rappelait à Miranda la couturière, Mme Galland.

— Je vous remercie, mademoiselle Lence.

Sans mot dire, la servante noua le dernier nœud. Elle hocha la tête, et recula pour laisser passer Miranda. Puis tapotant la brosse, elle déclara sans lever les yeux.

— Bien sûr, nous entendons plus de choses que nos maîtres le voudraient. Des choses qui pourraient nous pousser à donner un avertissement, ou un conseil.

Miranda s'arrêta et inclina la tête en remerciement. Elle savait que tout ce qu'elle entreprenait avec

252

le vicomte était lourd de périls de toutes sortes. La dernière semaine en était la preuve.

— Merci, dit-elle en touchant la main de la servante.

— C'est stupide de viser si haut. Mais...

La femme jeta un coup d'œil au livre que le vicomte avait laissé. Le livre de son frère.

— Mais nous espérons tous que ce n'est peut-être pas si fou d'espérer.

Miranda en resta bouche bée de surprise. La servante s'excusa et quitta la pièce, la laissant seule et plus perplexe que jamais.

Elle s'empara du livre et sortit. Un valet de pied l'escorta jusqu'à la bibliothèque. Le vicomte s'y trouvait, feuilletant un petit volume. Il le referma et se leva quand elle entra.

— Une rose en hiver, fit-il en s'avançant vers elle, la main tendue.

— Nous sommes au printemps.

— Mais c'est l'hiver dans mon cœur.

Ses lèvres effleurèrent le poignet de Miranda.

Elle libéra sa main et la laissa retomber le long de sa robe en s'efforçant d'ignorer le regard brûlant du vicomte.

Elle montra le livre de Colin.

— Votre frère vous rend souvent visite ?

— Tous mes frères et sœurs le font. Ils prétendent que c'est pour avoir un œil sur moi. Mais c'est pour fuir nos parents. Colin aime venir me gâcher la vie. Rendre visite au personnel dans la cuisine. Je pense qu'il cherche à fomenter une révolte. Ou à vaincre son hypocrisie, ajouta-t-il d'un ton exagérément léger.

— Oh.

Mais nous espérons tous que ce n'est peut-être pas si fou d'espérer. De viser si haut.

Miranda avala sa salive et carra les épaules.

— J'aimerais organiser une sortie pour vos domestiques.

Il plissa les yeux, visiblement déconcerté par ce brusque changement de sujet.

— Une sortie ?

— Oui, pour votre personnel. J'ai appris que le duc de Brexley organisait des fêtes fantastiques à Hyde Parc pour le personnel de sa maison de ville.

Elle feignit d'examiner le livre.

— Un déjeuner, peut-être, suggéra-t-elle. Vous pourriez même inviter vos frères et sœurs. Colin. Histoire d'étouffer la révolte dans l'œuf.

— Dans ce cas, je ne suis pas sûre de vouloir y aller.

— Moi, j'irai, répliqua-t-elle en le regardant droit dans les yeux.

— Très bien, dit-il après un long silence. Parlez-en à Mme Humphries. Mais ne soyez pas surprise si elle vous soupçonne de briguer sa place.

— Mme Humpries et moi sommes parvenues à un accord.

— Dois-je ériger une arche d'alliance ?

— Vous parlez comme s'il était difficile de s'entendre avec moi.

— Ma gouvernante n'a pas l'habitude de… d'invitées de votre genre.

— Des invitées que vous habillez et emmenez dans des endroits scandaleux ?

— Non. Cela, ce n'est pas tout à fait inhabituel.

Miranda ressentit un pincement de jalousie, mais l'écarta aussitôt. Non, c'était son aventure et c'était la façon dont elle la vivrait. Les aventures survenaient ici et maintenant. Dans le présent. Ou le futur proche.

— Mais mes invitées sont d'habitude très conscientes de la façon dont les choses fonctionnent avec moi, ou avec les membres de la famille qu'il leur arrive de rencontrer, et elles ne cherchent pas à se lier avec mon personnel.

— Vous êtes très au-dessus de mon statut social. Je suppose que les femmes que vous fréquentez le sont aussi.

Un doigt se glissa sous son menton.

— En réalité, j'ai parfois l'impression que c'est vous qui m'êtes complètement inaccessible.

Elle cilla.

La main du vicomte se posa sur son dos et la poussa doucement vers la porte.

— De toute façon, je n'ai jamais très bien su où était ma place, ajouta-t-il.

La voiture somptueuse les attendait dehors. Elle y monta sans hésiter. Un jour – quand elle n'en voudrait plus au vicomte –, elle devrait le remercier de l'avoir débarrassée de cette crainte stupide.

— Où allons-nous par ce jour gris et venteux ? s'enquit-elle en s'installant sur la banquette rembourrée.

— Au cirque Diamant. Une façon de vous présenter mes excuses, comme je l'ai dit.

Elle lui adressa un regard incrédule. Les journaux avaient annoncé que tous les billets avaient été vendus.

— Nous sommes au milieu de la journée, lâcha-t-elle.

— Bien vu.

Le rythme de la voiture fit que la chaussure de Miranda heurta par deux fois le tibia du vicomte. La troisième fois, il lui attrapa le talon, et ses doigts glissèrent autour de sa cheville.

— Que… que faites-vous ?

— Votre jambe semble avoir un tic. Je vais vous soulager.

— C'est inutile, protesta-t-elle d'une voix un peu trop aiguë.

— Vraiment ? Mais vous êtes si serviable avec moi. Avec mon personnel. En m'accompagnant à Vauxhall. En mettant cette robe qui vous fait scintiller dans la pénombre. En éclairant la journée tel un joyau exposé au soleil.

Ses doigts se refermèrent sur le talon de Miranda et sa chaussure tomba. Le contact des doigts sur ses bas fins était érotique. Comme un écho du crescendo d'émotions ressenties une semaine plus tôt.

Elle ouvrit la bouche pour répondre, mais les yeux du vicomte se soudèrent aux siens. Elle était prise au piège. Cherchant quoi dire tandis que les mains du vicomte se promenaient sur sa peau gainée de soie.

La voiture s'arrêta. Il se pencha, ramassa la chaussure de Miranda et la lui remit. Une chaussure qui lui allait à la perfection. Faite spécialement pour elle.

— Aussi étincelante qu'une étoile, uniquement pour moi.

On frappa à la portière, mais sa main s'attarda, sa posture évoquant un chevalier touchant avec respect la dame de son cœur. Puis il répondit au valet et, tremblante, Miranda accepta l'aide de ce dernier.

Le vicomte lui offrit son bras et ils se mirent en marche d'un pas tranquille, tel un couple respectable se rendant au spectacle. Comme s'il ne venait pas de chambouler une fois de plus son univers.

Sans ses lumières, le théâtre ressemblait à n'importe quel bâtiment. Manquait aussi la foule des spectateurs qui entraient en bavardant, pressés de voir un nouveau spectacle ou un classique très aimé. La plèbe demeurant en bas et les heureux de ce monde montant dans les loges, façon de matérialiser la séparation des classes. Les gens du peuple levant les yeux sur leurs supérieurs, dont la plupart devaient leurs privilèges à la naissance tandis que d'autres, moins nombreux, avaient lutté bec et ongles pour les obtenir.

Comme le vicomte l'entraînait dans le ventre du théâtre, Miranda ouvrit de grands yeux sur les loges vides, l'orchestre et la fosse déserts.

— Bienvenue !

Un homme vêtu d'un pantalon plein de pièces de tissus colorés les rejoignit.

— Votre Seigneurie, reprit-il en s'inclinant devant le vicomte. Et vous, belle dame, ajouta-t-il en se courbant davantage encore. Bienvenue au spectacle. Ou du moins au travail défiant la mort qu'est notre entraînement quotidien.

Il désigna l'orchestre et les loges au-dessus.

— Asseyez-vous où vous le souhaitez, Votre Seigneurie. La loge du Roi. Ou les fauteuils des critiques, dans le fond.

Un choc derrière la scène attira son attention. Il mit les mains en porte-voix.

— La première partie est finie. En place pour la seconde. Dites à Eleanora et à Leonardo que c'est à eux.

Il se retourna vers les invités tout en reculant.

— Installez-vous où vous voulez et passez un bon moment.

Il tourna les talons et gagna d'un pas vif la scène sur laquelle se rassemblaient des artistes. Quelques-uns jetèrent des regards curieux aux nouveaux venus, mais la plupart les ignorèrent et se mirent à leur place.

— Une répétition ?

Les yeux du vicomte prirent un éclat malicieux.

— Je me suis laissé dire que les répétitions sont plus intéressantes que le spectacle. Parfois l'exercice peut être plus exaltant que la performance finale, enchaîna-t-il en plongeant son regard dans le sien, en ceci que vous devez répéter encore et encore jusqu'à ce que tous les éléments aient trouvé leur place. Mais où aimeriez-vous vous asseoir, madame ?

— Eh bien, comment résister à l'attrait de la loge royale ? dit Miranda.

La loge royale se trouvait sur l'avant, à gauche de la scène. L'endroit idéal pour dominer les planches.

Que c'était étrange d'être assise là comme une vraie princesse ! songea Miranda en s'asseyant sur le fauteuil recouvert de velours.

Les artistes, hommes et femmes – certains entièrement habillés, d'autres en maillot et collants –, se rassemblèrent au centre de la scène. L'homme qui les avait accueillis, le vicomte et elle, leva la main et le spectacle commença.

Les rideaux étaient complètement tirés, ne cachant rien à la vue. Un battement de tambour retentit, et l'orchestre se mit à jouer, obéissant aux gestes du chef. Qui imposa aussitôt le silence. Il cria quelque chose, puis fit signe de recommencer. Ils recommencèrent trois fois. L'homme jeta un regard nerveux du côté de la loge.

Puis le spectacle commença pour de bon. Les hommes qui tiraient sur les cordes et actionnaient diverses machineries étaient parfaitement visibles. Cela enlevait un peu de mystère, mais satisfaisait la curiosité. Les muscles saillaient sous les manches de chemises retroussées, les visages rougissaient sous l'effort, la sueur perlait. Tant de peau nue et de muscles en action aurait dû choquer Miranda, mais elle n'était ni une dame de la Cour ni une vraie princesse. Et elle n'avait plus à jouer à la fille sage d'une maîtresse d'école. Ici, personne ne la connaissait, ni ne se souciait d'elle.

Les artistes étaient incroyables. Dans cet abri temporaire, ils avaient à leur disposition tous leurs décors, leurs instruments, les menus objets qui leur facilitaient la tâche. S'il n'y avait plus la crainte qu'un acrobate glisse sur l'herbe humide ni l'émerveillement de le voir naviguer dans la foule, s'y fondre, et en émerger, la prestation n'en était pas moins ahurissante, car les artistes se permettaient des tours et des sauts encore plus audacieux.

Il y avait des tressaillements lorsque l'un des acrobates tombait sur le sol avec un bruit sourd. Des cris saluaient les exercices difficiles. Le rythme des acrobaties et l'atmosphère euphorique étaient enivrants. Ces hommes et ces femmes aimaient visiblement ce qu'ils faisaient. Et n'hésitaient pas à le montrer. D'un tour complet à la barre. D'un entrechat spontané. D'un cri de joie ou d'un sifflement d'admiration.

Merveilleux, songea-t-elle avec une pointe d'envie.

— Vous aimez ? lui chuchota le vicomte à l'oreille.

— Oh oui !

— Qu'aimez-vous en particulier ?

— La liberté. La joie.

— Vous ne les cherchez pas souvent pour vous, n'est-ce pas Miranda ?

— J'ai une vie agréable. Du bonheur.

— Dites du contentement. La joie et la liberté que vous désirez sont là, à portée de main.

Elle se tourna vers lui, et s'aperçut que la bouche du vicomte était terriblement proche.

— J'ai l'impression que vous me traitez de lâche, milord, murmura-t-elle, les yeux rivés sur sa bouche.

— Ah bon ? Dans certains domaines, vous l'êtes peut-être, admit-il, avant de caresser du pouce la lèvre inférieure de Miranda. Mais dans d'autres, non. Il y a tant de passion et de vie en vous. Il suffirait que quelqu'un vous libère pour qu'elles jaillissent.

— Vous vous portez volontaire ? demanda-t-elle d'un ton léger en dépit des battements éperdus de son cœur.

— Volontaire ? Certainement pas. Je me suis désigné d'office pour ce rôle.

— Voilà qui est bien désinvolte.

— Je vous l'ai déjà avoué, c'est l'un de mes défauts.

Sa main libre se referma sur de la nuque de Miranda.

— Vous me pardonnez ?

— Vous demandez que je vous pardonne ? Je ne peux pas le croire. Cela doit vous arriver rarement.

Ses lèvres frémirent sous le pouce du vicomte, mais elle était résolue à imiter sa nonchalance.

— Ah, cela aussi, je l'avoue, est l'un de mes défauts !

— Vous en avez beaucoup.

Les doigts du vicomte lui caressaient la nuque.

— Et vous, si peu. Nous devrions nous compléter à merveille, vous ne pensez pas ? Vous seriez ma conscience, et je serais votre honte.

— Je ne trouve pas que le bonheur soit honteux, répliqua-t-elle posément. Je ne crains que la peur.

Les doigts du vicomte s'immobilisèrent sur sa nuque, puis pressèrent pour l'attirer à lui.

— C'est pourquoi vous exercez sur moi un attrait auquel je ne peux résister.

Les paupières de Miranda se fermèrent d'elles-mêmes.

— À cause de la peur ?

— Non, parce que, dans votre cœur, vous avez très envie de vous abandonner à la passion cependant que

260

votre corps est réticent. C'est l'inverse la plupart du temps. Je trouve donc cela particulièrement enivrant.

— Si enivrant que vous avez disparu toute une semaine, riposta-t-elle en rouvrant les yeux.

Il y eut un bref silence.

— Vous n'imaginez pas à quel point j'en ai souffert.

— Non, en effet, je ne l'imagine pas.

Un rire grave fit vibrer la poitrine du vicomte.

— Un jour, peut-être, je vous l'expliquerai, si je parviens à me l'expliquer à moi-même.

Et voilà, il recommençait. Laissait entendre qu'un avenir commun était possible. C'était à la fois troublant et provocateur.

Du coin de l'œil, Miranda vit l'éclair rouge d'un acrobate tournoyant dans les airs. Des cris saluèrent sa prestation.

— Un jour, peut-être, je vous le demanderai, fit-elle.

Les yeux du vicomte s'assombrirent de désir.

Ce sentiment aussi merveilleux que grisant de posséder du pouvoir sur lui envahit Miranda.

— Et un jour, peut-être, je vous demanderai sérieusement pardon.

Il se pencha, les lèvres à un cheveu de celles de Miranda.

— Mais pas aujourd'hui. Aujourd'hui, je cherche encore à prendre.

Ses lèvres réclamèrent celles de la jeune fille, autoritaires, bouleversantes.

Les couleurs, les cris, les sauts, les tourbillons parurent s'évader de la scène, se ruer sur elle, pénétrer sous sa peau, exploser en elle.

— Me laisserez-vous vous faire mienne, Miranda ? murmura-t-il contre sa bouche.

Elle faillit répondre qu'il pouvait la faire sienne, l'emporter où bon lui semblait du moment que ses lèvres continuaient à faire naître en elle ces sensations enivrantes.

— Oui, murmura-t-elle.

— Parfait. Ce soir ?

Ce soir ? Non, il y avait le dîner chez les Morton. Avec Georgette.

— Je dois assister à un dîner ce soir.

— Un dîner ?

— Oui. Avec une amie.

— Annulez, chuchota-t-il en suivant de la bouche la courbe de sa mâchoire.

— Mais…

Il s'écarta pour la regarder dans les yeux.

— Je vous promets que je ferai en sorte que vous ne regrettiez pas ce sacrifice, dit-il d'une voix rauque.

Vu les circonstances, Georgette ne lui reprocherait pas d'annuler. Aller chez les Morton ressemblait davantage à accepter une poignée de main qu'à se lancer dans une aventure amoureuse. Les doigts du vicomte jouaient avec les attaches de sa robe, lui embrasant la peau. Il mourait d'envie de l'ouvrir à la passion, elle le sentait de toutes les fibres de son être.

Sur la scène, un acrobate bondit et retomba sur les épaules d'un autre. Il chancela une fraction de seconde avant de recouvrer son équilibre et de lever les bras triomphalement.

— Très bien, souffla Miranda qui espérait que ses propres audaces ne causeraient pas sa chute.

— Parfait. Au retour, nous nous arrêterons chez Mme Galland.

— J'ai déjà quantité de robes.

Elles étaient suspendues, attendant son bon vouloir. Certaines ne seraient jamais sans doute portées. Du moins par elle.

Parce que, si excitante et grisante que soit cette histoire avec le vicomte, elle s'achèverait bientôt, et Miranda devrait reprendre le cours de sa vie, le cœur intact, espérait-elle.

Elle ne s'imaginait pas dans le rôle d'une maîtresse découvrant peu à peu qui était le vicomte, en tombant amoureuse sans jamais pouvoir le revendiquer comme sien. Elle ne se voyait pas protéger en permanence son cœur, attendant que lui, ou que quelque autre amant, cesse de s'intéresser à elle.

C'était aussi pour cela qu'elle ne voulait pas rencontrer M. Pitts. Il était trop proche d'elle, il lui redonnait des forces comme personne ne l'avait jamais fait. Elle ne savait rien de son physique, et le connaissait pourtant si bien. Inutile de découvrir que ce correspondant grincheux pouvait être capable de l'éveiller sur d'autres plans. De la même façon, inutile d'apprendre que le vicomte pouvait aussi toucher son âme, et causer sa perte.

— Vous ne voulez pas une autre robe ?

— Non, dit-elle fermement.

— Il n'y a rien d'autre qui vous ferait plaisir ?

— Vous comptiez m'emmener au bal masqué des Hanning ? lança-t-elle en manière de plaisanterie.

Les invitations et les réponses étaient parties depuis longtemps. Du reste, elle s'étonnait que le vicomte n'ait pas prévu de s'y rendre.

— En fait, oui, répondit-il d'un ton badin.

Il observait son visage qui se colorait tandis que, les mains sur la taille, elle examinait la robe de profil. Pas aussi animée que lorsqu'elle parlait de livres, mais avec une expression de satisfaction purement féminine.

Elle ferait une maîtresse parfaite. Oui, absolument.

La lettre était dans sa poche, mais les mots étaient gravés dans sa mémoire. Il la sortit et sourit. Relevant la tête, il vit Miranda tournoyer devant la glace, et sa robe voleter autour d'elle.

S'il avait toujours cherché à tout contrôler, tenter le destin était et demeurait son point faible. Un trait de caractère hérité de son père dont il n'avait jamais pu se débarrasser.

Il caressa le collier dans sa poche, un bijou simple mais hors de prix.

Miranda disparut dans le petit salon d'essayage. Il prit de la main gauche l'une des plumes de Mme Galland, la trempa dans l'encrier, puis se mit à écrire :

Chère Chase,
Je n'ai guère de conseils à offrir quant aux relations que l'on peut nouer avec un débauché...

Elle émergea, vêtue d'un bleu soutenu qui faisait scintiller ses yeux comme des saphirs.

Oui, la maîtresse parfaite. Qu'il pourrait garder, eh bien, pour toujours, pourquoi pas ?

Mais je peux quand même vous dire ceci : ne vous fiez à aucun. Un débauché a toujours des arrière-pensées.

14

Secret n° 5 : Certaines sont plus mûres que d'autres pour la séduction. Mais la plus délicieuse est la femme qui ignore qu'elle est un fruit charnu encore sur sa branche. Qui éclate sur la langue dès que l'on pose les lèvres sur elle.

Les sept secrets de la séduction

La voiture de location, aussi grande que celle du vicomte, s'immobilisa. Miranda écarta le rideau. Ils n'étaient sûrement pas déjà chez les Hanning ? Le vicomte avait envoyé son équipage personnel avec la voiture de location et promis de la retrouver dans l'entrée. Cela faisait partie de l'aventure, avait-il dit. Comme s'il lui faisait la cour. Pourtant, elle l'aurait cru du genre à se moquer des conventions et à entrer dans un bal avec une femme de mauvaise vie au bras.

Mais non, il avait insisté pour la retrouver là-bas.

La portière s'ouvrit, et une voix excitée fusa.

— Merci, mon brave. Quelles puissantes épaules vous avez !

Miranda arrondit les yeux comme une tête parfaitement coiffée s'introduisait dans la voiture. Le sourire niais de Benjamin disparut derrière la portière qui se refermait, et la Bonne Reine Bess, comme on appelait Elizabeth Ire, se laissa tomber sur la banquette.

— Mon Dieu, quel confort !

— Georgette !

— Miranda ! s'écria celle-ci, la main pressée sur le sein. En Artémis. Oh ! Tes flèches sont superbes !

Elle toucha l'attirail doré sur la banquette.

— Que… Je pensais… Tu devais…

— Aller chez les Morton ? Avec toi ? Oui, en effet.

Elle tapota sa coiffure sans cesser de sourire.

— Excuse-moi encore d'avoir annulé…

— Seigneur, Miranda ! T'excuser de quoi ? J'étais folle de joie en lisant ton message. Ravie à la pensée du destin qui t'attendait, de l'aventure enivrante que tu allais vivre, et ça, c'était *avant* qu'une voiture somptueuse m'emmène faire des courses. Et que l'on m'explique pourquoi… Et, maintenant… eh bien, je pense que je vais t'aimer toute ma vie.

— Tu viens chez les Hanning ?

Elle n'aurait pas à affronter seule une foule hautaine avec le vicomte pour seul appui. Un homme charmant, séduisant, amusant… mais pas le moins du monde rassurant.

— Je viens, confirma Georgette en brandissant une invitation. J'ai pratiqué mon russe toute la journée au cas où je devrais venir à ton secours. *Niet !* Pas de danse !

Miranda la dévisagea un instant avant d'éclater de rire.

— Je suis si heureuse que tu sois là, avoua-t-elle en pressant la main de son amie.

— Moi aussi. Tu n'imagines pas combien c'était dur de garder ça pour moi. Et ton charmant vicomte...

Elle agita les sourcils, lui pardonnant visiblement tous ses péchés.

— Eh bien, reprit-elle, si tu disparais un moment pendant la soirée, je ne te le reprocherai pas.

Miranda rougit.

— Je...

— Oh, que j'aime te voir rougir ! s'écria Georgette.

Les Hanning habitant à la sortie de Londres, elles profitèrent du trajet pour bavarder agréablement.

Comme elles approchaient, elles tendirent le cou pour regarder par la fenêtre, discrètement cependant, car une petite foule de curieux s'étaient massés le long de la rue pour tenter d'apercevoir les occupants des voitures.

Éclairée, semblait-il, par plus de lampes que les jardins de Vauxhall, la maison étincelait à l'extrémité de l'allée incurvée.

— Bonté divine, souffla Georgette.

Miranda regarda son amie, le visage presque collé à la vitre, les yeux rivés sur la façade flamboyante.

C'était l'œuvre de Maximilian. Sans doute avait-il déduit de leurs conversations que si elle-même serait heureuse d'assister à ce bal, Georgette, elle, en rêvait.

— Je crois que j'aime ton vicomte, murmura cette dernière. J'espère que cela ne t'ennuie pas.

En dépit de ses réticences, Miranda devait admettre qu'elle en était aussi un tantinet amoureuse.

Si la maison du vicomte était imposante, celle-ci était somptueuse. Ainsi éclairée, elle semblait tout droit sortie d'un conte de fées.

Comme elles y pénétraient, seule la main fébrile de Georgette posée sur son bras permit à Miranda de se convaincre que tout ceci était bel et bien réel.

Il était encore tôt, mais il y avait déjà du monde. Certains s'assuraient une place de façon à voir la foule, d'autres veillaient au contraire à être vus. Le mélange des invités était l'un des attraits de ce genre de réception. On ne savait jamais si l'on parlait à une duchesse ou à une comédienne, à un prince ou à un maître à danser.

Pendant des semaines, les journaux évoqueraient les commerçants qui avaient coudoyé des princes du sang. Une comtesse séduite par son propre mari, à leur insu à tous deux. L'avantage d'être masqué étant que l'on pouvait se permettre quelque folie sans crainte des conséquences éventuelles.

Leur arrivée dans la salle de bal attira tous les regards. Georgette était ravissante dans une robe majestueuse qui mettait en valeur sa silhouette. Et Miranda était très satisfaite de son apparence. Ayant les coudées franches, Galina avait fait un merveilleux travail.

Des groupes se formaient, délimitaient leur territoire, puis se retournaient pour observer la foule en essayant de deviner qui se cachait sous les déguisements.

Georgette vibrait d'excitation. Chaque fois qu'un couple, un individu ou un groupe se détachait de la multitude, elle chuchotait des noms et des commentaires. Certains invités étaient aisément reconnaissables. D'autres avaient fait preuve d'une inventivité étonnante. Déesses, fous du roi, monarques, lutins, personnages de fiction et bandits de grands chemins se croisaient, se saluaient, se heurtaient au fur et à mesure que la salle se remplissait.

Mais où donc était le vicomte ?

Le brouhaha s'intensifia comme une femme entrait au bras d'un homme tout de noir vêtu. Georgette eut visiblement du mal à se retenir de tendre le cou.

— Qui est-ce ? murmura-t-elle.

Mieux placée, Miranda reconnut la femme déguisée en Juliette qui souriait avec détermination.

— La marquise de Werston, souffla-t-elle.

N'y tenant plus, Georgette se hissa sur la pointe des pieds.

— Vraiment ? Et qui est son Roméo ?

Miranda observa la façon désinvolte dont l'homme se pavanait en dénouant son masque.

— Tu devrais le savoir mieux que moi.

Qu'allait inventer le vicomte pour camoufler cela ? se demanda-t-elle cyniquement, avant de chasser cette pensée et de décider de s'amuser sans réserve.

— Werston a du culot, marmonna une femme.

Miranda tressaillit et observa plus attentivement l'homme qui avançait d'un pas nonchalant, le masque suspendu au bout des doigts. Ainsi donc, c'était le père du vicomte. Un bel homme, à n'en pas douter.

Au bras de son épouse. Déguisés en amants maudits par le sort. Suscitant pour l'heure davantage de scandale ensemble que séparés.

Le brouhaha prit de l'ampleur tandis qu'un homme à la silhouette familière pénétrait dans la salle à la suite du couple. Vêtu de noir lui aussi, il ne portait qu'un masque tout simple. Une main dans la poche, l'autre tenant un verre, il promena un regard ennuyé autour de lui jusqu'à ce que ses yeux s'arrêtent sur Miranda. Un lent sourire se dessina sur ses lèvres.

— Oh, Seigneur, je dois maîtriser ma jalousie ! Quelle allure, soupira Georgette en s'éventant. Et voilà qu'il se dirige vers nous, ajouta-t-elle en soulevant ses jupes comme pour s'enfuir.

— Georgette, siffla Miranda. Qu'est-ce que tu fais ?

Son amie lui adressa un sourire espiègle.

— Je te laisse à ton débauché, ma chérie, et je pars me dénicher un chevalier blanc.

Et son amie – enfin, trois minutes plus tôt, elle la considérait comme son amie, mais peut-être cela méritait-il réflexion – s'éclipsa, la planta là une seconde avant que le vicomte la rejoigne.

— Bonsoir, Votre Seigneurie, souffla-t-elle tandis que celui-ci la contemplait d'un regard si caressant qu'elle s'embrasa tout entière.

Il sourit – le fameux sourire qui causait toujours d'étranges révolutions en elle. Ce mystérieux, délicieux mouvement des lèvres qui la mettait à sa merci. Il s'inclina sur sa main sans la quitter des yeux.

Les premières notes d'une valse s'élevèrent.

— M'accordez-vous cette première danse, ma chère ?

Et toutes celles qui suivront, faillit répondre Miranda, le cœur palpitant.

— Oui.

Dès le premier tourbillon au milieu de la salle, les lumières se fondirent en un halo lumineux, les visages se mélangèrent et les spectateurs furent réduits à l'état d'arrière-plan dans les pages d'un merveilleux roman.

Le vicomte était un excellent danseur et il était facile de le suivre. Miranda avait pris beaucoup de leçons de danse afin qu'elle puisse à son tour en transmettre les subtilités, mais jamais elle n'avait perçu à ce point la sensualité qui s'en dégageait.

La valse s'acheva, et une autre commença.

Elle retint son souffle comme le vicomte croisait son regard.

— Je croyais qu'il était inconvenant de danser deux fois de suite avec la même personne.

— Dans ce bal, rien n'est inconvenant tant que l'anonymat est respecté.

— Je ne pense pas que vous puissiez rester anonyme.

— N'importe qui le peut s'il le désire.

— Non, je doute que vous puissiez jamais l'être.

— Alors, vous pourriez être surprise, répliqua-t-il en détournant les yeux. J'espère que si cela arrive, vous ne serez pas trop mécontente.

Elle haussa les sourcils.

Il la fit tournoyer encore et encore jusqu'à ce qu'elle en perde le souffle et oublie tout ce qui n'était pas eux. La musique s'arrêta, et le vicomte baissa les yeux sur elle.

— J'avais l'intention d'attendre avant de vous saluer, de le faire peut-être dans quelque couloir sombre ou derrière une porte close, mais je n'ai pas pu me retenir... Comme toujours, quand il s'agit de vous, acheva-t-il.

Elle tenta de déchiffrer son expression, mais il lui opposa un visage impénétrable.

— N'ôtez pas votre loup maintenant que je vous ai fait danser, reprit-il d'un ton désinvolte – trop désinvolte. Les gens vont vous assaillir et tenter de deviner votre identité. Messerden va vous accabler de niaiseries, et vous piéger ici. Faites le tour de la salle si vous avez besoin de vous échapper. J'ai confié à votre amie le soin de veiller sur vous.

Cette information fit sursauter Miranda. Puis, suivant le regard du vicomte, elle vit un homme vêtu d'une cape noire qui approchait, un autre homme dans son sillage. Quelques personnes se retournèrent, espérant glaner de quoi alimenter des ragots.

— M'échapper parce que je ne supporte plus qu'on me regarde ? demanda-t-elle.

— Je vous prie de m'excuser.

— Pourquoi ? riposta-t-elle, s'efforçant d'adopter un ton léger. C'est une grande aventure, non ? D'être prise pour une princesse ?

Les épaules du vicomte se détendirent.

— Tant que vous me laissez vous sauver du roi félon.

— Si j'ai besoin d'aide, c'est ce que je ferai.

Messerden et son acolyte les rejoignirent, et elle redressa les épaules. Les deux hommes saluèrent le vicomte, puis se tournèrent vers elle. Elle s'arma de courage.

Ce qui s'avéra inutile, Juliette, sa robe de soie toute bruissante, se matérialisa près d'elle et salua Messerden d'une voix piquante.

Au même instant, elle sentit une présence dans son dos, se retourna et découvrit Roméo. Ce dernier s'inclina, lui prit la main et la porta à ses lèvres avec une aisance née de l'habitude.

Le vicomte se crispa visiblement, mais il était trop occupé à répondre à sa mère et aux deux autres hommes. Vu son comportement à Vauxhall, elle avait le sentiment que, s'il n'y avait pas eu sa mère, il aurait tourné le dos aux deux importuns et l'aurait emmenée ailleurs.

Avec une habileté consommée, le marquis s'était débrouillé pour l'isoler du petit groupe. Ce qui était un soulagement, à vrai dire, car Messerden lui mettait les nerfs à vif.

— Bonsoir, belle dame.

— Bonsoir, répondit-elle doucement, ne sachant trop comment l'appeler dans une telle situation.

Il sourit avec amabilité à un couple et recula pour le laisser passer en entraînant Miranda avec lui, la séparant ainsi un peu plus des autres. Manœuvre qui n'échappa pas à la jeune fille.

— Que puis-je faire pour Votre Seigneurie ? s'enquit-elle.

Le marquis l'étudiait posément, le regard charmeur.

— Je sais qui vous êtes, lâcha-t-il.

— Oh ? fit-elle, prise de court.

— J'étais le quatrième fils, et il était peu probable que j'hérite. Je voulais m'engager dans la marine. Naviguer.

Il se tut une fraction de seconde, le temps de sourire malicieusement.

— Je passais mes nuits près des quais. C'est plein de jolies femmes là-bas, toujours prête à enseigner de nouveaux tours à un jeune garçon.

Elle cilla.

Le regard du marquis se porta vers l'entrée, comme s'il attendait quelqu'un.

— Un bon endroit aussi pour se faire des relations. De celles qui rendent service à un homme plus tard, quel que soit son statut. Ou peut-être pour améliorer son statut, se reprit-il en la fixant de nouveau. Bien sûr, quelques serviteurs loyaux sont aussi d'une aide non négligeable. Je m'efforce toujours de garder un œil sur les enfants. Et leurs... intérêts. Lesquels intérêts me surprennent parfois – même moi.

Elle eut un sourire contraint. Elle n'avait pas cherché l'approbation de cet homme, quel que soit son pouvoir, et n'en sentait pas plus le besoin maintenant.

— Oh, vous ne me comprenez pas, je le vois à votre expression, enchaîna-t-il. J'aime déchiffrer les expressions des femmes. Seules celles de ma femme m'ont leurré. Et la vôtre dit que vous pensez que je vous ai prise pour une vile servante… Je ne me suis jamais soucié de ce genre de choses. Je pensais épouser une fille du port. Peut-être même deux ou trois, une dans chacun des ports les plus souvent visités, rectifia-t-il, l'air soudain rêveur. L'amour dure plus longtemps, avec des explosions de passion, lorsque l'éloignement impose des séparations, vous ne trouvez pas ? Hélas, hériter a mis un point final à ce projet.

— C'est scandaleux, ne put-elle s'empêcher de riposter.

Il sourit.

— Ah, voilà un point en faveur de votre déguisement ! Les maîtresses gardent couramment une cohorte d'admirateurs afin de réchauffer leurs draps et leur compte en banque. Une femme déchue ne se choquerait pas de mes propos. Une princesse, en revanche…

— Peut-être suis-je une princesse déchue.

— Peut-être êtes-vous en train de choir. Maxime a toujours eu un œil avisé.

Elle tenta de ne pas se laisser accabler par le fait qu'elle n'était qu'une conquête de plus.

— Ah, je vois de nouveau votre expression ! Mon fils est beaucoup plus constant que moi. Je fais mon devoir. Mais lui prend toujours soin des choses que je laisse traîner derrière moi. Mais vous n'êtes pas quelque chose qu'il aurait ramassé pour éviter que cela traîne.

— Je vois.

Mais une fois de plus, elle ne voyait rien du tout.

— Tout le monde s'inquiète tellement de l'état de nos affaires. C'est d'un fatigant. Je ne comprends pas pourquoi Maxime écoute les récriminations de ses frères et sœurs. Se conduire convenablement, quel ennui !

Miranda songea au visage triste et crispé de sa femme. S'il ne parvenait pas à déchiffrer ses expressions, peut-être était-ce parce qu'il ne voulait pas voir la vérité. À savoir qu'il la faisait souffrir.

Un brouhaha s'éleva.

— Eleuthérios, ici ? s'écria une voix.

Les lèvres du marquis se retroussèrent. Miranda reconnut le sourire de son fils. Il jeta un coup vers l'entrée, où se tenait un homme aux cheveux bruns ondulés. La foule empêchait Miranda d'en voir plus. Enfreignant les règles de bienséance, elle se tordit le cou pour tenter d'apercevoir l'écrivain.

— Vous aimez les écrits de cet homme ? demanda le marquis comme l'homme en question s'engouffrait dans une pièce sur la droite et que le brouhaha s'atténuait.

— Oui, répondit-elle.

— Au début, l'idée d'un manuel sur la séduction m'a paru stupide. C'est plutôt une chose innée, un don. Mais j'ai changé d'avis récemment, avoua le marquis avec un petit sourire.

— Et ?

— Et j'ai pensé me faire passer pour lui, ce soir.

Elle le regarda fixement, et il éclata de rire.

— Maxime m'aurait découpé en rondelles. Peut-être renié socialement une fois pour toutes.

— Pourquoi auriez-vous emprunté son identité ?

Le marquis pourrait-il être Eleuthérios ? Non. Impossible.

— Pour plaisanter, c'est tout. J'ai peu de talent avec une plume, je vous assure.

Il regarda son fils, puis l'endroit où s'était tenu l'écrivain.

— Mais j'admire ceux qui en ont, reprit-il. Et je ne peux m'empêcher d'être captivé par ce mystère. Et j'ai envie de coller ma plume dépourvue de talent là où elle n'a rien à faire, uniquement pour exaspérer mes semblables.

L'espace d'un instant, Miranda se demanda s'il n'y avait pas bel et bien un grain de folie dans la famille.

— Oh, oui ! s'exclama le marquis en riant. Ce genre de provocation me serait bien nécessaire maintenant qu'il m'a serré la vis. À son bénéfice.

Ses yeux dansaient tandis qu'il la regardait. Elle hocha la tête, acquiesçant prudemment à ces propos de dément.

— Me donner un ultimatum. Me priver de ma quête d'amour vrai. De toutes mes quêtes. Je pense qu'il est de mon devoir de lui indiquer quelle est la sienne.

Il balaya la foule du regard, et une lueur malicieuse s'alluma soudain dans ses yeux.

— Ah, je vois que ma Juliette m'attend !

Miranda tourna la tête. La marquise s'était écartée de ses compagnons et dardait sur son mari un regard froid.

Le marquis décocha un clin d'œil à Miranda et s'empara de sa main.

— Vers le poignard ou le poison, telle est ma route. C'était un plaisir, princesse. À bientôt.

Il avança vers Miranda sans lui lâcher sa main, et elle recula. Et heurta un dos musclé.

Sur un autre clin d'œil, le marquis disparut dans la foule.

La main du vicomte la soutint comme elle se retournait vers leur petit cercle. Deux autres hommes les avaient rejoints, et tous continuèrent à discuter de politique en ignorant Miranda.

Derrière elle, les chuchotements étaient audibles maintenant que le marquis ne la distrayait plus.

— La princesse russe.

— Il paraît que c'était la fille illégitime du tsar.

— Non, c'est la prochaine à monter sur le trône.

— Elle ne parle pas notre langue.

— Si, mais elle trouve que nous sommes tellement en dessous de sa condition.

— Regardez comme elle se tient. À l'écart. Même de Downing.

— Elle a un port de reine.

Miranda essayait de ne pas se tenir aussi rigide que son corps le désirait. Son immobilité prise pour du mépris... Sa timidité pour de l'arrogance...

Les murmures se déplacèrent soudain. Et les regards se dirigèrent de l'autre côté de la salle où les têtes s'écartaient telle une mer que fendrait la proue d'un bateau.

Des cheveux bruns ondulés apparaissaient et disparaissaient au-dessus de la foule. Des murmures circulaient, et plus d'une femme fixait ouvertement l'homme masqué.

— *Eleuthérios*, s'écria une voix aiguë.

La main du vicomte descendit furtivement sur les reins de Miranda, qui frissonna. Elle leva les yeux, mais il continuait de discuter avec ses compagnons, aussi reporta-t-elle son attention sur le prétendu Eleuthérios.

La femme blonde qu'elle avait remarquée à Vaux-hall l'intercepta, lui murmura quelques mots, et il s'inclina très bas. De petites mèches lui frôlèrent le front lorsqu'il se redressa. Une centaine de soupirs résonnèrent dans la foule.

Les doigts du vicomte se firent caressants sur les reins de Miranda.

L'un de leurs compagnons ayant fait un commentaire à propos de la femme blonde, la conversation passa brusquement à celui des maîtresses. Ce qui amena quelques regards à s'égarer du côté de Miranda, qui se raidit malgré elle. Les yeux du vicomte se durcirent.

Elle eut soudain du mal à respirer. Elle avait besoin de s'évader. Juste un moment. Apercevant Georgette, elle toucha la main du vicomte.

— Veuillez m'excuser, murmura-t-elle.

Les hommes hochèrent la tête. Le vicomte lui adressa un regard interrogateur, puis s'inclina comme elle lui indiquait son amie, un peu plus loin.

Elle s'efforça de ne pas courir pour la rejoindre.

— Artemis ! s'exclama Georgette qui, glissant son bras sous celui de Miranda, lui fit faire demi-tour et l'entraîna à sa suite. Je viens de rencontrer une femme fabuleuse. Tu veux que je te présente ? J'ai réfléchi à la meilleure façon de feindre de parler russe. Tout ce que tu as à faire, c'est de...

— Plus tard, peut-être, coupa Miranda en s'immobilisant. Je pensais me rendre dans le salon réservé aux dames.

— Très bien, je t'accompagne.

Elles étaient à mi-chemin lorsque Georgette s'arrêta et pointa un index tremblant en direction de l'escalier.

— Miranda ! *Mme Q.*

Miranda retint un soupir et regarda la femme tout de vert vêtue qui descendait les marches.

— Vas-y.

— Mais je ne peux pas t'abandonner, protesta Georgette.

— Ne t'inquiète pas. Je veux juste me reposer quelques minutes. Je te verrai plus tard.

— Tu es sûre ?

— Certaine. Allez, va, insista Miranda en la poussant légèrement.

Georgette lui envoya un baiser.

— Tu es un amour. Merci !

Miranda secoua la tête et garda les yeux fixés droit devant elle jusqu'à ce qu'elle entre dans le petit salon heureusement vide. Elle s'adossa à la porte et ferma les yeux.

Comme elle les rouvrait, elle découvrit son reflet dans les miroirs disposés sur le mur en face d'elle. Une femme en robe blanche vaporeuse et coiffée de peignes dorés la fixait. La soie, les perles et les brillants incrustés la faisaient étinceler.

Elle s'autorisa un petit sourire. Elle *était* étincelante. Galina l'avait voulu, c'était son œuvre. Elle s'écarta du battant et s'approcha d'un miroir. Oui, c'était bien Miranda Chase sous ce masque. Mais c'était Maximilian, lord Downing, qui l'avait découverte.

Des voix s'élevèrent, et la porte du couloir s'ouvrit. Miranda se glissa en hâte derrière un paravent. Cinq jeunes femmes entrèrent, vit-elle par une fente.

— C'est Eleuthérios. Il l'a reconnu, je l'ai entendu. Qui est-ce, à ton avis ? dit l'une d'elles en se poudrant le front.

— Ce pourrait être n'importe qui, mais je parie sur le troisième fils des Hanning puisqu'il a choisi de se montrer à l'occasion de leur réception, répondit une autre. Il vivait ces derniers temps sur le continent, tu ne le savais pas ? Profitant de toutes ces Parisiennes chanceuses. Seigneur, je me laisserais séduire sans discuter.

Les yeux rivés sur son reflet, la femme tira sur sa robe afin de dévoiler davantage ses seins.

Miranda les écouta parler de tout et de rien. Eleuthérios, Downing, les Werston, et même « la princesse russe ». Épuisant. Elles se décidèrent enfin à partir.

Bien qu'elle ne se sentît pas prête à replonger dans la foule, Miranda sortit dans le couloir de crainte de se faire piéger une seconde fois. Dans l'intimité de ce petit salon, les femmes risquaient de lui poser des questions directes. Des questions auxquelles elle n'avait pas les réponses.

Elle décida de gagner encore un peu de temps en admirant les tableaux suspendus dans le couloir, sans prêter attention aux invités qui allaient et venaient. Un groupe de messieurs passa, et ralentit en arrivant à sa hauteur. Elle s'immobilisa et feignit d'être absorbée dans la contemplation d'une nature morte. Elle allait attendre qu'ils se soient éloignés, puis elle partirait à la recherche de Georgette.

Ils s'éloignèrent. Elle redressa les épaules, et pivota. Pour se retrouver nez à nez avec un homme aux cheveux bruns ébouriffés par une main négligente.

— Vous, souffla-t-elle, pas du tout comme l'aurait dit une princesse russe, tant elle était stupéfaite de tomber sur l'homme censé être son correspondant.

— Oui, c'est moi, fit-il. Et vous ? Une princesse, ai-je entendu dire ?

Un éclat malicieux s'alluma dans son regard tandis qu'il portait la main de Miranda à ses lèvres.

— Enchanté.

Il souriait comme à une plaisanterie connue de lui seul. Vu de près, il paraissait extrêmement jeune, s'étonna Miranda. Il ressemblait davantage à un gamin espiègle qu'à un homme fait.

— Je crains de ne pas trouver mes mots.

— Laissez-moi en douter. J'avoue que je ne savais pas à quoi m'attendre de la part de la princesse russe que Downing escorte partout.

Il suffisait d'entendre Miranda pour comprendre qu'elle n'était pas russe. Elle lui adressa un sourire embarrassé.

— J'ai beaucoup entendu parler de vous, reprit-il avec un lent sourire destiné à charmer. Et j'avais hâte de vous rencontrer.

Pour une raison inconnue, l'image d'un comédien jouant sur une scène improvisée vint à l'esprit de Miranda. Ou de Georgette mettant au point ses différents sourires devant un miroir. Ou encore de Peter essayant d'adopter un ton badin pour répondre à celle-ci.

Elle étrécit un instant les yeux, puis afficha un sourire radieux.

— Moi aussi, j'avais hâte de vous rencontrer, assura-t-elle. Mais jamais je n'aurais cru que cela arriverait.

Elle avait écrit à ses correspondants qu'elle irait sans doute à cette réception, mais n'imaginait pas que l'un d'eux au moins s'y rendrait aussi.

En cela, elle n'avait pas changé. Ce garçon n'était pas Eleuthérios.

Il lui retourna son sourire, et elle sortit un hameçon de son arsenal, métaphoriquement parlant.

— Je dois vous remercier de nouveau pour les livres, reprit-elle. Les deux.

Le sourire du jeune homme s'effaça une fraction de seconde avant de revenir avec force.

— Je vous en prie, ma chère. Je suis content qu'ils vous aient plu.

— Je ne vous l'ai pas demandé dans mes lettres, mais… comment avez-vous su que j'en avais envie ?

Il toussota en l'examinant plus attentivement.

— Je suis un homme perspicace, n'est-ce pas ?

— Oui, et vous avez un réel talent.

C'était vrai. Seul M. Pitts pouvait rivaliser avec lui – tous deux écrivaient bien, quoique dans des styles très différents.

— Je suis heureux de vous l'entendre dire. J'essaie d'être le meilleur en tout.

Il s'appuya au mur dans une posture qui se voulait séduisante.

Miranda eut du mal à cacher un sourire narquois. C'était un gentil garçon très désireux de séduire des femmes qu'il n'aurait pas osé aborder sous sa propre identité.

— Je serais heureux de vous montrer à quel point, fit-il.

— Oh, fantastique ! Pourquoi pas maintenant ?

La réponse inattendue le fit sourciller.

— Il va falloir que… que je vous case dans mon programme, bien sûr. Je suis débordé. Surtout ce soir.

La main dans une poche, il en triturait la doublure.

— Je comprends, dit-elle en le regardant attentivement.

Son physique correspondait un peu à celui qu'elle avait imaginé : boucles brunes, regard aimable, voix douce. Quant à son côté espiègle… Eleuthérios était plus sérieux. Plus mystérieux.

— Votre dernier mot était vraiment charmant, enchaîna-t-elle, tout sourire. La façon dont vous parlez du vent frais d'un jour d'automne.

— Merci, ma chère.

— J'étais sérieuse lorsque je vous recommandais d'écrire un livre de sonnets. Vous pourriez rivaliser avec le Barde lui-même.

— J'ai un certain talent pour écrire, admit-il.

Et cela non plus n'allait pas. Eleuthérios était presque humble dans ses lettres. Comme s'il n'avait pas l'habitude de parler de lui-même. Il aurait pu être ce jeune homme si l'on s'en tenait à certains aspects superficiels de son livre, mais sa correspondance avait révélé quelqu'un de différent, de plus profond.

— J'espère que vous avez d'autres œuvres en chantier.

— Oh, je travaille sur une suite, vous ne le saviez pas ? dit-il en s'emparant de nouveau de la main de Miranda. Le sixième secret est la détermination. Ce dont je ne manque pas.

Miranda eut toutes les peines du monde à se retenir de rire. Finalement, elle trouvait plus amusant que ce soit ce garçon et non pas Eleuthérios ou M. Pitts qui se trouve devant elle. Du reste, elle attendait trop de ces deux hommes. Ce qui était injuste de sa part. Mais, grâce au ciel, elle n'aurait sans doute jamais à les comparer à ses rêves, et pourrait donc continuer à rêver.

— Oui, c'est évident. Peut-être que…

Une poigne ferme s'empara de leurs deux mains et les désunit.

— Je ne crois pas que nous nous soyons déjà rencontrés.

Le vicomte détaillait le petit jeune homme qui parut se recroqueviller sous son regard glacial.

— Vicomte Downing, fit Miranda, je vous présente Eleuthérios. L'écrivain. Un charmant garçon.

Le charmant garçon se ressaisit rapidement et son regard s'éclaira d'une lueur espiègle qui n'était pas sans rappeler celle qu'elle avait vue dans les yeux du marquis.

— À votre service, milord, dit-il en tendant la main.

Downing ne daigna même pas y jeter un œil.

— L'auteur des *Sept secrets de la séduction* ? demanda-t-il, et personne ne fut dupe de son intérêt feint. En notre humble présence ?

— Je ne voudrais en aucun cas rabaisser qui que ce soit, déclara le jeune homme avec une modestie à laquelle elle n'avait pas eu droit. Cette dame s'intéressait à… à mes travaux.

Le regard du vicomte s'assombrit et il parut sur le point de s'emporter. Comme à Vauxhall ou chez lady Banning. Une fraction de seconde plus tard, il avait repris une expression froide et indifférente.

— Vraiment ? fit-il

— Oui. Mais veuillez m'excuser un instant. Je me rappelle tout à coup que j'ai un rendez-vous urgent.

Sur ces mots, le faux Eleuthérios s'éloigna en hâte. Jamais Miranda n'avait vu un individu s'éclipser aussi vite.

— Je crois que vous lui avez fait peur, observa-t-elle, ennuyée.

Le garçon l'avait amusée. Et même s'il n'avait qu'un ou deux ans de moins qu'elle, un peu de tendresse maternelle ne lui aurait pas été inutile.

Le vicomte haussa les épaules.

— Vous vouliez qu'il reste ? Il n'a même pas été capable de mettre ses écrits en pratique. C'est un crétin, un abruti, un âne bâté.

Quelque chose clignota dans la tête de Miranda, mais le regard du vicomte l'empêcha de s'interroger plus avant.

— Je voulais parler avec lui. Même s'il n'est pas…

Elle se sentit soudain tirée dans une pièce toute proche, le vicomte la fit pivoter, et elle entendit la porte se refermer.

— Et que lui auriez-vous dit ? murmura-t-il en la poussant face au mur.

Elle y plaqua les mains, de part et d'autre d'un tableau, tandis que le vicomte se pressait contre son dos.

— Je… je… balbutia-t-elle d'une voix haut perchée tandis que deux pouces remontaient sous son corsage. Je l'aurais simplement remercié.

L'huile du tableau allait fondre sous son souffle brûlant, la peinture se mélanger, les traits posés du noble personnage se déformer.

— De quoi ? D'avoir écrit un livre sordide.

— D'avoir écrit des mots si beaux.

— Les mots ne sont pas beaux, articula-t-il contre la nuque de Miranda. Les actes peuvent l'être.

— Ses actes, dans ce cas.

— Vous oublierez tout de lui.

Elle lâcha un petit cri étouffé. Deux mains s'étaient emparées de ses seins.

— Vous m'avez entendu, Miranda ?

Ses doigts bougeaient, éveillant un millier de sensations.

— Nous ne faisions que parler, haleta-t-elle.

— Ce n'était pas votre écrivain.

Les doigts du vicomte lui retroussèrent ses jupes, roulant le tissu en boule, s'introduisant sous les diverses pièces de linge. Elle eut l'impression d'être de la glaise attendant d'être pétrie, modelée par des mains habiles.

— Comment le savez-vous ?

— Parce que…

Il s'interrompit et ses lèvres se plaquèrent à la base du cou de la jeune fille, aspirant suffisamment fort pour laisser une marque. Ses doigts s'insinuèrent entre les cuisses de Miranda, une longue pression intime qui lui embrasa les sens, puis s'enfoncèrent légèrement avant de se retirer. Les paumes à plat sur le mur, elle se cambra de délices.

— Ce garçon ne sait pas encore comment utiliser son excès de désir, murmura-t-il.

Son autre bras enlaça Miranda et sa main s'introduisit dans le décolleté.

Elle le sentait qui appuyait son corps musclé contre son dos. Prêt à la faire sienne.

Il la retourna brusquement, l'attira à lui et, le souffle bruyant, enfouit la tête entre le cou et l'épaule. Puis, l'agrippant aux hanches, il la fit pivoter et la poussa jusqu'au divan où il la fit s'asseoir.

— Vous avez déjà dit oui, mais je vous le redemande. Me laisserez-vous vous faire mienne, Miranda ?

Il s'accroupit sur le sol entre les jambes de la jeune fille, les lui écarta davantage. Elle était ouverte, exposée, telles les pages d'un livre qu'on s'apprête à dévorer.

Il laissa sa main remonter le long d'une de ses jambes, jusqu'à la cuisse.

— Je... oui, souffla-t-elle.

Il se pencha, déposa un baiser sous son oreille, là où la peau est si fine.

— Je ferai en sorte que vous ne le regrettiez pas, murmura-t-il en refermant les mains sur ses cuisses.

Elle sentit son cœur s'emballer tandis que ses paumes remontaient lentement.

Elle frissonna de le sentir si proche, presque niché contre elle. Comme elle appuyait la tête contre le dossier du divan pour lui faciliter l'accès à son cou, elle le sentit frémir, et devina que son abandon en était la cause. Elle le repoussa doucement pour le regarder dans les yeux.

— Moi aussi.

Un coin de la bouche du vicomte se retroussa.

— Jamais je ne pourrai regretter, assura-t-il, le souffle court, les lèvres à un cheveu des siennes.

Et le délicieux pouvoir féminin que s'était découvert Miranda lui apprit que les émotions du vicomte étaient enfin à l'unisson des siennes.

— Je m'excuserais du lieu, reprit-il, mais j'attends depuis si longtemps de vous goûter que j'ai oublié le goût du miel et du meilleur des vins. Aucun n'est à moitié aussi délectable que vous.

Il s'empara de sa bouche. Une onde brûlante balaya Miranda.

— Vous n'êtes pas seulement un beau parleur, comme l'a fait remarquer lady Banning murmura-t-elle lorsqu'elle fut de nouveau capable de parler. Vous avez la langue aussi douce que du miel.

— Que je sois capable d'articuler un mot tient du miracle, assura le vicomte dont les mains s'affairaient à présent sur les jarretières de Miranda. J'ai la gorge aussi nouée que ma cravate.

— Vous cherchez à vous divertir.

Il détacha une jarretelle, et le cœur de Miranda battit plus vite, au rythme du morceau que jouait l'orchestre de l'autre côté du mur.

— Le divertissement, c'est ce que je recherchais autrefois. Hélas, je ne peux plus m'y réfugier !

L'autre jarretière céda. Il entreprit de rouler ses bas. Le chuintement de la soie était à peine audible par-dessus le son d'un violoncelle, et pourtant, elle le percevait tant ses sens étaient douloureusement aiguisés.

Rameutant son courage, elle s'obligea à ne pas détourner les yeux, à regarder le vicomte la déshabiller, pièce après pièce.

— Je voulais attendre que nous soyons rentrés, mais...

Elle lui effleura les lèvres des doigts, et sentit son corps s'animer, s'éveiller à la promesse de l'assouvissement.

— Je ne veux pas attendre, souffla-t-elle. C'est parfait. Au son des violons ?

Les accents délicats d'une valse les enveloppaient.

— Je n'aurais pas imaginé entendre un jour l'authentique musique des anges, reprit-elle.

Les lumières du patio pénétraient entre les rideaux à demi tirés.

— D'ailleurs, c'est beaucoup plus intime ici, acheva-t-elle.

— Nous sommes au beau milieu d'un bal, fit-il remarquer. Et je peux à peine me retenir de tripoter votre robe comme un gamin avec sa première petite amie.

Démentant sa déclaration, il la dévêtait habilement, en homme expérimenté.

Bien sûr, dans sa propre demeure, il n'aurait même pas songé à ses serviteurs, n'aurait pas craint qu'ils ne surviennent à un moment délicat. À ses yeux, ils étaient comme les meubles. Toujours présents, et encore plus accommodants qu'un canapé, car il n'avait pas à les contourner puisqu'ils s'écartaient sur son passage. Elle ouvrit la bouche pour le lui dire, mais il plaqua un baiser, bouche ouverte, à l'intérieur de son genou, et les mots s'échappèrent silencieusement.

Elle le sentit sourire contre sa peau, et constata qu'elle ne s'était pas trompée lorsqu'il releva la tête, une mèche retombant sur le front.

— J'attendais de vous goûter de multiples façons.

Elle doutait que son cœur puisse battre plus vite, ce qu'il tenta pourtant bravement.

— Vous avez vu le livre enluminé, Miranda ? s'enquit-il en effleurant du pouce l'endroit le plus brûlant de son corps. Ou, mieux encore, avez-vous imaginé les mots décrivant les actes représentés ?

— Oui.

— Vous êtes si franche. C'est enivrant.

Il déposa un autre baiser, un centimètre plus haut.

— Presque aussi enivrant que de goûter votre peau.

Un autre baiser, une douce pression sur l'autre cuisse pour l'écarter un peu plus, et la caresse insistante du pouce à nouveau.

— Vous savez ce que je vais vous faire, Miranda ?

Elle se pencha et lécha les lèvres du vicomte.

— Oui. Page sept.

Il sourit. Un vrai sourire, franc, et très masculin.

— Délicieuse page sept. Dites-moi ensuite si vous lui accordez le premier prix. Vous voulez bien ?

Il déposa un baiser à l'intérieur de sa cuisse. Si près de son pouce qui dansait sur le rythme doux de la musique.

— Je vous promets une critique honnête, milord, souffla-t-elle comme les baisers se rapprochaient.

— Oh, j'espère que vous ne serez pas tout à fait objective !

Sa bouche atteignit enfin sa destination, et Miranda oublia de respirer. Des mains se glissèrent sous elle et la soulevèrent. Les ombres se mirent à danser furieusement sur le plafond aux moulures dorées.

Il la caressait, la taquinait, la savourait, et les dessins illicites apparaissaient sans vie comparés aux réponses de son propre corps – à ses mouvements désordonnés, à son souffle erratique, à la cambrure de son dos.

Et puis il se mit à la dévorer. Avec tant d'ardeur qu'elle en agrippait le canapé, se tortillait tandis qu'une litanie de sons incohérents entrecoupés de gémissements s'échappait de ses lèvres. Ses genoux retombaient de chaque côté tels des roseaux couchés par la tempête. Ce n'était plus un lord et une petite vendeuse, car un lord accroupi aux pieds d'une vendeuse, cela n'existait pas. C'était une femme sur le point d'être libérée, et il était la clef dans la serrure.

L'orchestre se lança dans un crescendo vibrant, comme pour accompagner la montée du plaisir. Miranda se sentait merveilleusement ouverte, dévergondée, vivante.

Et soudain le vicomte fut sur elle, et elle se retrouva allongée sur le divan.

— Je suis beaucoup trop égoïste pour vous laisser continuer toute seule, chuchota-t-il. J'attends depuis trop longtemps de voir votre visage quand la passion vous emportera pour la première fois.

Elle songea qu'il était peut-être un peu tard pour cela.

Il sourit.

— Oh, nous nous limiterons au prologue, je vous rassure !

Il se pencha, lui mordilla le lobe de l'oreille.

— Plus tard, je vous enchaînerai à votre lit et me repaîtrai de vous toute la nuit.

Ses lèvres descendirent sur la gorge de Miranda, puis plus bas.

— Mais je ne peux plus attendre d'être en vous.

Sa bouche se plaqua sur un sein, et elle s'arqua à sa rencontre. À un moment donné, sans même qu'elle s'en rende compte, il avait libéré sa virilité. Leurs chairs se pressèrent l'une contre l'autre telles les deux moitiés d'un corps cherchant à ne plus faire qu'un. Il était chaud et fort.

— Vous savez ce que nous allons faire maintenant, Miranda ?

— Page...

Le souffle lui manqua lorsqu'il happa la pointe d'un sein entre ses lèvres. Elle n'arrivait plus à se rappeler son propre prénom alors même qu'il venait de le prononcer.

— Je vais me baigner dans votre beauté. Réclamer votre passion. Vous faire mienne.

Il s'introduisit en elle, oh ! si lentement, et elle se cramponna à lui. Chaque centimètre la fit trembler. Il poursuivit sa progression jusqu'à être entièrement en elle.

Il ondula imperceptiblement des hanches ; le corps de la jeune femme se crispa. Le plaisir n'était pas loin, elle le savait. Saurait-elle l'atteindre ?

— Allez-vous me faire vôtre ? murmura-t-il en lui empoignant les fesses.

Le corps de Miranda réagit spontanément en se cambrant, réduisant l'écart qui la séparait de la jouissance. Les lèvres du vicomte se pressèrent sur son cou, et elle sentit son sang se précipiter dans ses veines.

Hors d'haleine, elle le regarda se retirer sans hâte, les yeux brillants, les pupilles dilatées, tel un puits l'aspirant dans ses profondeurs. Un nœud de désir éperdu durcit dans le ventre de la jeune femme. Ses muscles intimes se crispèrent pour le retenir en elle.

Le vicomte plongea les doigts dans ses cheveux et captura sa bouche sans douceur. Puis il s'écarta et la regarda au fond des yeux.

— J'ai toujours su que vous le feriez.

Puis il revint à l'assaut, dur et lisse, et un feu d'artifice explosa en elle, accompagné d'une vague brûlante. Un gémissement lui échappa, ou peut-être une prière fervente, mais déjà il se retirait, pour revenir plus violemment encore.

Le monde n'était plus qu'éclats de cristal et chants de violon. Lumières et sons et brasier. Et il continuait d'aller et venir sans relâche, la propulsant si haut qu'elle aurait pu atteindre le ciel. Le paradis. Lui.

Elle le contempla, pantelante, tandis qu'il ralentissait le rythme, qu'une impression de plénitude la submergeait. Des sentiments qu'elle ne pouvait identifier lui nouaient la gorge.

— Ch...

Il s'interrompit, s'éclaircit la voix, et reprit :

— Je ne vous laisserai pas le regretter, Miranda.

Elle cessa de respirer. Avait-il été sur le point de l'appeler Charlotte ? Ou Chatsworth tout court, le « mademoiselle » n'étant plus guère utilisé dans le monde.

Son cœur manqua un battement comme une autre pensée lui venait à l'esprit. Une pensée qui, reliée à un millier de sous-entendus éparpillés telles des miettes de pain, formait une notion solide et crédible.

Peut-être... peut-être avait-il été sur le point de dire *Chase*.

15

Quelqu'un a essayé de se faire passer pour moi ? Ne tombez pas dans ce genre de piège. Jamais je ne daignerai me révéler aux masses.

Eleuthérios à Miranda Chase

Pianotant sur le comptoir, le visage récuré pour éliminer les restes de maquillage, les lèvres encore un peu meurtries des baisers du vicomte, Miranda cherchait comment mener son enquête.

Pour réfléchir efficacement, elle avait jugé nécessaire de se débarrasser de toute trace de lui, mais il lui avait caressé la joue juste comme elle partait, et son parfum l'imprégnait encore lorsqu'elle était rentrée.

Son oncle n'était pas couché, mais n'avait pas paru surpris qu'elle rentre si tard. Il travaillait à ses comptes en prévision de la visite de ses créanciers la semaine prochaine, ceci expliquant sans doute cela. Et puis, il ne viendrait à l'idée de personne – à l'exception de Georgette, désormais – que la sage Miranda Chase puisse mener une vie de débauche.

Son oncle avait probablement supposé qu'elle s'était endormie dans le salon réservé aux dames chez les Morton.

— Vous avez dit à lord Downing que je rangerai sa bibliothèque.

Son oncle acquiesça sans lever le nez de ses comptes.

— Oui.

— Quand ?

Il agita vaguement la main.

— Quand il l'a demandé.

— Et quand était-ce exactement ? insista-t-elle.

— Il en a parlé pour la première fois il y a environ un mois. Comme d'une possibilité. En quoi est-ce important ?

Il la regarda par-dessus la monture de ses lunettes.

— Il est revenu une semaine plus tard et a dit que le travail prendrait le temps qu'il faudrait, mais qu'il paierait. Et fort bien, ma foi. De quoi nous remettre à flot.

— Il y a un mois ?

Le cerveau de Miranda se mit à bouillonner. Ce n'était pas un mois plus tôt que le vicomte était entré dans la librairie. Ses folles suppositions seraient-elles exactes ?

— Ce n'était pas un mercredi ? s'interrogea son oncle à voix haute tout en se tapotant la lèvre de sa plume sans se soucier des projections d'encre. Si, reprit-il. Tu venais de partir à ta réunion du club du livre. Il a dû te manquer de peu.

Un bourdonnement curieux emplit la tête de Miranda.

— Il est parti juste avant ton retour. Oui, là aussi, il t'a manqué de peu.

Ou bien il connaissait ses horaires. Mais non, c'était ridicule. Toutes ces idées étaient ridicules. Si elle posait ces questions, c'était uniquement pour se débarrasser de ses étranges soupçons.

— Je comptais te présenter, reprit le vieil homme en agitant sa plume, pointe en bas. Il disait qu'il voulait mon employé le plus compétent. Ça lui était égal que ce soit une femme.

Ça lui était égal que ce soit une femme. Voilà qui lui semblait affreusement familier.

Mais non, voyons. Ce n'étaient que de folles pensées.

— Et il t'a dit cela avant ou après que tu lui as dit que j'étais disponible ?

Son oncle leva les yeux.

— Avant, peut-être ? Quelle différence cela fait-il ? C'est bien de sa part, je me suis dit. Moi-même, je n'ai jamais trouvé que ton travail souffrait du fait que tu sois une fille. Et même, tu es plus efficace que tous les autres employés que j'ai eus.

— Merci, mon oncle, fit Miranda, touchée. Mais ce n'est pas un point de vue courant, surtout chez les gens fortunés, c'est pourquoi je suis étonnée.

— M'a l'air d'un type correct. Il aime les livres. Rien de mal à ça.

— Non. Mais a-t-il demandé quelque chose en particulier ?

— Il voulait quelqu'un qui connaisse Shakespeare et ses sonnets. J'ai su tout de suite que ça ne pouvait être que toi. Et je n'ai pas eu de mal à le convaincre. Il a accepté immédiatement. Un type bien, je t'assure.

Le bourdonnement se mua en vague se brisant contre une falaise.

Elle s'excusa, regagna sa chambre en courant, et posa son dossier sur le lit. Elle dut fouiller un moment avant de mettre la main sur les articles du *Daily Mill* qu'elle avait découpés, et s'empara du premier – celui qui l'avait incitée à répondre.

Je ne comprends pas cette hystérie au sujet de ce ramassis de sornettes. Comment se fait-il que tout Londres se pâme d'admiration devant ce petit livre sordide censé expliquer comment séduire les membres du sexe opposé ? Quelqu'un pourrait-il m'expliquer quels sont ses mérites ?

Quoi qu'il en soit, il semblerait que ces lecteurs sont si frustrés sur le plan charnel qu'ils trouvent un roman sur ce sujet plus intéressant que les beaux sonnets d'antan.

Pourquoi n'y avait-elle pas pensé plus tôt ? Leur première rencontre, ses allusions à Shakespeare et aux « beaux sonnets d'antan ». Le mépris qu'il affectait à l'égard de ce livre « sordide ». À croire qu'il espérait qu'elle le reconnaisse.

Elle feuilleta quelques lettres. Depuis les premières, sarcastiques, jusqu'aux plus récentes, plus ardentes.

Chère M. Chase,
Vous êtes comme un véritable rayon de soleil.

Chère mademoiselle Chase,
Attendre votre réponse a été un supplice.

Chère mademoiselle Chase
Vous pensez vraiment tout cela de ce misérable livre ? Que diriez-vous d'une œuvre classique, alors ?

Chère Chase
J'avoue qu'au début vous étiez une distraction amu-
sante. À présent, vous m'intriguez.

Elle s'était formé une idée préconçue sur M. Pitts et
n'avait pas imaginé qu'il puisse franchir sa porte
sous un déguisement. Et qu'il soit *vicomte*, rien que
cela.

Non, erreur. C'était M. Pitts, le déguisement.

Elle se tortilla, troublée. M. Pitts était réel. Mais
lord Downing l'était aussi.

Elle n'avait jamais pensé que les deux hommes
puissent être une seule et même personne, jusqu'à ce
que l'évidence la frappe de plein fouet chez les Hanning. Elle qui se targuait de savoir sonder les êtres,
elle s'était contentée de la façade.

Mais pouvait-elle se reprocher de n'avoir pas imaginé qu'un vicomte était capable de faire paraître des
textes cinglants dans les journaux, puis lui écrire, à
elle, en réponse à son commentaire, avant d'entretenir une correspondance animée et très personnelle.
De n'avoir pas pensé qu'un homme doté d'un tel physique pouvait tenir cette plume-là.

Poursuivrait une femme comme elle et entamerait
une idylle avec elle.

Elle eut soudain du mal à respirer.

Elle ne s'était pas trompée lorsqu'elle avait dit à
Georgette qu'elle le soupçonnait d'avoir monté de
toutes pièces cette histoire de catalogue et de rangement de bibliothèque. Mais depuis combien de
temps cela durait-il ?

L'homme auquel elle avait tout avoué était celui-là-
même au sujet duquel elle se confessait.

Seigneur !

Il allait le payer.

Et en même temps... il était son confident. L'ami secret avec qui elle pouvait tout partager. *L'homme qu'elle fréquentait depuis deux semaines.*

Le fabuleux pouvoir féminin dont elle s'était crue dotée vola en éclats. C'était lui, le chasseur. Il avait entrepris de la séduire en sachant parfaitement qui elle était.

Elle fit jouer ses doigts. Le manque d'assurance qui la tourmentait depuis si longtemps la quitta, s'écoulant comme l'encre au bout de la plume. Comme Georgette le disait souvent... pourquoi pas elle ? Pourquoi son ami de plume ne chercherait-il pas à la séduire ?

Mais pourquoi s'y prendre de cette manière ? Qu'avait-il à y gagner ?

Si certaines choses lui échappaient, d'autres s'expliquaient. Des brèches dans la conduite du vicomte qu'elle comprenait soudain.

Mais pourquoi l'avait-il approchée de cette façon ?

Pour demeurer anonyme, et que son physique et les attentes qu'il suscitait en termes de séduction ne se mettent pas en travers de la conversation ? Pour se confier sans que cela porte à conséquence ? C'était justement ce que cherchait Miranda dans la correspondance. La liberté.

Elle tressaillit. En fait de liberté, elle lui avait envoyé des aveux qui le concernaient directement. Et auquel il avait répondu. Sa bouche s'assécha d'un coup.

Le goujat.

La charmante brute.

Elle fronça les sourcils et inspira profondément.

Qu'allait-elle faire de ces informations ?

Elle feuilleta fébrilement les lettres, bien décidée à mettre au point un plan machiavélique qui

enchaînerait le monstre. D'autres lettres s'échappèrent. Celles d'Eleuthérios, charmantes, lyriques. Elle
avait toujours eu l'impression que M. Pitts le
connaissait personnellement. Mais pourquoi, dans
ce cas, le vicomte prétendait-il le détester ?

Elle fit une pause, la main sur un sonnet. Parce que
lui aussi pratiquait l'art de la séduction ? Voyait-il
l'écrivain comme une menace ?

Des bribes de conversation lui revinrent en
mémoire.

*Retourne à ta correspondance et à tes recherches litté-
raires. Tu comptes vendre tes mémoires mélancoliques ?*

*Il ne voudrait pas être vu avec un livre de sonnets
qu'il n'aurait pas écrits.* Les mots pénétrèrent le
brouillard épais qui lui obscurcissait l'esprit.

Son frère Colin avait les cheveux plus clairs.
Ondulés. Coiffé différemment et affectant une attitude moins austère… il aurait pu être le jeune
homme qui se faisait passer pour Eleuthérios chez
les Hanning.

Colin, l'homme qui prêchait l'ordre et le respect
des règles, écrivant un ouvrage sur la séduction ?
Elle n'y croyait pas. Quoique…

Était-il possible qu'Eleuthérios soit le frère du
vicomte ? Cela expliquerait que ce dernier ne supporte pas qu'elle s'intéresse à lui.

Elle réfléchit au jeune homme rencontré la veille
au soir. Ce n'était pas Colin. Il lui ressemblait,
mais… Elle se rappela qu'il y avait un frère plus
jeune. Un trublion. Les journaux avaient parlé de lui
lorsqu'il était parti effectuer son Grand Tour. Son
prénom commençait aussi par un C. Georgette le
connaissait sûrement.

Gardant cette hypothèse en tête, elle réfléchit à la
scène entre le vicomte et le jeune garçon déguisé.

Oui, se dit-elle en tapotant ses papiers. Elle parierait son salaire mensuel qu'elle avait eu affaire au plus jeune frère du vicomte.

Celui-ci était en colère. Très en colère même. Comme toujours lorsqu'il s'agissait des membres de sa famille, semblait-il. Mais là, c'était l'idée que Miranda pense avoir rencontré le véritable Eleuthérios et admire ses écrits qui l'irritait. Comme s'il était jaloux.

Elle baissa les yeux sur sa correspondance – celle de M. Pitts s'était mélangée à celle d'Eleutherios – et suivit les lettres du doigt.

Et s'arrêta soudain.

Qu'est-ce qui empêchait le vicomte de… Mais non, ce serait stupide.

Elle balaya du regard les feuillets dispersés autour d'elle. Personne n'écrirait contre soi-même quand même ? Elle saisit une lettre.

Crétin, abruti, âne bâté…

Et pourtant, quand elle parcourait les lettres d'un œil critique, elle repérait des similarités dans les sentiments, dans la voix. Bien que l'une des voix soit pleine de ténèbres quand l'autre était lumineuse.

Elle posa la main sur son front emperlé de sueur.

Le marquis… le frère… et même la mère… quelle était la place de chacun dans ce jeu mystérieux ? Le marquis avait regardé à plusieurs reprises vers la porte avant que le faux Eleuthérios entre. Il avait admis avoir songé à se « faire passer pour lui ».

Elle s'essuya les mains sur sa jupe, cherchant à se contredire elle-même. L'écriture… elle était complètement différente. De deux mains différentes.

Elle émit un petit rire à la limite de l'hystérie. Encore un peu, et elle accuserait Galina d'être Eleuthérios.

Son rire s'interrompit net. Le vicomte avait une centaine de domestiques. Son valet devait connaître tous ses secrets. Il l'accompagnait partout. Pourquoi n'écrirait-il pas sous sa dictée ?

Ou sous celle de M. Pitts.

Le vicomte n'avait pas été la dupe du faux Eleuthérios. Parce qu'il avait reconnu son frère ? Ou bien parce que le personnage ne l'avait pas convaincu ? Parce que le véritable Eleuthérios, c'était lui ?

Elle examina ses lettres. Jamais un homme ne l'avait troublée à ce point. Et voilà qu'en l'espace de quelques semaines, trois l'avaient troublée. À moins qu'il ne s'agisse des trois tiers d'un seul et même individu.

Elle avala sa salive. Les sentiments qu'elle éprouvait pour chacun des trois se heurtaient les uns les autres. Cherchant comment s'imbriquer. Comment s'associer.

Pourquoi ?

Qui était le vicomte Downing ? Lequel de ces personnages était-il en réalité ? Existait-il seulement ?

Et quel but poursuivait-il ? Une subite lourdeur creusa la poitrine de Miranda. Espoir et malaise mêlés en un étrange élixir. Pourquoi l'avait-il choisie, elle ?

Et, maintenant qu'elle savait, qu'allait-elle faire ?

16

Secret n° 6 : Trouvez le secret. Ce qu'elle ou il cache soigneusement aux autres. Telle est la clef pour qu'elle ou il vous ouvre les bras.

Les sept secrets de la séduction
(corrigé par Miranda Chase)

— Bonjour.

La voix ronronna à son oreille. Elle sentit le duvet de ses bras se hérisser et sa température intérieure grimper, mais, prenant sur elle, elle posa tranquillement le livre qu'elle tenait à la main sur l'étagère. *Le prince*, de Machiavel.

Cela fait, elle se retourna et glissa le doigt sous le menton du vicomte.

— Bonjour, répliqua-t-elle d'un ton suave.

Le sourire du vicomte se figea une fraction de seconde avant de s'épanouir. Il prit la main de Miranda et la porta à ses lèvres, contact brûlant malgré le gant de soie.

— De nouveaux gants ? fit-il remarquer.

— Oui, j'ai pensé que le moment était venu de m'en offrir une paire neuve.

Ce matin, elle avait puisé dans ses économies pour s'en acheter une beaucoup plus belle que celles qu'elle possédait. *Toutes* celles qu'elle possédait, car elle n'avait pas l'impression de posséder les gants que lui avait donnés le vicomte. Ceux-ci avaient coûté cher, mais quand on partait en guerre, on ne devait pas lésiner sur le prix du bouclier.

Du reste, elle avait toujours eu envie de s'offrir des gants de cette qualité sans l'oser. Le bon sens prenant systématiquement le pas sur tout plaisir extravagant.

— Vous les aimez ? reprit-elle.

Posant les mains sur sa taille, elle les fit glisser sensuellement sur ses hanches et ne les écarta qu'en atteignant ses cuisses.

Il suivit le geste des yeux, puis la regarda. Un bref malaise aussitôt enfoui. Elle ne l'aurait pas remarqué si elle ne l'avait pas délibérément provoqué. Il était très doué, vraiment.

Cet homme avait besoin d'une leçon.

Elle descendit prestement de son escabeau et les bras du vicomte se tendirent spontanément pour la soutenir.

— Oh ! souffla-t-elle, volant à Georgette son meilleur artifice et avec une détermination dont même son amie ne pouvait se targuer. Merci.

Les bras se raidirent une seconde, puis le vicomte la fit se retourner.

— Je vous en prie, douce Miranda.

Elle lui caressa lentement le torse avant de glisser les bras autour de sa taille pour l'étreindre.

— Quelle belle soirée j'ai passée.

Elle se frotta légèrement contre lui puis, dès qu'il fit mine de l'enlacer à son tour, elle s'écarta et pivota.

— J'ai presque achevé cette section. C'est merveilleux, non ?

Elle s'interdit de se retourner pour voir son expression. L'hameçon ne fonctionnerait pas si elle remontait trop vite sa ligne.

Que les émotions le chahutent un peu avant qu'elles le fassent rouler dans la poussière.

— Une section entière terminée ?

— Oui. J'ai décidé que j'avais été stupide d'opter pour un classement par auteur, annonça-t-elle avec un sourire. Mieux vaut suivre l'ordre chronologique.

— L'ordre chronologique ? répéta-t-il, ébahi.

— C'est une bonne idée, non ? Comme cela, si vous cherchez un auteur de la période baroque ou de la Renaissance, vous allez directement dans la section consacrée à cette époque. En voilà !

Elle passa près du vicomte, si près que ses jupes s'enroulèrent brièvement autour de ses jambes.

— Prenons le Siècle des lumières, enchaîna-t-elle en désignant un coin de la bibliothèque.

— Oui…

En fait de lumières, il avait l'air d'être dans les ténèbres de l'incompréhension. Son sourire s'élargit, avant qu'elle pivote, ses seins frôlant le coude du vicomte.

— Et, comme vous êtes très cultivé, on pourrait créer des sous-catégories.

Elle se pencha vers lui, un tout petit peu, puis s'écarta avant qu'il puisse l'attirer à lui.

Elle se demandait ce qui le troublait le plus : son classement ahurissant ou ses provocations inhabituelles.

Elle fit descendre ses mains le long de son corsage comme pour lisser quelque faux pli invisible.

— Il me faudrait un rapport sur la situation. Pour mon oncle. Une déclaration de votre part établissant que le travail progresse rapidement. Oh, et une signature !

Elle enroula une mèche autour de son doigt, tactique utile pour se calmer. Puis elle se dirigea d'une démarche chaloupée vers le bureau.

Elle se pencha dessus – bien que cela ne soit nécessaire – pour prendre un papier. Une petite tache d'encre attira son attention. Pourvu qu'il y ait autre chose dans cette pièce qui méritât d'être remarqué, se dit-elle. Elle se retourna lentement, s'inclina légèrement en arrière, ce qui eut pour résultat de tendre l'étoffe de sa robe sur sa poitrine. Si seulement une robe au décolleté profond n'avait pas été ridicule à cette heure de la journée, elle se serait penchée en avant afin de faire bâiller le tissu. Les yeux du vicomte se firent caressants. Elle sentit son corps – ce traître – réagir, comme s'il était normal que la séduction s'exerce aussi aux dépens de qui l'avait initiée.

— Un rapport sur la situation ?

— Il veut juste s'assurer que vous êtes satisfait.

— Oh, je suis on ne peut plus satisfait !

L'enveloppant d'un regard brûlant qui l'embrasa tout entière, il s'approcha.

— Très bien, fit-elle d'une voix rauque dont elle eut honte. J'espère que cela va continuer.

Elle s'inclina vers lui au prétexte de lui tendre la plume. Il la prit de la main gauche et s'apprêta à la tremper dans l'encrier sans quitter Miranda des yeux. Puis il s'arrêta et, avec une désinvolture un peu trop étudiée, mit la plume dans sa main droite, et baissa les yeux. Des lignes maladroites éraflèrent le papier. Suivies d'une signature.

Elle parierait la totalité du généreux salaire qu'il lui octroyait qu'il était gaucher. Qu'à la place de ce gribouillis maladroit, sa main gauche produisait la belle écriture penchée qu'elle aimait.

Il poussa le papier vers elle.

— Cela convient-il ?

Elle prit la feuille et sourit.

— C'est parfait.

Elle plia le papier dans la chemise en carton qu'elle avait apportée. Elle comparerait les écritures plus tard.

Les yeux du vicomte se posèrent sur l'étagère derrière elle. Il fronça les sourcils.

— Qu'est-ce que c'est que cela ?

— Vos livres de voyages. De magnifiques ouvrages.

Elle était sincère. Elle avait eu du mal à ne pas plonger dedans. Mais tant qu'à les aligner sur une étagère, autant le faire de la façon la plus amusante possible.

— Ils sont rangés…

Il s'interrompit, troublé.

— … en fonction de la longueur des titres ?

— Ne dites pas de sottises ! s'esclaffa-t-elle. Vous avez aussi de beaux livres sur les sciences, continua-t-elle. Les voyages et les sciences sont des sujets intéressants.

Si intéressants qu'elle les avait mélangés d'une manière qu'elle aurait été bien en peine d'expliquer.

Elle pivota devant un piédestal, cachant le vase qu'elle y avait posé une demi-heure plus tôt. À présent, se dit-elle, le salon rouge devrait s'appeler salon de l'os, car le vase y avait été remplacé par un crâne. Ce qui devrait enchanter un amateur de Shakespeare.

Elle passa le doigt sur ses lèvres, attirant à dessein le regard du vicomte afin de garder des surprises pour plus tard.

— J'ai vu un grand phaéton en arrivant ici, reprit-elle, et ça m'a donné envie de rassembler vos livres sur les voyages. Ce doit être merveilleux de voyager le nez au vent dans un tel véhicule.

Il risqua un regard consterné du côté des nouveaux rangements.

— Votre curiosité doit être satisfaite, déclara-t-il en lui tendant la main. Je pensais justement jeter un nouveau coup d'œil à la Serpentine dont vous aimez tant parler.

Elle l'entendait presque se dire qu'il lui fallait absolument la sortir de cette bibliothèque le temps qu'elle recouvre sa santé mentale.

— Quelle charmante idée ! s'exclama-t-elle en se détournant brièvement pour cacher un sourire victorieux.

— Et vous pourrez me montrer sur quelle beauté me concentrer avec vous toute proche.

— *Doux seigneur, vous vous jouez de moi*, dit-elle, citant le personnage de Miranda, de *La tempête* de Shakespeare.

— *Je ne le ferais pour rien au monde.*

Décidément, il avait besoin d'une bonne leçon.

Il claqua des doigts, et un valet, qui attendait visiblement dans le couloir, apparut aussitôt.

— Dites à Frederick de préparer le phaéton.

Était-ce le moment de lui montrer le nouvel emplacement du Vermeer ? s'interrogea-t-elle.

Le valet se racla la gorge.

— Il risque de pleuvoir, milord, signala-t-il timidement.

— Voilà qui est ennuyeux, fit Miranda. Je ne voudrais pas abîmer mes gants neufs...

— Dans ce cas, nous irons dem...

— ...mais j'aimerais beaucoup me promener là-bas avec vous par un jour brumeux, coupa-t-elle.

Le vicomte étrécit les yeux.

Elle répéta silencieusement un mantra d'innocence.

— Contempler les doigts voilés d'ombre de la brume se recourber sur la surface, ajouta-t-elle avant de lui adresser un sourire ingénu.

Il l'étudia encore quelques secondes, puis lança par-dessus son épaule :

— Qu'on prépare la voiture fermée.

Il y eut dans son regard quelque chose qui ressemblait à du soulagement.

— Cela ne vous ennuie pas qu'on ne prenne pas une voiture ouverte ? s'enquit-il.

— À vrai dire, j'aime beaucoup l'intérieur des voitures fermées ces temps-ci. Peut-être pourrais-je profiter de votre obligeance pour essayer la voiture ouverte un autre jour.

— J'y tiens.

Mais elle était là de nouveau, la légère hésitation.

Une idée la frappa soudain. Les masques, les espaces clos, les théâtres vides, les jeux. Était-ce pour protéger sa réputation ? Ou bien avait-il honte d'elle ? Le cœur de Miranda souhaitait que la première hypothèse soit la bonne, mais sa tête penchait pour la seconde.

Elle désigna le volume des sonnets de Shakespeare qu'il prétendait avoir volé à son frère.

— Merci de m'avoir prêté ce livre. Très instructif.

— Vous l'avez fini ?

Il regarda le livre, et toucha du bout du doigt le papier qui en pointait innocemment.

— Pas encore, répondit-elle. En fait, je commence tout juste.

Elle se retourna afin qu'il puisse satisfaire sa curiosité et jeter un œil à la feuille qu'elle y avait laissée.

Tout en fredonnant, elle saisit un livre sur une étagère, comme pour se remettre à travailler en attendant que la voiture soit prête.

— J'ai eu des nouvelles d'Eleuthérios ce matin. J'étais en train de réfléchir à ma réponse.

Une lettre charmante, pleine de mots vibrants et de phrases éblouissantes qui l'avait émue au point qu'elle avait failli se raviser quant à son projet.

Elle entendit le papier crisser derrière elle.

— Lui avez-vous dit combien il était décevant ?

Les mots étaient durs. Mais avec un soupçon d'émotion. Un désir irréfléchi.

— Non. Pourquoi serait-il décevant ?

Elle veilla à ne pas le regarder, car assurément elle se trahirait.

— Je ne crois pas qu'il puisse être jamais décevant, dit-elle posément.

Il y avait des limites à la vengeance. Bouleverser son univers, très bien. Le blesser délibérément, pas question.

— Permettez-moi d'en douter.

— Eh bien, je n'ai pas été déçue ni par sa lettre ni par notre rencontre. Certes, sa jeunesse m'a surprise, mais ce qu'il a dit m'a suffisamment intriguée pour que j'aie envie de voir ce qui se cache sous le masque.

Bien qu'elle lui tournât le dos, elle devinait qu'il lisait le brouillon qu'elle avait laissé à dessein dans le livre.

— Maintenant qu'il s'est montré, je pense que nous pouvons nous voir en tête à tête. Il semble tout à fait charmant en dépit de sa jeunesse.

— Vous désirez le rencontrer ? demanda-t-il d'un ton bourru.

— Pourquoi pas ? Il m'a écrit un délicieux sonnet.

Elle frissonna à ce souvenir. Les mots l'avaient d'autant plus bouleversée qu'elle savait qui tenait la plume. Et qu'il avait écrit ces lignes au milieu de la nuit, après leurs ébats.

— Ses mots sont magnifiques. Pleins d'émotion. De désir. Je voudrais juste…

— Vous voudriez quoi ?

Il la fit pivoter et l'attira brutalement à lui.

— Le serrer dans mes bras, dit-elle en l'enlaçant. Sa façon d'évoquer l'amour, murmura-t-elle, presque haletante. Véritablement shakespearien.

— Sûrement pas.

Il écrasa ses lèvres sur les siennes.

Elle l'étreignit volontiers. Car son plan incluait de saisir toutes les occasions de le séduire. Et de détourner ses propos comme il avait détourné les siens.

— Votre Seigneu…

Le valet s'interrompit, et s'apprêta à disparaître, mais Miranda était déjà en train de se dégager.

— Quoi ? aboya le vicomte sans la quitter des yeux.

— La voiture est prête, répondit le valet en prenant soin de regarder ailleurs.

Il ne s'excusa pas. Car cela aurait attiré l'attention sur ce qui avait été interrompu. Une fois de plus, Miranda se demanda combien de femmes l'avaient précédée ici.

À peine furent-ils montés en voiture que la pluie se mit à crépiter sur le toit. Elle s'enveloppa dans la couverture douillette posée sur la banquette. Son genou frôla celui du vicomte.

310

Ici, loin des regards, armée de ce qu'elle avait découvert, elle se sentait capable de se comporter avec un abandon inouï.

— Nous pouvons rentrer, ou attendre que la pluie s'arrête, proposa le vicomte, dont le regard n'avait rien perdu de son intensité depuis leur baiser dans la bibliothèque.

Un frisson la traversa. Un cahot lui donna l'occasion de reprendre l'équilibre en posant les mains sur les genoux du vicomte.

Ses mains remontèrent d'elles-mêmes sur les cuisses musclées. Elle entendit sa proie prendre une brève inspiration, et sourit. Cet homme éveillait en elle le désir de séduire, de bouleverser, d'anéantir. Elle fit glisser ses doigts gantés de soie un peu plus haut, laissa le mouvement de la voiture la pousser en avant, entre ses jambes. Le regard du vicomte s'assombrit et sa main se referma sur la nuque de Miranda.

— Miranda, que faites-vous ?

— Je jouis de l'orage.

Elle s'attaqua tranquillement aux boutons de son pantalon. Une illustration du manuscrit scandaleux guidait ses gestes. Une femme soumettant un homme, ses lèvres sur son sexe érigé.

Il se pencha, comme pour la repousser, la faire se rasseoir sur la banquette opposée, reprendre le contrôle de la situation. Elle écarta sa main et l'obligea à se renverser contre le dossier de la banquette.

Ses yeux étaient noirs. Anxieux, avides, incertains. Exactement tels qu'elle les voulait.

Elle le prit dans sa main, la soie de son gant sur la peau brûlante.

— La page six m'a intriguée autant que la page sept, souffla-t-elle. Vous me laisserez satisfaire ma curiosité, n'est-ce pas ?

Les yeux du vicomte s'assombrirent encore, si une telle chose était possible. Il inspira à fond, laissa retomber sa tête en arrière tandis qu'elle l'explorait.

Le cœur battant follement, elle s'inclina et frôla sa virilité des lèvres. Un demi-battement de cœur plus tard, deux mains l'empoignèrent et elle se retrouva sur lui, pénétrée d'un coup de reins, le balancement de la voiture les projetant dans la plus intime des danses. Les lèvres pressées sur celles du vicomte, elle referma les bras autour de lui tandis qu'il l'étreignait avec fièvre. La pluie, le tonnerre et le fracas des pavés couvraient tous les bruits.

— Ma belle Miranda.

Elle ondulait en rythme avec lui, chaque assaut avivant le feu dans son sang.

Le tonnerre gronda, et la voiture fit un écart. Une roue heurta une pierre et s'inclina dangereusement alors que les coups de boutoir du vicomte se faisaient plus intenses. Elle s'accrocha à lui, comme prise dans une course folle, une fuite en avant éperdue.

La voiture pouvait voler en éclats et sa plus grande peur devenir réalité, rien d'autre ne comptait que cette fièvre, ce délire de possession. La bouche chaude du vicomte murmurait contre sa peau des mots qu'aucun sonnet ne pourrait jamais capturer.

La jouissance les emporta d'un coup, les secouant de la tête aux pieds tel un frêle esquif sur une mer déchaînée.

Et Miranda comprit confusément que, quel que soit le jeu qu'elle jouait, il aurait toujours le contrôle de la situation. Car si elle était prête à tout risquer, lui n'en avait nul besoin.

Ils étaient allongés sur la couverture épaisse de la voiture qu'ils avaient étendue sur l'herbe humide. Miranda reposait contre lui, jouant machinalement avec des brins d'herbe. Tout était paisible. Le ciel gris-argent se reflétait sur la surface du lac que deux canards traversaient, silencieusement.

Maximilian jouait avec une mèche de cheveux de Miranda. Dans la voiture, il avait cru perdre la tête. Toute la matinée, en fait. Il ignorait ce qu'il avait déclenché la veille au soir, mais, depuis, elle était telle une torche, attisant son désir et lui mettant les nerfs à vif.

Il avait failli s'emporter lorsqu'il l'avait vue parler à… Il pinça les lèvres. Rien de ce que faisait son père ou sa famille – comme par exemple, usurper une identité qu'il avait cultivée avec insouciance afin de l'utiliser à ses dépens – n'aurait dû le surprendre.

Cette identité, il se l'était forgée dans le but de railler les Londoniens, les snobs, ses propres parents et leurs conquêtes. Et lui-même.

La réaction du public l'avait exaspéré et poussé à dénigrer son propre ouvrage sous la plume de M. Pitts. À quoi diable pensaient les gens quand ils chantaient les louanges d'Eleuthérios ? Expliquer comment séduire et réduire en esclavage ? Fallait-il être bête pour tomber dans le panneau !

Cette identité, il l'avait tenue à distance par la raillerie jusqu'à ce qu'il lise une lettre adressée à l'éditeur par un certain M. Chase. Seule une personne candide pouvait avoir écrit cela. Et, pourtant, quelque chose dans ce mot l'avait touché. Avait réveillé en lui quelque désir enfoui d'être l'homme que ce M. Chase pensait qu'il était.

Il avait donc fait la seule chose possible. Il avait envoyé un mot acerbe à M. Chase, de la même façon

qu'il avait écrit un article assassin sur son propre travail. Déterminé qu'il était à l'enterrer. À le détruire.

Lorsqu'une réponse tout aussi troublante lui était
parvenue, il avait répondu avec encore plus de bruta-
lité. Mais cette fois-ci, intrigué, il s'était demandé qui
était ce M. Chase. D'autres lettres furent échangées,
le laissant de plus en plus désireux de connaître sa
correspondante. Il avait passé deux heures dans sa
voiture à surveiller la librairie. Et quand Miranda
était sortie, il avait tout de suite su que c'était elle.

Pas besoin qu'elle lui confirme qu'elle était une
femme. Il l'aurait reconnue n'importe où. Le regard
lointain, la démarche élastique, le port droit. Elle se
détachait des autres passantes, et il ne comprenait
pas que tous les hommes ne s'arrêtent pas pour la
regarder. À croire qu'ils avaient des œillères.

Il lui avait fallu deux jours pour trouver comment
développer un échange plus personnel. Pour la pousser à admettre qu'elle était une femme. Pour amorcer
un flirt qui ne disait pas son nom. Une mystification
à l'intérieur d'une mystification.

Et en même temps il y avait eu le désir de tout
détruire. Car tout serait détruit un jour ou l'autre,
non ? Pourquoi prolonger l'inévitable et le rendre
douloureux ? D'autant qu'elle s'obstinait à louer ce
maudit Eleuthérios. Avec la plume de M. Pitts, il lui
avait conseillé d'écrire à l'auteur. Afin qu'il lui
réponde de manière à détruire ses illusions.

Et pourtant… lorsqu'il avait reçu la lettre de
Miranda, il en avait été incapable. Il avait griffonné
trois mots, froissé la feuille, et jeté l'encrier contre le
mur.

Après quoi, il avait repris la plume, et toutes les
émotions stupides qu'il avait réprimées avaient jailli
sur la page.

Un autre encrier détruit, il avait envoyé Jeffries chercher un exemplaire du roman gothique dont il savait qu'elle l'aimerait. Il l'avait envoyé, accompagné d'un mot le plus bref possible.

Un troisième encrier avait suivi le chemin des trois autres. Après quoi, il était allé à son club noyer dans l'alcool intentions manquées et promesses trahies.

Il contempla les cheveux de la jeune femme. Si soyeux que la pénombre d'après l'orage ne parvenait pas à en ternir l'éclat.

Malgré son étrange comportement depuis ce matin – que lui était-il donc arrivé pour qu'elle range ainsi sa bibliothèque ? –, il devait reconnaître que cette nouvelle facette de sa personnalité ne faisait que la rendre plus attirante. Elle ferait une maîtresse absolument parfaite. Elle ne cessait de le lui prouver.

Question cruciale : était-il possible d'enchaîner son épouse dans sa maison de campagne et de vivre avec sa maîtresse en ville ?

Il pensa au projet de contrat de fiançailles qui attendait sur son bureau d'être lu et annoté. Quelle odieuse affaire que de se trouver une épouse. Sa mère en savait quelque chose. Mais il ne ferait pas la même erreur qu'elle.

Il ne tomberait pas amoureux de sa fiancée. Il ne se marierait pas par amour.

17

Élément n° 2 : Quand vous trouverez le parfait spéci-
men à enchanter, veillez à vous protéger. Car l'enchant-
tement, comme la séduction, peut se retourner
rapidement contre vous.

Les huit éléments de l'enchantement
(œuvre en cours)

La main posée sur une pile de livres, elle le regarda.

— Vous accompagner où ?

— À Windsor. Je dois aller visiter une petite propriété que nous avons là-bas et régler différentes
affaires.

— Serait-il possible que vous vous livriez parfois à
des activités utiles ?

— Très drôle.

Elle n'avait plaisanté qu'à moitié.

— Pour la journée ?

— Pour le week-end.

Elle cilla.

— Je ne peux pas partir avec vous tout un
week-end.

— Pourquoi ?

— C'est... inconvenant.

— Vraiment ? fit-il, l'air amusé. Inconvenant, *maintenant* ?

Elle ne releva pas.

— Malgré la bienheureuse ignorance de mon oncle en ce qui concerne ma conduite de ces dernières semaines, une absence d'un week-end ne lui échappera pas.

— Je suis sûr qu'il ne trouvera rien à y redire.

Il jeta un livre sur la table. Elle lut le titre. *Le retour du Bengale*. Une suite, encore plus rare que le premier tome.

— Vous avez trop l'habitude d'obtenir ce que vous voulez, murmura-t-elle.

— C'est mieux ainsi. Dites à votre oncle que la bibliothèque de ma maison de campagne a besoin d'être réorganisée.

— Je m'en chargerai dès que nous serons arrivés, promit-elle avec un grand sourire innocent. Quand partons-nous ?

Assis en face d'elle, Maxime la regardait. Il avait songé à utiliser la voiture de la même façon que la fois précédente, mais observer le visage de Miranda s'animer lorsqu'elle parlait l'enchantait.

— Le Louvre, dit-elle avec un soupir. Oui, un jour, j'irai.

— Vous dites cela de quantité de choses.

— C'est vrai, admit-elle et une ride délicate se creusa sur son front. Et il faut que j'arrête, sinon rien ne changera. Mais c'est si difficile de changer, de se lancer à l'aventure alors qu'on mène une vie somme toute agréable.

— Mais dont les joies sont loin d'être aussi grandes.

Le regard de Miranda le mit mal à l'aise. Expérience inhabituelle. Pourquoi ne ressentait-il cela qu'avec elle ?

— C'est vrai, admit-elle.

Elle détourna les yeux et il sentit l'étau qui lui enserrait la poitrine se desserrer légèrement.

— Il est impossible de s'épanouir si on se cramponne à la peur, reprit-elle. Ou à la haine.

— La haine ?

— Parfois, la haine de soi est un obstacle insurmontable.

Elle avait eu beau prendre un ton léger et contempler le paysage d'un air innocent, Maximilian eut l'impression d'avoir reçu un coup de massue sur la tête.

— Vous vous haïssez ?

— Non, répondit-elle en se tournant vers lui, très calme. Et vous ?

— Difficile de haïr la perfection, lâcha-t-il.

Elle secoua la tête et regarda de nouveau par la fenêtre. Son expression était pensive. Ni amusée ni irritée par sa piètre plaisanterie.

Il pianota sur son genou.

— La haine de soi ? Où avez-vous trouvé une telle sottise ?

Elle garda le silence un moment, puis haussa les épaules.

— C'est sans importance.

— Je dois savoir.

— C'est juste un sentiment que j'ai découvert récemment chez un… ami.

318

Il eut envie d'approfondir la question, mais quelque chose le retint. Il n'aimerait pas ce qu'il découvrirait, devinait-il.

— Et la peur ? Que craignez-vous ?

— Sortir de ce qui m'est confortable. Mais j'ai travaillé sur mon appréhension, déclara-t-elle, un peu narquoise. Et une partie de ma peur est due à la culpabilité. J'ai survécu. Pas eux.

Elle lui avait déjà raconté l'accident de voiture qui avait coûté la vie à ses parents et à son frère.

— Oui, dit-il simplement.

Puis, se rendant compte avec un temps de retard que ce récit lui avait été fait par lettre, il toussa. Le vicomte Downing n'était pas censé être au courant.

— Oui, c'est compréhensible. Que s'est-il passé ?

Elle baissa les yeux.

— Oh, j'ai l'impression d'avoir raconté cette histoire cent fois, et je ne voudrais pas vous ennuyer ! Sachez juste qu'il y a eu un accident de voiture et que ma famille n'a pas survécu.

— La cicatrice sur votre cuisse ?

C'était une question qu'il avait eu envie de lui poser.

Elle leva sur lui des yeux brillant de larmes.

— C'est la moindre de mes blessures.

Il se pencha, lui souleva le menton, et essuya une larme qui avait roulé sur sa joue.

— Je comprends.

Ils étaient en route pour Calais. Pour faire ce fameux Grand Tour.

— Parlez-moi d'eux.

Miranda n'hésitait pas à libérer ses émotions sur la page. Mais alors qu'il abhorrait cette faiblesse chez lui-même, il l'aimait venant d'elle.

— Mon père et mon frère étaient des êtres pleins de vie. Malicieux. S'efforçant perpétuellement de faire sourire ma mère. Malgré elle, précisa-t-elle avec un sourire ému.

Sa mère, la maîtresse d'école.

— Ma mère était très stricte en matière de discipline. Mais elle nous aimait. Elle voulait juste nous tirer vers le haut, ou ce qu'elle considérait comme tel. En ce moment, je la décevrais grandement, ajouta-t-elle d'un ton léger.

— Je ne sais pas. Si elle avait votre bonheur à cœur, n'aurait-elle pas accepté ce qui vous rend heureuse ?

— Peut-être. J'aimerais le croire. En tant que fille, en tant que femme, je n'étais pas assujettie aux mêmes règles que mon frère. Il était plus libre, en pensées et en actions.

— Vous ne semblez pas craindre de penser librement.

Elle le dévisagea entre ses cils.

— Parfois, je suis comme paralysée. Divisée. Mais je veux être heureuse, que ma vie le soit.

C'était ce qui l'avait attiré immédiatement chez elle. Son optimisme. Son réalisme tempéré par un caractère heureux. Rien de commun avec l'idéalisme réprimé qui l'avait rendu, lui, cynique et amer.

— Et vous ? Votre famille ? demanda-t-elle.

— Il y a Catherine, Colin, Conrad et Corinne – dans cet ordre. Vous aimeriez Corinne et Conrad.

Sans le savoir, elle avait apprécié Conrad, qui avait joué à être Eleuthérios chez les Hanning.

— Ils ont votre don pour le bonheur même quand tout va mal. Catherine est un modèle de femme du monde, encore qu'elle n'en tire aucun bénéfice à cause de nous tous. Colin est un type suffisant et

320

borné. Bien que ce soit celui qui me ressemble le plus, comme vous avez dû le remarquer, ajouta-t-il avec une grimace.

— Et comment vous êtes-vous retrouvé avec ce prénom de Maximilien ?

— Une mauvaise plaisanterie de mère. Catherine Philippa a reçu son prénom en toute innocence, après quoi, tous les autres ont eu un premier prénom commençant par C pour cocu, et un second par P, pour pervers. Hélas, elle n'avait rien trouvé pour M. Si seulement elle avait appelé Catherine Lydia ou Lisette, le L lui aurait donné de quoi s'amuser. Libertin, luxurieux, licencieux... Elle était malheureuse avec mon père, et c'est devenu une façon assez sombre de rire de ses malheurs.

Miranda écarquilla les yeux. Le silence dura deux secondes de trop. Elle secoua la tête et ouvrit la bouche, probablement pour changer de sujet. Elle ne l'encouragerait pas à faire d'autres révélations – il le savait. Mais ce furent ses propres lèvres qui s'animèrent, et les mots se déversèrent comme s'il les avait retenus sacrément trop longtemps.

— C'est après la naissance de Colin que mère a cherché à être la femme la plus célèbre d'Angleterre. Sans se soucier du doute que sa conduite jetait sur notre filiation.

Miranda posa la main sur son genou. En d'autres circonstances, il aurait pu en profiter pour transformer leur échange en un dialogue plus physique, au cours duquel elle se serait cambrée vers lui en ne pensant qu'à repousser les limites de la jouissance.

— Je suis désolée, murmura-t-elle.

Il toucha les doigts gantés de Miranda, joua avec.

— Ce que les gens pensent m'est égal. D'ordinaire, cela m'amuse. Et ils n'ont pas idée de ce qui se cache derrière leurs ragots.

Il avait quatre ans et se trouvait à côté de sa mère lorsqu'ils étaient tombés sur son père bousculant deux servantes dans la chambre conjugale. Était-ce la première fois qu'elle trouvait son mari en galante compagnie ? Il ne le lui avait jamais demandé.

— Quand elle se lance dans un projet fou, mère est vive et preste. Un papillon qu'on ne peut attraper sans l'écraser dans sa paume.

Il était aussi avec sa mère lorsque la nièce de leur voisin, une jeune fille de dix-huit ans, s'était retrouvée étendue sous son père dans l'une des prairies derrière Bervue. Et quand la plus célèbre veuve du comté avait été surprise à califourchon sur son père dans l'écurie de la propriété, tous deux aussi nus qu'au jour de leur naissance.

Miranda inclina la tête de côté.

— Mère était amoureuse de père, poursuivit Max avec un haussement d'épaules. Lui est constamment amoureux. De chaque jolie femme rencontrée. Pendant un temps. Ma mère a mis des années à s'en rendre compte.

Lui avait eu de nombreuses occasions d'observer ce père qui, malgré ses excès, avait toujours du temps pour ses enfants. Il emmenait Max faire le tour de ses domaines, au Parlement, dans des réceptions. Inévitablement, il séduisait une femme à la fin du repas, ou dans un couloir, ou dans un cottage à l'écart, sans se soucier de la présence de son fils. Oh, il ne les prenait pas là, sur le sol, une table ou n'importe quelle surface disponible ! Mais il donnait rendez-vous pour plus tard.

322

Et il arrivait que des portes restent entrouvertes. Le chêne le plus épais n'empêchait pas certains sons de passer. Les femmes ressortaient, ravies et resplendissantes. Elles lui jetaient un regard au passage, allaient même parfois jusqu'à effleurer ses joues fraîches d'enfant en lui promettant de revenir s'occuper de lui dans quelques années.

— La pauvre femme, murmura Miranda.

— Elle va bien, dit-il, incapable de refouler l'amertume qui l'envahissait chaque fois qu'il pensait au mariage de ses parents.

Du moins en présence de Miranda. Car elle éveillait en lui le besoin d'être propre, libre, honnête.

— Maintenant, précisa-t-il.

Oui, elle allait bien. Si l'on faisait abstraction de ce qu'elle faisait pour tenir le coup.

Il se souvint de la réaction de son père lorsqu'il avait trouvé sa mère avec un autre homme. Max avait dix ans. Son père avait observé la scène un moment, puis il avait éclaté de rire, jeté l'amant dehors, et s'était rué sur sa femme pour la violer. Par chance, le précepteur de Max avait poussé ce dernier dans le couloir avant qu'il ne soit témoin d'une scène qui ne pourrait que le marquer davantage. Le lendemain, sa mère n'avait cessé de sourire. Max en avait la tête qui tournait tant il était heureux à la pensée que ses parents pourraient être de nouveau heureux ensemble. Car il les aimait tous les deux.

Et puis, une semaine plus tard, sa mère et lui étaient de nouveau tombés sur son père chevauchant une servante dans le petit salon. La fille avait le regard vitreux et de petits gémissements s'échappaient de ses lèvres. Semblables à ceux qu'avait lâchés sa mère.

Son bonheur s'était dissous. Sa plus jeune sœur était née neuf mois plus tard, très exactement.

Le regard de sa mère ne s'était plus jamais éclairé, ce que Max n'avait pas pardonné à son père, même s'il l'aimait toujours.

— C'est idiot de se marier par amour, dit-il en caressant l'index de Miranda.

Elle fronça les sourcils.

— Il n'y a rien de mal à se marier par amour.

— Voir tous les matins dans le miroir le même visage énamouré ? Être émotionnellement lié à une autre personne pour le restant de ses jours ? Mieux vaut épouser quelque poisson froid hors de prix qui est une bonne hôtesse, prête à faire son devoir sans rien attendre.

— C'est horrible, murmura Miranda, atterrée.

— C'est intelligent, rétorqua-t-il avec fermeté afin qu'elle comprenne où il voulait en venir.

— Comment pouvez-vous dire cela ? Vous qui écri…. Vous qui aimez séduire, se reprit-elle.

— Je ne suis pas contre le mariage, ni contre l'amour, insista-t-il, déterminé à se faire comprendre. Je suis juste contre l'amour *dans* le mariage.

Elle garda le silence un moment, avant de reprendre :

— Je suis triste pour votre mère. Et aussi pour votre père. Mais je pense que les émotions sont belles. Même s'il leur arrive d'être douloureuses. Le soleil se lèvera de nouveau. La tristesse ne sera peut-être jamais oubliée, mais cet autre jour apportera d'autres joies. Des joies d'autant plus profondes que l'existence est parfois triste.

— Cela ressemble au point de vue de mon père sur la vie. Demain sera un autre jour. Avec une autre *amie*.

— Je ne parle pas de changer. Je parle d'évoluer en fonction des changements. De se réjouir de ce qui est.

Il sentit un désir fou naître en lui.

— Cela rend faible, dit-il.

Elle se pencha, lui effleura le genou.

— Vous me trouvez faible d'aimer les sentiments ?

Il prit son doigt ganté de soie dans sa main. Cet achat de gants neufs l'avait surpris. La jeune fille dont il avait fait « la connaissance » dans une librairie ne les aurait pas achetés, quand bien même elle en rêvait. Elle était trop pragmatique, trop prudente.

— C'est une prérogative féminine.

— Shakespeare a écrit de merveilleux sonnets. Seul un homme aimant les sentiments en était capable. Ne fût-ce que pour les railler.

Les mots frappèrent trop près du but. Il lui lâcha la main et pianota sur la banquette.

— Et regardez où ça l'a mené. L'échec de son mariage. De grands sentiments dirigés ailleurs.

— Ses œuvres sont splendides en dépit des problèmes qu'il aurait, selon la rumeur, rencontrés dans la vie.

Comme votre M. Pitts, votre Eleuthérios ? eut-il envie de demander. Quel idiot il était de la maintenir sur un piédestal qu'il avait lui-même érigé !

— Ce que vous ne pouvez posséder complètement vous impressionne plus longtemps. Et permet aux relations de demeurer intéressantes.

Libres et sans entrave. Une relation qui le garderait en vie, et qu'il ne pourrait pas détruire...

Miranda se redressa et ôta sa main du genou de Max, qui en ressentit aussitôt le manque.

— Ainsi, ce que vous possédez complètement est voué à disparaître ? fit-elle. À vous glisser entre les doigts ?

— Oui.

Le regard de Max s'assombrit. Il s'agaçait du tour que prenait la conversation. Ses doigts se mirent à marteler la banquette avec une sorte de fureur.

— Je ne suis pas d'accord, répliqua-t-elle posément. Je pense au contraire que cela vous permet de l'explorer plus avant, de vous épanouir plus pleinement à son contact.

— C'est vous qui dites cela ? Vous qui osez à peine mettre un pied hors de votre librairie, sans parler de l'Angleterre.

— Oui, répondit-elle en redressant le menton.

— Pour résumer, je cherche à ignorer et prendre, et vous, à rêver et retenir.

— Peut-être est-ce pour cela que vous m'attirez tant, riposta-t-elle d'un ton étrangement léger en tournant le visage vers la fenêtre. Mais, comme je vous l'ai dit, j'évolue. Lentement.

Il fronça les sourcils.

— Voilà qui ne me plaît guère.

— Eh bien, c'est ainsi. J'assume cette *faiblesse*.

Max se crispa. Il n'aimait pas qu'elle présente ses sentiments pour lui comme une faiblesse.

Mais il ne pouvait contester ce point en question sans aller contre son propre point de vue.

Enchevêtré dans ses propres rets.

Il se tourna vers l'autre fenêtre. Le paysage se brouillait devant ses yeux. La situation le prenait au dépourvu. L'émotion redoutée, la vulnérabilité, cela n'avait pas été prévu.

Comment s'en guérir ? L'avoir faite sienne n'avait pas suffi, semblait-il. Chaque fois qu'il la voyait, qu'il lui parlait, qu'il s'enfouissait en elle, il en voulait plus.

La voiture bifurqua et remonta une allée bordée d'arbres qui formaient un tunnel vert sombre troué de lumière.

Un charmant manoir en pierre se dressait à l'extrémité de l'allée. Un joyau niché dans une clairière, sans jardin à la française ni labyrinthe, ni folies pour distraire les invités. Suffisamment isolé pour que l'on se sente dans un autre monde.

Un endroit où il pouvait laisser tomber le masque.

— Cela ne ressemble pas à ce que j'avais imaginé, avoua Miranda qui s'était attendue à un immense château.

Il le savait et ne l'avait pas détrompée.

— Mon père y vient de temps à autre, mais le plus souvent, l'endroit est désert.

Ce qu'il appréciait.

— C'est ravissant.

— Trop éloigné de la ville pour le reste de la famille. Y compris Colin, précisa-t-il avec un sourire ironique. Ils ne peuvent abandonner leurs activités. Et cette maison n'est pas assez grande pour recevoir. S'ils veulent organiser des festivités, ils vont à Bervue ou à Ratching Place.

— Et vous ?

— Oh, moi aussi, j'ai des activités !

Elle le dévisagea longuement avant de se détourner. Il aurait donné cher pour savoir ce qu'elle pensait.

— À une époque, j'aurais pu me demander quelles étaient vos activités, dit-elle. Ce que vous faisiez de votre temps. À présent, je sais.

— Ah bon ? fit-il, la poitrine soudain oppressée.

— Vous séduisez des jeunes femmes éblouies, bien sûr, et vous les emmenez dans des endroits ridiculement chers et scandaleux afin d'en faire vos esclaves.

Il sourit, soulagé de se retrouver en terrain connu. Flirt et petites piques. Les pensées plus profondes de nouveau enfouies là où elles auraient dû rester.

— Vous êtes mon sujet d'enquête, et je dois admettre que cette activité est sans égale.

— Les hommes se résument à leurs activités. Même Eleuthérios le dit dans ses écrits.

Bon sang de bois.

Le ton respectueux avec lequel elle parlait de cet écrivaillon lui donnait envie de hurler. Dieu, quel sale type il était ! Les propos de Miranda sur la haine de soi seraient-ils justifiés ?

La voiture s'arrêtant, il l'attira à lui sans douceur, et l'embrassa avec toute la confusion, la rage et l'espoir enchevêtrés en lui. D'abord surprise, elle lui rendit son baiser avec ardeur.

Il s'écarta dès qu'il entendit Benjamin se préparer à ouvrir, et rendossa son masque d'indifférence.

Miranda lissa sa robe une fois de plus. Elle ne devait pas être belle à voir, encore que personne le lui avait jeté de regard de biais. Ni n'avait paru trouver sa présence surprenante. Certes, les nouvelles voyageaient vite, et les domestiques devaient être au courant de tout ce qui concernait le maître.

En l'occurrence, qu'il avait une liaison torride avec une bas-bleu inconnue.

Le personnel au complet les accueillit sur le seuil.

— Bienvenue, Votre Seigneurie, fit la gouvernante. Cela fait presque un mois qu'on ne vous a pas vu.

Miranda la regarda s'agiter autour du vicomte de façon quasi maternelle. La maison n'était pas si loin de la capitale pour le vicomte, à l'évidence. À quelle sorte d'activités se livrait-il ici ? L'écriture ? Non, il ne l'y aurait pas emmenée. Le risque qu'elle découvre la vérité était trop grand. Cela dit, c'était un joueur. Les journaux le répétaient à l'envi.

Encore que, après ce qu'il lui avait dit de ses parents, les pages de ragots lui apparaissaient sous un jour différent.

Elle le regarda sourire à la gouvernante, la tension qui l'habitait depuis leur conversation sur le mariage et sur ses parents disparaissant peu à peu.

Il lui fit signe d'avancer et la présenta. Le personnel l'observa attentivement afin de déterminer où la situer dans la vie du vicomte.

Question que se posait aussi Miranda.

Ils entrèrent dans la maison, et on lui fit faire un tour rapide du propriétaire, tandis que la gouvernante mettait le vicomte au courant des derniers événements. Il y avait une petite mais ravissante bibliothèque au rez-de-chaussée.

— Vous n'avez pas besoin de moi pour celle-ci, observa Miranda en passant le doigt sur les lambris de bois sombre. Tout est parfaitement bien rangé.

Il lui serait difficile de trouver une raison pour mélanger tous les livres. Elle trouverait autre chose pour le déstabiliser.

— Elle est correcte, dit-il d'un ton dans lequel elle perçut de la tendresse. Mais vous n'avez pas vu Bervue. Le château n'a pas de bibliothèque – il y a une maison réservée à la littérature. Mon père est plutôt vorace en matière de livres. Vous pourriez disparaître sous les volumes là-bas. Oublier de manger et de boire, et tomber en poussière.

— J'aime trop manger.

— Mmm. Moi aussi, j'aime manger.

Il glissa la main sur la taille de Miranda, puis sur sa hanche, tourna autour d'elle et porta sa main à ses lèvres.

— Votre père aime lire ?

— Un nouveau livre le fait autant saliver qu'une débutante en robe blanche, répondit-il du ton avec lequel il aurait parlé du temps. Il n'aimerait rien tant qu'écrire le prochain tome sur la séduction. Malheureusement, il n'arrive pas à garder son pantalon suffisamment longtemps pour prendre une plume. Il déteste votre Eleuthérios autant que chacun de nous.

Cette déclaration attrista Miranda. Elle avait l'impression que le marquis n'avait découvert que récemment que son fils était l'auteur. Qu'il en était fier, mais ne savait comment le lui dire. La façon dont il avait parlé d'Eleuthérios, dont il avait regardé Max chez les Hanning, le laissait penser.

L'idée que le poids d'événements passés empêchait le père et le fils de se parler – alors même qu'ils en avaient envie – lui serrait le cœur.

Elle se hissa sur la pointe des pieds et déposa un baiser sur les lèvres du vicomte.

Il le lui rendit, puis la regarda.

— J'apprécie ce délicieux baiser, mais quelle en est la raison ?

— J'en avais envie, alors je l'ai fait, expliqua-t-elle en lissant de la main son front soucieux.

— Vous suivez enfin mes conseils ?

— Plus que vous ne l'imaginez.

Elle l'embrassa de nouveau avant qu'il ait le temps de réfléchir à ce qu'elle venait de dire.

Un raclement de gorge discret se fit entendre.

Le vicomte attendit une seconde avant de lâcher ses lèvres. Il s'écarta, et le regard qu'il posa sur elle était tout sauf impénétrable. Miranda retint son souffle. Elle aurait aimé lui écrire tout de suite et qu'il lui réponde aussitôt avec sincérité.

Il se tourna vers la gouvernante. Celle-ci s'inclina.

— Vous avez demandé qu'on vous prévienne quand les rafraîchissements seraient prêts.

— Merci.

— Cela a été rapide, dit Miranda, alors même qu'elle se doutait que les domestiques avaient été prévenus de l'arrivée de leur maître.

— Il y a plusieurs endroits où se rafraîchir dans la propriété, dit le vicomte.

Deux heures plus tard, elle se prélassait dans un bassin qu'alimentait une source chaude. La clairière était située suffisamment loin du manoir pour préserver une certaine intimité. L'eau était douce et pure.

— De vieux bonshommes essayant de prendre des décisions qui concernent tout un chacun, expliquait le vicomte, à propos des membres du Parlement.

Elle ne put s'empêcher de penser aux flèches décochées par M. Pitts lorsqu'il abordait le sujet.

— Vous n'aimez pas le Parlement.

— Parfois, j'en viens à le haïr. Et il est difficile de dire à ses pairs ce que l'on a sur le cœur… *au sujet* de ses pairs. Je dois choisir… d'autres confidents.

Elle, par exemple. Dans ses lettres.

— Pourquoi y retournez-vous ?

— Oh, ce n'est pas toujours épouvantable ! Il y a des jours où c'est même revigorant. J'ai un siège aux Communes. Je l'utilisais d'habitude pour contrôler le vote Werston quand père était… incapable de se concentrer sur les affaires en cours. Pour lui dire dans quel sens voter.

Il glissa la main sous le pied de Miranda, le souleva juste sous la surface de l'eau. L'air frais lui caressait la peau, et un délicieux nuage de vapeur s'en élevait.

— Il fait son devoir, mais ses passions résident manifestement ailleurs.

Elle frissonna lorsque les doigts se refermèrent sur son talon.

— J'étais jeune et je ne savais pas trop quoi faire dans la vie, reprit-il. Finalement, je ne regrette pas. Les membres des Communes sont des gens très motivés. Certains sont des fils cadets ou bien n'ont pas encore hérité du siège de papa. D'autres sont juste de brillants roturiers.

— Nous autres, gens de la plèbe, pouvons nous montrer intelligents malgré nos humbles débuts.

Il sourit et lui caressa la plante du pied.

— C'est ce que j'ai découvert.

— Vous devriez peut-être passer plus de temps avec nous. Renoncer à vos habitudes. Ouvrir une bibliothèque de prêts.

— Ma famille serait épouvantée.

Miranda se réjouit intérieurement. La conversation dans la voiture avait été trop grave pour qu'elle se risque à déstabiliser le vicomte. Mais là, maintenant ? Dans l'eau tiède ?

— Vous avez dit que votre frère était écrivain.

— J'ai dit cela ?

— Oui, chez lady Banning.

— Ah. Oui.

— Il aime écrire ?

— Il aime...

Il fit courir un doigt le long de l'intérieur de la jambe de Miranda, puis s'inclina vers elle.

— Sa passion pour la communication écrite est presque ridicule, et il passe beaucoup trop de temps à se moquer des servantes.

Ou d'une seule servante, peut-être. Miranda testerait cette hypothèse lors de la prochaine réunion mondaine.

— Il n'y a rien de mal à correspondre, répliqua-t-elle.

La paume de Max se promena sur elle, et elle commença à avoir du mal à respirer.

— Personnellement, j'aime beaucoup cela.

— Je suis très heureux d'apprendre que vous y prenez plaisir, dit-il en se rapprochant d'elle.

Elle prit une brève inspiration tandis qu'il poursuivait ses caresses.

— C'est bien d'avoir une passion dans la vie, fit-elle, le souffle court.

— Mmm, je commence à m'en rendre compte.

— Vous n'aviez pas de passion ?

— Rien qui égale la soif que j'ai de vous.

Ses mots la firent frissonner, mais ses dérobades la poussèrent à insister.

— Votre frère. Il y avait quelque chose chez lui.

— Pourquoi parlez-vous de mon frère ?

Il lui mordilla l'oreille. Elle ne put retenir un petit cri.

— Peut-être que votre frère est Eleuthérios.

Elle pouvait à peine aligner deux pensées cohérentes. Se cramponnant à son plan, elle tenta de résister à ses assauts.

— Déguisé, conclut-elle.

— Quoi ?

— Votre frère. Oui, bien sûr. Il y *avait* quelque chose chez lui. Ce pourrait être lui.

Le vicomte s'écarta, le regard noir.

— Ridicule.

— Pourquoi ? C'est tout à fait possible.

Elle s'étira. Elle avait très envie qu'il reprenne ses délicieuses activités sur son corps, mais ne voulait pas l'en prier.

— Imaginez un peu. Votre frère, doté de toute cette passion et de cet esprit. Se cachant derrière ses railleries.

— Où voulez-vous en venir ?

— Je ne sais pas si cette comédie me plaît ou me dégoûte.

— *Quoi ?*

— C'est séduisant, un homme masqué, expliqua-t-elle en glissant le doigt sur le torse de Max d'un geste qui se voulait désinvolte, mais était tout à fait délibéré. Mais je me sentirais trahie si je découvrais qu'Eleuthérios est quelqu'un que je connais. Il se pourrait que je ne veuille plus lui adresser la parole.

Sa main s'aventura plus bas sur le corps du vicomte, sous l'eau. Toute réticence à faire ce genre de choses l'avait quittée depuis qu'elle avait découvert ses nombreux masques, tous tournant autour d'elle.

Le vicomte la fixa du regard. Un homme qui se contrôlerait moins serait resté bouche bée.

Elle résista à l'envie de brandir le poing en signe de triomphe.

Elle enroula les doigts autour de sa virilité, pressa, puis le lâcha afin qu'*il* la supplie de continuer, ce que faisait déjà cette partie de son anatomie.

— Ou bien je me lancerais dans une liaison torride avec lui.

— Une quoi ? articula-t-il sèchement.

— Une liaison torride. Cet homme écrit magnifiquement.

Elle haussa les épaules, amusée par son effronterie, mais déterminée à lui administrer une bonne dose de son propre remède.

— Bien sûr, à la place, c'est avec vous que j'ai une liaison torride. Et j'y prends grand plaisir. Mais...

Le vicomte glissa la main sous sa nuque.

— Vous n'aurez de liaison torride avec personne d'autre que moi, décréta-t-il, l'œil farouche.

Elle ne put retenir un sourire satisfait. De même qu'elle avait refusé d'admettre qu'il était les trois hommes, lui refusait de croire qu'elle l'aimerait autant s'il le reconnaissait. Et pour cette raison, il n'était pas disposé à voir qu'elle le savait déjà.

— Vous êtes le seul avec qui j'ai envie d'être torride.

Elle avait beau désirer l'asticoter plus longtemps, le rendre jaloux de lui-même, la sincérité l'emportait.

— Vraiment ? chuchota-t-il contre son cou. Je veillerai à ce que vous le pensiez toujours.

Et puis il lui fit des choses folles. Des choses qu'aucune illustration n'avait décrites. Car de telles émotions ne pouvaient être capturées dans un manuel.

Beaucoup plus tard, alors qu'elle était blottie dans ses bras sur le rivage, Miranda songea que le faire enrager avait un certain charme.

Le lendemain matin, Miranda dévorait un livre qu'elle ne connaissait pas tandis que le vicomte était allongé sur un canapé, les pieds sur l'accoudoir, les manches retroussées et la chemise à demi boutonnée. Il était tout ébouriffé et charmant, et elle se surprenait à le regarder de temps à autre par-dessus son livre.

Un raclement de gorge attira leur attention. La gouvernante se tenait sur le seuil de la bibliothèque.

— Je suis désolée de vous déranger, Votre Seigneurie, mais des messieurs demandent à vous voir. Je les ai installés sur la terrasse. Votre valet vous a préparé vos vêtements.

Miranda jeta un regard intrigué au vicomte dont elle avait perçu la soudaine tension. Il hocha la tête et se leva. La gouvernante disparut.

Il se pencha et déposa un baiser sur les lèvres de Miranda.

— Ne bougez pas. Je serai de retour dans une heure tout au plus, dit-il avant de sortir.

Elle s'étira, se leva et fit quelques pas. Devait-elle faire de cet endroit un vrai chaos ? Ou bien attendre que quelque chose se présente spontanément à titre de châtiment ? Ses lèvres se retroussèrent sur un sourire. Elle passa la main sur une pile de journaux, puis caressa un globe terrestre. Des mouvements derrière la fenêtre attirèrent son attention. Elle vit le vicomte sortir de la maison et rejoindre deux messieurs qui attendaient sur la terrasse.

Le plus âgé, un homme fortuné à en juger par ses vêtements, lui serra la main, puis fit un geste en direction de son compagnon, un jeune homme à lunettes. Celui-ci s'inclina avec déférence, mais il était visible qu'il avait du mal à contenir son excitation. Il ressemblait aux petits jeunes gens frais émoulus des écoles, avec leurs sacoches neuves et leur détermination avide. Avocats, comptables, régisseurs, éditeurs...

Serait-ce un éditeur ?

Elle s'approcha de la fenêtre. Le vieil homme lui rappelait le directeur du *Times* qu'elle avait vu un jour fendre la foule et distribuer des ordres aux jeunes gens qui couraient derrière lui en prenant des notes.

Brillant. Impitoyable. Riche. Ambitieux. Mais il y avait quelque chose d'autre chez celui-ci, une fébrilité, comme s'il avait quelque chose d'important à perdre mais s'efforçait de n'en rien laisser paraître. Le nouveau livre d'Eleuthérios ?

Le vicomte leur indiqua des fauteuils disposés autour d'une table. Miranda s'écarta de la fenêtre et regarda la bibliothèque. Tout ici était plus confortable, moins richement décoré que dans la maison de Londres sans être austère. Était-ce l'austérité qui caractérisait le vicomte ou la sensualité sous-jacente ?

Il martelait du doigt l'accoudoir de son fauteuil, remarqua-t-elle, et ses deux compagnons hochaient la tête, non sans réticence, crut-elle deviner.

Le jeune homme sortit une liasse de papiers. Il montra quelque chose sur une feuille. Le vicomte se pencha.

Elle essaya de lire sur leurs lèvres. Un problème au sujet du livre, peut-être ? La date limite ? L'abandon du pseudonyme ?

Le verre de la vitre était décidément trop épais.

Pourtant, ils n'étaient pas loin de la maison... Le mieux était d'agir normalement, décida-t-elle en entrouvrant la fenêtre. Un peu d'air ne serait pas de trop. Toute personne entrant dans la pièce serait de cet avis.

Un craquement la fit s'aplatir contre le mur. Elle attendit une seconde, puis jeta un coup d'œil. Les trois hommes continuaient à bavarder. Elle s'accroupit, s'approcha le plus près possible de l'ouverture.

— Downing, il est temps que vous acceptiez de signer.

— Vous êtes sûr ? Il faut qu'il y ait urgence pour que vous me traquiez jusqu'ici, répliqua le vicomte avec une pointe d'agressivité dans la voix.

— Nous devons prendre certaines dispositions. Vous serez libre de faire comme il vous plaira dès lors que les points principaux du contrat seront respectés.

— Telle une chèvre attachée à son piquet. À vous entendre, j'ai l'impression que nous organisons des funérailles.

— Je vous en prie, fit le plus âgé des deux hommes. Si vous êtes décidé à griffonner votre nom, ce n'est plus qu'une formalité. Et décidé, vous l'êtes, je l'ai vu. C'est la raison pour laquelle nous sommes ici.

Griffonner son nom ? Quel nom ? Peut-être allait-il vraiment écrire le livre de sonnets qu'elle lui réclamait dans ses lettres. Elle sourit.

— Vraiment ? ricana le vicomte. Ce n'est pas le besoin d'argent, alors ?

L'expression du vieil homme se durcit.

— Tout le monde tirera bénéfice de notre arrangement.

Assurément. L'éditeur avait déjà dû gagner une jolie somme grâce à son livre. Des sonnets se vendraient très bien. Elle le savait. Toutes les dames tomberaient en pâmoison.

— Boone est là pour veiller à ce que chacun soit satisfait, enchaîna le vieil homme en désignant son compagnon. Et que des assurances soient écrites et dûment signées

— Des assurances ? répéta le vicomte avec un haussement de sourcils ironique.

— Vu votre passé, il m'en faut quelques-unes.

Avait-il l'habitude de rendre son manuscrit en retard ?

— Et le passé de votre famille.

Que diable venait faire sa famille là-dedans ?

— Charlotte est un joyau. À vous deux, vous pourrez surmonter n'importe quelle rumeur.

Le vicomte laissa échapper un rire amer.

— Et si nous n'y parvenons pas, vous me demanderez une compensation supplémentaire, histoire de payer un reliquat de dettes ?

Charlotte ? Charlotte Chatsworth ? La jeune fille dont la rumeur prétendait qu'elle était fiancée au vicomte ?

Miranda se laissa glisser au sol. Oui, le dicton selon lequel écouter aux portes n'apportait rien de bon était bel et bien vrai.

Chatsworth n'avait pas demandé qu'il renonce à avoir une maîtresse. L'idée l'avait fait rire. Lui-même en avait entretenu une durant des années, il aurait donc été hypocrite d'exiger que son futur gendre s'en prive. De nos jours, il était considéré comme normal d'avoir une maîtresse. À condition, bien sûr, de veiller à ce que maîtresse et épouse légitime ne se rencontrent pas.

Le problème était qu'on n'exilait pas la fille d'un duc à la campagne. Donc, Miranda et Charlotte devraient vivre en ville. Situation un peu compliquée.

Mais tant que sa maîtresse demeurerait à sa « place », tout irait bien. Sa mère et son père n'avaient pas respecté cette règle élémentaire. S'ils s'étaient pliés aux usages en cours dans leur milieu, personne n'aurait trouvé à redire à leur conduite.

Son père aimait les jeunes femmes. Et pas celles du demi-monde où il aurait pu batifoler à son aise. Non, il aimait celles de son milieu. Les jeunes mariées comme les célibataires. Toute femme qui représentait un défi. Une conquête. Une séduction. Dans une sorte de quête répétée et vaine de « l'amour vrai ». Et sa mère, le cœur brisé, avait décidé de l'imiter avec les jeunes hommes.

Non, il n'obligerait pas Charlotte Chatsworth à le voir en compagnie d'un millier d'autres femmes. Il ne s'en ferait pas aimer non plus. Il ne lui cacherait pas qu'il avait une maîtresse. Et que leur mariage n'était qu'une transaction. Il lui assurerait qu'une fois la légitimité des enfants établie, elle serait libre d'avoir des liaisons.

Il regrettait, bien sûr, qu'elle dût attendre, et pas lui, mais telle le voulait la nature. Dès qu'elle serait enceinte, elle pourrait le tromper. Seuls les quelques mois entourant la conception réclameraient qu'elle s'en abstienne. Certains hommes raffolaient des femmes enceintes.

Tout cela était… froid. Très froid. Mais Charlotte Chatsworth ne lui avait pas semblé particulièrement romantique. C'était l'une des raisons pour lesquelles il avait pensé l'épouser. Elle était pragmatique, comme son père. Intelligente. Déterminée. Forte. Elle avait envie de diriger un empire et ferait une fabuleuse marquise de Wertston, le jour venu.

Il pensait qu'ils s'entendraient plutôt bien, mais il n'avait jamais été question qu'il y eût quoi que ce soit de romantique entre eux. Le mariage et l'amour n'allaient pas ensemble. D'aucune façon. Ce devait être une pure transaction.

Pendant ce temps, il pourrait aimer Miranda.

Il regagna la bibliothèque, qu'il trouva déserte.

Un papier glissa d'une console. Comme il se penchait pour le ramasser, un courant d'air lui ébouriffa ses cheveux. Il se tourna pour fermer la fenêtre, et se figea soudain.

Comment avait-il pu être aussi stupide ?

Il monta à l'étage au pas de course. La chambre de Miranda était vide. Il rebroussa chemin, dévala l'escalier.

— Où est Mlle Chase ? lança-t-il à la gouvernante qui traversait le hall.

Elle secoua la tête.

— Elle est partie, milord.

18

Élément n° 2 (suite) : Si le plan initial ne marche pas, revenez en arrière et recommencez. Sans précipitation. Ce premier échec est le signe que les cartes sont contre vous et en faveur de votre adversaire. Soyez patient.

Les huit éléments de l'enchantement
(œuvre en cours)

— Préparez la voiture. Je pars pour Londres, jeta-t-il par-dessus son épaule à son valet en traversant sa chambre.

Il était incapable de réfléchir et ne savait qu'une chose : il devait la retrouver.

— Déjà ?

Il s'immobilisa.

— On m'a dit que vous étiez partie.

Elle était là, les cheveux dénoués, le front soucieux.

— Je suis allée me promener, en effet. Pour réfléchir.

Il fit ce qu'il avait brièvement redouté ne plus jamais pouvoir faire : tendre la main et lui caresser la

342

joue. Il était fort possible que ce soit la plus belle femme qu'il ait jamais vue, songea-t-il.

— Je pensais que vous aviez quitté le manoir.

— Pourquoi ?

Parce que j'ai vu la fenêtre ouverte. Parce que vous avez entendu. Parce que je suis un crétin qui ne peut pas vous offrir tout ce que vous méritez.

— Parce que… commença-t-il misérablement.

Elle toucha la main qu'il avait laissée sur sa joue.

— Nous devons partir alors ?

— Vous en avez envie ? demanda-t-il, avec anxiété.

Cinq interminables secondes, puis :

— Non.

Une réponse concise, mais ferme.

Le soulagement l'envahit. Suivi d'un léger malaise. Les avait-elle entendus ou pas ?

Devinant qu'il s'interrogeait, elle hocha la tête.

— J'ai entendu.

Il la dévisagea.

— Voilà que je vous ai laissé sans voix, sourit-elle. Les rôles ont été inversés. Ce n'est pas désagréable de savoir pour une fois ce que vous pensez.

— Alors, vous êtes au courant…

— Que vous devez vous fiancer ? Qu'il faudrait mieux choisir la respectabilité plutôt que d'utiliser vos péchés pour couvrir ceux de vos parents ?

— Vous êtes une femme dangereuse.

— Alors, nous sommes quittes, car cela fait longtemps que je vous trouve dangereux.

Il détourna les yeux, puis revint à elle.

— Alors, cela ne vous ennuie pas ?

— M'ennuyer ? répéta-t-elle d'un ton badin, que démentait son regard grave. Je ne suis pas sûre que ce soit la bonne question. À quoi vous attendiez-vous de ma part ?

— Je ne savais pas trop.

Elle écarta la main du vicomte de sa joue et la retint dans la sienne.

— Je reconnais que j'ai été surprise, dit-elle en baissant la tête. Mais je n'aurais pas dû.

— Vous resterez avec moi, alors ?

Cette unique question avait un millier de significations différentes.

— Rester avec vous ? Je suis beaucoup trop empêtrée dans cette histoire pour en trouver l'issue, si tant est que je souhaiterais fuir. Mais je dois admettre mon ignorance en ce qui concerne cette situation, et m'en remettre à vous, ajouta-t-elle d'un ton posé. Lorsque nous serons de retour à Londres, quel sera le mouvement suivant ?

Il la fixa, désorienté.

— Je suppose que nous allons nous montrer, vous et moi, reprit-elle. À l'Opéra, peut-être. Je doute de faire une compagne éblouissante, mais on joue *Don Juan*, et j'ai toujours rêvé de le voir.

Il s'était dirigé à pas prudents vers ce dénouement, et voilà qu'elle le lui offrait sans discuter ? Qu'elle se résignait au statut de maîtresse ?

Ému plus qu'il n'aurait osé se l'avouer, il lui frôla la joue, puis s'approcha de la fenêtre et regarda l'endroit où il était assis quelques minutes plus tôt.

Il avait pensé que ceci serait l'accomplissement suprême. Qu'une fois qu'elle accepterait d'être sa maîtresse, tout se mettrait en place dans son univers. Cela confirmerait que personne n'était au-dessus de la tentation. Que c'était le cours normal des choses et qu'on n'y pouvait rien. Car si l'innocente et optimiste Miranda Chase se laissait corrompre, personne n'était à l'abri.

Pourquoi, alors, avait-il l'impression qu'il se trompait complètement ? Que la résignation de Miranda signifiait seulement qu'elle l'aimait plus que la respectabilité, plus que sa fierté ?

Mais pourquoi l'aimerait-elle de cette façon ? Elle ignorait qui il était réellement. Qu'il la traquait depuis longtemps sous tous les déguisements possibles. Qu'il voulait qu'elle connaisse tout de lui.

— Maxime, dit-elle doucement.

Il se retourna. C'était la première fois qu'elle utilisait son prénom.

— Dites-moi quelque chose, murmura-t-elle.

Il revint à elle, attiré comme par un aimant en dépit de tous ses doutes. Il voulait être près d'elle. Toujours.

Elle le regarda s'approcher.

Il lui prit la main, la caressa.

— Vous avez endossé votre armure, observa-t-il.

Elle tenta de reprendre sa main gantée, mais il la retint dans la sienne.

— La soie ne fait pas un bon bouclier, dit-elle.

— Non ? Cela reste une barrière. Je ne peux pas vous toucher à travers.

— Vous m'avez touchée dans des endroits beaucoup plus intimes.

— Ma mère disait qu'une dame convenable ne devait jamais se montrer sans gants.

— Cela arrive cependant aux dames les plus collet monté, riposta-t-elle.

Posément, il entreprit de lui ôter son gant. Le cœur de Miranda s'affola.

— Vous n'avez pas un tas de choses à faire ?

Un contrat de fiançailles à signer ? Un mariage à organiser ?

Il plongea son regard dans le sien.

— Ce que je fais là est plus important que tout le reste.

Il continua de tirer sur son gant, qui s'accrochait à elle comme le meilleur des boucliers.

— Je veux coucher avec vous complètement nue, Miranda.

— Vous ne l'avez pas déjà fait ? demanda-t-elle d'une voix tremblante.

Il pencha la tête sans mot dire, et continua de dévoiler lentement sa peau. La zone sensible du poignet. Le gant hésita au talon de la paume, avant de céder. Miranda s'efforça de ne pas regarder. En vain.

Une fascination morbide l'en empêchait. Que ferait-il quand il verrait ses doigts en pleine lumière ? Pas dans l'eau d'un bassin, ni dans la pénombre d'une chambre. Les cales, les taches d'encre, les crevasses, en particulier celle qui commençait sur le côté du pouce et se poursuivait jusqu'à la naissance de l'ongle cassé. Des mains propres, mais irrémédiablement abîmées.

Elle ferma les yeux pour ne pas voir son expression tandis qu'il retournait ses mains dans ses paumes chaudes.

— Je leur donnerai des bains de lait, si vous voulez. Ou bien je les garderai telles quelles, parce qu'elles font partie de vous.

— Vraiment ?

Elle ouvrit les yeux et sa gorge se noua.

Si seulement elle avait davantage d'esprit et trouvait quelque chose d'intelligent à dire. Mais, voilà, elle n'était que Miranda Chase. Et lorsque, d'une remarque, on la réduisait à l'état de petite flaque

d'émotion, Miranda Chase disait des choses comme :
« Vraiment ? »

Il glissa la main derrière sa nuque et l'attira à lui.

— Oui, murmura-t-il contre sa bouche. Vos lèvres sont le mets le plus délicieux auquel j'ai jamais goûté. Et je les aimerais même si elles étaient sèches et crevassées. Je m'y abreuverais comme au plus beau cristal pour y trouver un peu de votre essence.

Elle avait toujours pensé qu'elle goûterait à l'émotion de l'amour passionné à travers un texte écrit. Intérieurement et avec une grande joie. Et peut-être vivrait-elle un amour plus tempéré avec un mari. Le genre d'amour que ses parents avaient partagé – propos policés et respect mutuel –, le sens des convenances de sa mère empêchant toute manifestation physique, du moins en public.

Le vicomte la poussa doucement vers le lit et l'y allongea, le regard ténébreux et empli de promesses.

Cet homme la provoquait de mille façons. Ses écrits la transportaient intellectuellement, ses mots la captivaient, sa présence physique l'enivrait. Il incarnait à lui seul tous les hommes qu'elle avait désirés.

Les doigts de Maximilian se glissèrent sous son genou et poursuivirent lentement leur remontée.

Elle était nue sous son regard. Et pas seulement physiquement tandis qu'il la dévêtait sans hâte. Elle lui appartenait même s'il ne le savait pas encore.

Il promena la bouche sur son corps, et elle se cambra.

Une caresse de la langue. Elle se retrouva à peine capable de penser. De respirer.

C'était sa décision. De rester avec lui. D'être sa maîtresse. Un énorme pas pour une femme comme elle. Georgette serait aux anges. Il allait la combler de cadeaux. *Des cadeaux dont elle n'avait pas besoin.* Et l'emmener dans des endroits qu'elle avait toujours rêvé de visiter. *Avec sa famille.*

Des mains s'emparaient de ses fesses. La revendiquaient.

Être sa maîtresse ne l'empêchait pas de l'aimer. Et cela ne l'empêchait pas, *lui*, de l'aimer, *elle*, quand bien même elle ignorait quels étaient ses sentiments. Il éprouvait quelque chose, elle en était sûre. Sinon, elle ne serait pas dans cette position.

Des lèvres embrassaient le dessous de ses seins. Elle enfouit les doigts dans les cheveux de Maxime. Des cuisses puissantes forcèrent le passage entre ses jambes.

Elle le voulait. En cet instant, elle prendrait de lui tout ce qu'elle pourrait et penserait à l'avenir plus tard.

Elle caressa son bras musclé. Ses doigts capables d'écrire de belles choses comme des mots acerbes.

Elle le poussa, le fit basculer sur le flanc pour le toucher comme il la touchait. Pour lui arracher des gémissements. Pour que son beau regard sombre se voile. Pour qu'il ne pense plus qu'à elle, ici et maintenant. En cet instant, il lui appartenait complètement.

Elle fit courir ses paumes sur son torse, picora sa gorge de baisers, lui vola sa chaleur. De longues et lentes caresses. En l'écoutant haleter, s'abandonner entre ses bras.

Et puis elle se retrouva de nouveau sur le dos, le visage de Maxime à quelques centimètres du sien. Et il fut en elle, la comblant. Le sabre de M. Pitts, les plumes douces d'Eleuthérios, la chevauchée puissante du vicomte, le sortilège de Maxime.

Vraiment, elle aimait tout de lui.

348

Un flot d'émotion la submergea. Et elle prononça trois petits mots. Des mots qu'elle ne pouvait plus reprendre, l'aurait-elle voulu. Des mots jaillis du cœur.

Un serment.

Le regard de Maxime se riva au sien – incrédule, plein de désir, affamé –, et de longs et profonds coups de reins la firent basculer dans la volupté, répétant encore et encore le serment.

La joue calée sur la paume, Miranda reprenait son souffle. L'atmosphère bruissait encore de prières languissantes et d'étreintes éperdues. Les draps appelaient à s'y attarder, à jouer, à s'aimer, à laisser les heures s'écouler.

Les doigts de Maxime traçaient paresseusement des lignes sur son dos. Les doigts de sa main gauche. Elle doutait qu'il s'en rende compte.

— Je pourrais écrire partout sur votre corps, murmura-t-il. Vous marquer à l'encre afin de vous revendiquer comme mienne.

— Et je serais à peine reconnaissable, toute tachée d'encre.

— Je vous reconnaîtrai. Toujours.

Et elle imagina presque qu'il dessinait un cœur sur sa peau.

19

Cher M. Pitts,
J'ai toujours pensé que je devais me méfier de mes
désirs. Car parfois, il s'agit moins des vrais désirs de
mon cœur que de ce qu'on m'a appris à penser.

Du bureau de Miranda Chase

La voiture qui les emmenait à l'Opéra se balançait
doucement. Max s'émerveillait des changements sur-
venus chez Miranda en quelques semaines. Elle
n'agrippait plus la banquette. Ses traits n'étaient plus
crispés, et elle ne semblait plus prête à bondir hors
de la voiture ou à se protéger la tête au cas où quelque désastre surviendrait.

Elle lui souriait. Un sourire résolu, assuré.

Elle l'aimait.

À cette pensée, un étau se resserrait sur sa poitrine. Il ne pouvait même pas se reprocher cette faiblesse, car l'émotion l'envahissait trop violemment.

Ils pénétrèrent peu après dans le grand bâtiment
élégant et les murmures accompagnèrent leur
progression.

350

La princesse sans masque. Pas russe du tout. La rumeur après la soirée Hanning était donc vraie. Une Anglaise. Qui est-ce ?

D'ordinaire, cela ne l'aurait nullement dérangé. Mais ce soir, c'était différent. Il redoutait les commérages qui s'ensuivraient. D'abord, il n'avait pas choisi le décor. Ensuite, il ne s'agissait plus de couvrir quelque esclandre de l'un ou l'autre de ses parents. Pour une fois, il était l'esclave d'une femme. Captif de Miranda, grisé par son consentement, feignant une assurance qu'il était loin d'éprouver.

Aller à l'Opéra avait fait partie de son plan initial. Qu'elle prenne une part active à sa vie aussi. Mais il n'aurait jamais osé espérer davantage.

Elle l'aimait.

Les regards des hommes lui déplurent. Ils la jaugeaient, la détaillaient et prenaient des paris : combien de temps avant que Downing s'en lasse ? À qui la céderait-il ? Des hommes qui ne l'auraient même pas remarquée dans la rue. Qui ne voyaient en elle qu'une conquête de Downing, une femme de plus sur le marché de la débauche.

Et pourquoi en serait-il autrement ? Jusque-là, il n'avait jamais cherché davantage.

Les murmures les suivirent dans l'escalier tandis qu'ils gagnaient sa loge.

Regardez comme Downing la tient.

Il a enfin pris une maîtresse ?

Qui est-ce ?

Vous avez vu son collier ?

Miranda était belle. Délicieuse. Bien plus belle que le collier qu'il lui avait offert. Après qu'il l'eut attaché à son cou, elle s'était regardée longuement dans le miroir de sa coiffeuse.

Elle était tellement immobile qu'on l'aurait dite changée en pierre. Mais elle avait l'air plus détendue à présent. Gracieusement penchée en avant, elle regardait la scène où avait lieu un spectacle préliminaire. Oubliant les regards curieux. Ou peut-être s'y résignant.

Elle l'aimait. Elle l'avait dit.

Il lui ferait une vie agréable. Liberté et indépendance. La possibilité de le quitter s'il la décevait. Il regarda les femmes dans les loges autour d'eux. Certaines riaient gaiement, d'autres montraient hardiment leurs appas.

Un nœud douloureux se forma dans ses tripes lorsqu'il remarqua les expressions de certaines d'entre elles. Anxiété, rires forcés, sourires aguicheurs. D'autres affichaient une attitude hautaine, sans toutefois paraître rassérénées. Le nœud se resserra.

Spectacle qu'il remarquait pour la première fois. Même les femmes qui semblaient s'amuser étaient en chasse. À la fois prédatrices et proies. Comme si plaire à leur partenaire était... un travail rétribué. Qu'elles faisaient simplement ce que l'on attendait d'elles, s'efforçant de garder leur situation, ou de se trouver un nouvel ami.

Les maîtresses en titre n'étaient pas plus gâtées, songea-t-il. Malgré leur prétendue liberté, elles souffraient des mêmes contraintes. Leur sécurité dépendait du bon vouloir de leur bienfaiteur.

Mais Miranda n'aurait jamais à se soucier de cela. Car il ne la laisserait jamais partir.

Il pouvait la garder dans sa maison de campagne. Dans sa maison de ville. La protéger des regards. Se protéger de sa propre violence en réaction à ces regards. La protéger de toute insécurité.

Elle accepterait sans doute de rester à l'arrière-plan – *elle l'aimait.*

Le nœud, maintenant en feu, lui brûlait l'estomac.

Miranda aimait et donnait si facilement. Elle s'était liée d'amitié avec ses domestiques, y compris les plus revêches. Elle ne se cramponnait pas à l'amertume et avait triomphé de sa peur. Elle était le type de personne qui inspirait confiance et se trouverait toujours des amis.

L'un dans l'autre, il était convaincu qu'il avait plus besoin d'elle, qu'elle de lui.

Cette idée le paralysa.

C'était une femme vibrante. Bouillonnante de passion sous ses dehors doux et réservés. C'était en partie ce qui l'avait attiré au début. Il avait voulu libérer cette passion, voir ce qu'elle en ferait. Ce qu'il pourrait lui enseigner et ce qu'il pourrait apprendre d'elle – *lui prendre* – en retour. Il voulait qu'elle se comporte avec lui comme avec ses personnages de papier.

La porte s'ouvrit sur Chatsworth. Crainte et colère envahirent successivement Maxime. Il aurait dû dire au personnel qu'il ne voulait pas être dérangé.

Messerden entra derrière elle en titubant, en vraie commère qui tient à tout savoir avant tout le monde. Maxime l'avait souvent utilisé pour lancer ou éteindre des rumeurs. Indubitablement, il était là dans l'espoir d'apprendre du nouveau.

Chatsworth s'installa confortablement, et Messerden se vautra dans un fauteuil, manquant de peu de tomber tant il fixait avec fascination la nuque de Miranda. Il essayait à l'évidence de deviner qui elle était et où la placer sur l'échiquier des ragots.

Miranda. Douce Miranda.

Chatsworth suivit le regard de Maxime, puis se tourna vers lui.

— On se case enfin, Downing ? dit-il d'un air entendu.

Une maîtresse en titre allait avec une épouse légitime. Chatsworth en avait eu une des années durant.

— Bonsoir, Chatsworth, fit Maxime sèchement.

Il sentit Miranda se raidir.

— Bon Dieu, vieux, tu aurais pu me le dire plus tôt, grommela Messerden. J'ai perdu quatre-vingts livres sur toi.

— Je suis sûr que tu peux te le permettre.

Depuis qu'ils se connaissaient, il avait pris cent fois cette somme à Messerden.

— N'empêche, j'aurais aimé que tu me préviennes, insista Messerden sans cesser d'examiner Miranda. J'aurais pu gagner un paquet. Je pensais que celle-ci aurait droit au traitement habituel – bonjour et au revoir.

Jamais Maxime n'avait autant haï cet individu.

— Downing s'achète une conduite, ricana Chatsworth.

Les yeux de Messerden s'étrécirent, puis il eut un sourire rusé.

— Et comment va votre ravissante fille, Chatsworth ?

— Très bien. La fille idéale. Elle a dû quitter la réception Peckhurst un peu plus tôt à cause d'une légère migraine, mais elle va s'en remettre aussi sûr que le soleil se lève tous les matins. Prête à étinceler, comme d'habitude.

Messerden regarda de nouveau Miranda d'un air calculateur que Max n'apprécia pas du tout. Même éméché, Messerden pouvait se montrer perspicace dans les moments les moins opportuns.

Et pour l'heure, il avait la tête d'un homme prêt à engager de nouveaux paris. Combien de temps Miranda durerait ? Quand est-ce qu'elle rencontrerait Charlotte ? Que déclencherait cette rencontre embarrassante ?

Les paris seraient inscrits sur le registre de leur club, le *White*, dès que Messerden y poserait le pied. Maxime avait du mal à se retenir de l'étrangler. Ou de le jeter par-dessus le balcon. Avec, pourquoi pas, Chatsworth pour lui tenir compagnie.

L'autre solution était de cacher Miranda afin de lui épargner les humiliations.

La dissimuler quelque part après avoir joui de sa beauté. Quelque chose en lui mourut à cette idée.

En tout cas, il veillerait à ce qu'elles ne se rencontrent jamais – Charlotte et Miranda. Il ferait en sorte que Miranda ne se flétrisse pas sous un flot de ragots mesquins.

Et il trouverait un moyen pour qu'elle ait aussi farouchement besoin de lui que lui d'elle.

Il se retourna vers Messerden dans l'idée de lui jeter un sort. Il ne laisserait pas ces paris atteindre le *White*.

Peut-être alors que le nœud dans son ventre se desserrerait.

Miranda essayait de ne pas écouter les propos des trois hommes. Le spectacle préliminaire étant sur le point de s'achever, elle chercha sur quoi se concentrer. Elle jeta un œil sur les loges à droite et à gauche, et rougit en voyant un homme et une femme occupés à une entreprise qui aurait dû être un peu plus, eh bien, un peu plus *privée*.

Elle porta le regard sur les loges qui lui faisaient face. Au moins, à cette distance, elle pouvait se dire que quelqu'un prenait son temps pour ramasser un objet tombé sur le sol.

Un éclair bleu attira soudain son attention. Une femme, assise seule dans la pénombre d'une loge. La capuche rabattue sur sa tête ne parvenait pas à dissimuler son port majestueux. Son regard croisa celui de Miranda et elle inclina la tête.

Le monde s'arrêta un instant de tourner. La dernière personne que Miranda s'attendait à voir une nuit où les innocents étaient occupés ailleurs et les roués se dévergondaient à l'Opéra était assise en face d'elle, un loup dissimulant en partie son visage. Méconnaissable, sauf si l'on acceptait l'éventualité qu'elle soit là. Si l'on pensait justement à cette personne.

Charlotte Chatsworth n'avait pas la migraine, finalement. Et elle n'était pas aussi docile que son père le laissait entendre.

Leurs regards se rencontrèrent de nouveau. Le spectacle commença, et une femme se mit à chanter. Le vicomte, Messerden et Chatsworth continuèrent à parler à mi-voix afin de ne gêner personne – ce que faisait quantité de monde autour d'eux.

Durant tout le premier acte, Miranda put à peine quitter des yeux la femme en face d'elle. Laquelle en faisait autant. De temps à autre, Miranda glissait un coup d'œil au vicomte. Et s'efforçait de lui rendre son sourire – un sourire plus intime que jamais – et de ne pas frissonner sous la pression rassurante de ses doigts.

Le rideau tomba, annonçant l'entracte. La femme dans la loge d'en face hocha la tête à l'intention de Miranda puis se leva et franchit la porte derrière elle.

Miranda s'excusa. Le vicomte, toujours en train de converser avec Messerden et Chatsworth, lui adressa un regard interrogateur. Il interromprait sa conversation et l'accompagnerait si elle le désirait. Elle le lisait dans ses yeux. Il quitterait son futur beau-père et irait avec elle.

Elle sentit sa gorge se serrer.

Mais il ne quitterait pas le chemin sur lequel ils s'étaient engagés.

Elle lui sourit, secoua la tête et sortit.

Dans la petite pièce qui leur était réservée de nombreuses dames discutaient, certaines masquées, d'autres pas. Celle que cherchait Miranda était assise, le dos à la porte. Une chaise était libre à côté d'elle.

Miranda s'y installa et regarda sa voisine dans le miroir qui leur faisait face.

Elle était belle. Tout en elle proclamait la fortune et l'éducation. Son élégante cape bleu roi faisait honte aux tenues colorées des autres femmes présentes. Comme si elle n'avait nul besoin de s'embellir. Elle était Charlotte Chatsworth, la coqueluche de la bonne société, un joyau de la plus pure eau.

La capuche était cependant nécessaire, car même elle risquait sa réputation si on la reconnaissait ce soir.

— Bonsoir, murmura enfin Charlotte d'une voix musicale.

— Bonsoir.

Comparée à elle, Miranda se sentait semblable à un bijou en strass. Elle baissa les yeux sur sa robe. Mais non, voyons. Elle releva la tête. Même les femmes les plus élégantes ne dédaignaient pas de porter du strass. On pouvait en jouir avec plus de liberté que du pesant collier de diamants et de saphirs qui ornait le cou de Charlotte Chatsworth, visible dans l'échancrure de la cape.

Ou que de celui que portait Miranda. Elle qui n'était que strass portait un collier de diamants !

Charlotte était sans doute venue directement de la réception des Peckhust.

— Votre collier est splendide, observa Miranda à mi-voix.

— Merci. Je le trouve trop lourd. Le vôtre doit l'être aussi, j'imagine.

Miranda caressa son collier et crut sentir les doigts du vicomte lorsqu'il le lui avait attaché.

Des rires fusèrent derrière elles. Certaines faisaient des plaisanteries osées.

— Vous ne devriez pas être là, remarqua Miranda.

— En effet, acquiesça Charlotte. Mais il fallait que je sache. Que je voie. Avant.

Miranda avala sa salive et détourna les yeux.

— Je suis désolée.

— Pourquoi le seriez-vous ?

— Moi non plus, je ne devrais pas être là.

Mais pour des raisons complètement différentes. Miranda baissa les yeux sur ses gants comme si elle pouvait voir les doigts abîmés par le travail sous la soie. Elle sourit tristement.

— Mais c'est plus fort que moi, semble-t-il.

Charlotte la dévisagea, la jaugeant visiblement.

— Vous l'aimez.

Ce n'était pas une question. Miranda garda le silence.

— Je l'ai vu. À la façon dont vous le regardez.

Elle fixa son propre reflet dans le miroir.

— Ma gouvernante avait été une maîtresse en titre. Secrètement. Dans sa jeunesse. Elle avait toujours l'air mélancolique.

Elle baissa un instant les yeux, puis se tourna vers Miranda.

— Vous savez que nous allons nous marier, n'est-ce pas ?

— Oui.

Charlotte hocha la tête.

— C'est ainsi que cela se passe. Mon père a eu une maîtresse pendant des années. Ma mère... prétend que cela lui était égal.

Elle affichait une expression résignée, mais accablée. Sans doute parce qu'elle savait depuis toujours que tel était le lot des femmes de son milieu.

— Même si je le voulais, je ne pourrais pas vous séparer de lui. Il suffit de voir comment il vous couve du regard. Je voulais vous rencontrer depuis la soirée chez les Hanning. Je vous y ai aperçue. Et je savais que mon père avait ce projet de mariage en tête.

Une femme passa tout près, et elle baissa la tête pour dissimuler son visage.

— Je sais que Downing fera « ce qu'il faut », c'est-à-dire qu'il veillera à ce que nous ne nous rencontrions jamais. S'il s'est comporté comme il l'a fait, c'est en réaction aux excès de ses parents, je le sais.

— Vous le connaissez bien.

Charlotte redressa le menton.

— Non, pas du tout. Mais il est plus facile de lire en lui lorsqu'il vous regarde.

Miranda ne dit rien, car qu'y avait-il à dire ?

— Je voulais juste vous rencontrer, reprit la jeune fille dont le regard était calme, presque neutre. Il m'a semblé que cela pourrait faciliter les choses, vous ne pensez pas ?

— Je ne trouve pas cela facile du tout.

— Certes, admit Charlotte avec un sourire un peu crispé. Mais, moi, je ne l'aime pas. Je le connais à peine. Et je ne présume pas qu'il essaiera de m'aimer un tant soit peu. Il semble que les hommes gardent ces sentiments pour celles qui sont de l'autre côté… je vous envie votre liberté, avoua-t-elle en regardant ailleurs.

Que c'était étrange d'entendre ses propres pensées dans la bouche d'une autre.

— Parfois le spectre de la liberté ressemble davantage à une chaîne.

L'amour, la plus solide de toutes les chaînes.

— Je vois ce que vous voulez dire, répondit Charlotte, bien que je n'en aie pas fait l'expérience moi-même. Et ne le ferai probablement jamais. D'où peut-être l'envie que je ressens de connaître cette chaîne, juste un peu.

Elle se leva.

— Quoi qu'il en soit, pardonnez-moi ma curiosité. Je vous souhaite une bonne soirée, madame.

— Bonsoir, murmura Miranda comme Charlotte s'éloignait.

Lorsqu'elle regagna son fauteuil, la loge d'en face était vide.

Le vicomte lui adressa un regard scrutateur.

— Tout va bien ? s'enquit-il.

Elle s'efforça de sourire. Tentative peu convaincante.

— Tout va très bien. J'attends avec impatience l'acte deux.

En espérant qu'il ne s'achève pas en tragédie.

20

D'aujourd'hui à jamais
Vous êtes ma muse, mon salut,
Ma damnation éternelle.

Maximilian Downing à Miranda Chase
(message jamais envoyé)

Miranda se dégagea des draps froissés et du corps de l'homme endormi près d'elle, et se leva. Une crainte étrange s'était nichée en elle. Attendant que la quille du jongleur tombe. Que la bouilloire s'écrase sur le sol, projetant de l'eau brûlante. La soirée à l'Opéra avait été tendue et épuisante.

Elle regarda Maxime. Voulait-elle cette vie-là ? Si c'était la seule qu'elle puisse avoir avec lui ?

Elle songea à Charlotte Chatsworth. Assise dans la pénombre. Observant sans juger. Allant à l'Opéra pour voir la maîtresse de son futur mari. Pour voir ce que l'avenir lui réservait.

Miranda ramassa le déshabillé sur le petit banc au pied du lit. Elle l'avait déjà vu. Dans « sa » penderie, dans « sa » chambre. Un joli tissu diaphane. Pas comme la robe de chambre de son père. Un vêtement conçu pour le plaisir d'un amant.

Elle noua la ceinture. *Sa chambre.* Pas pour longtemps. Elle ne pourrait pas rester ici. Il lui fallait sa propre maison. Son propre personnel.

Sa gorge se noua. Elle essaya de se détendre. Elle avait accepté d'emprunter ce chemin. Seigneur, la femme qui était sur le point d'accorder sa main à son amant lui avait offert une sorte de bénédiction résignée.

Elle posa la main sur son front. Elle se sentait un peu faible, pour tout dire. Secouant la tête, elle chercha une lampe et de quoi l'allumer. Dans la pénombre, elle frôla la poignée d'une porte. Parfait. Elle ouvrit en tâtonnant, et passa dans la pièce voisine, se rendant compte trop tard que le valet du vicomte devait s'y trouver.

Non, il n'y avait personne. Maxime avait dû renvoyer son valet lorsqu'ils étaient rentrés.

Elle alluma la petite lampe qu'elle avait emportée et se laissa tomber dans un fauteuil. Elle attendrait là que le sortilège cesse, qu'elle soit enfin capable de réfléchir. Car dès qu'il la touchait, toute pensée rationnelle la désertait.

La lumière de la lampe jetait des éclats dorés sur la pièce confortable – le petit salon privé du vicomte, de toute évidence. L'idée qu'elle n'aurait peut-être pas dû se trouver là l'effleura, mais déjà ses pieds l'emmenaient vers les rayonnages couverts de livres, comme mus par une volonté propre.

Cette pièce était le contraire du Salon Rouge. On y sentait de la vie, de la chaleur. Cette facette du vicomte qu'elle retrouvait dans sa correspondance, qu'elle avait entrevue dans sa maison de campagne, et qu'elle voyait parfois sur son visage lorsqu'il était sincère. Lorsqu'il posait sur elle ce regard qui la faisait fondre.

Elle laissa sa main courir sur les reliures de cuir. De belles éditions originales. Des œuvres rares. Des objets personnels. Elle heurta le bord du bureau de la hanche et tendit vivement la main pour rattraper un livre qui menaçait de tomber.

L'élégante écriture penchée qu'elle connaissait bien couvrait le haut d'une feuille qui pointait entre les pages.

Elle s'approcha de la lampe. *Les huit éléments de l'enchantement*, était-il écrit.

C'était là qu'il travaillait. Une étrange palpitation se déclencha en elle.

Bien qu'elle n'en ait pas eu besoin, la confirmation de ses suppositions était devant elle. Telle une gamine indisciplinée – sa mère le lui avait seriné, on ne fouine pas dans les affaires d'autrui –, elle céda à la curiosité et ouvrit le livre. D'autres feuilles y étaient glissées. Des brouillons. Il n'y avait que deux « éléments », comme si les six autres n'avaient pas encore été créés. La fine écriture penchée courait sur les pages avec des questions dans les marges.

Acceptera-t-elle si tu commences par lui proposer un défi ? Elle a hardiment relevé le pari.

Guette dans ses yeux le regard qui dira que tu as gagné.

Dénuder ses mains.

Elle fronça les sourcils. Qu'est-ce que c'était que cela ? Elle s'attendait à découvrir le matériau d'une nouvelle œuvre et voilà qu'elle trouvait dans les marges le détail de sa conquête. Des lignes et des lignes racontant comment il s'y était pris. La plume et l'encre, ses outils pour mener la danse.

— Miranda ?

Elle entendit ses pieds nus fouler le tapis.

— Qu'est-ce que...

Il s'arrêta net lorsqu'il vit ce qu'elle tenait à la main.

— Je peux expliquer, reprit-il vivement.

— Je ne crois pas que ce soit nécessaire.

Était-il étrange qu'elle se sente si froide ? Si calme, si détachée ?

Il lui prit les feuillets.

— C'est vieux, dit-il.

— Cela ne m'a pas paru si vieux.

Cette voix lointaine sortait-elle de sa bouche ?

— Je...

— Pourquoi ?

La glace s'insinuait dans ses os. En même temps que le soulagement à l'idée qu'ils allaient enfin parler franchement, mettre fin aux secrets et aux mensonges.

— Parce que je le devais, dit-il d'une voix où perçait une pointe de désespoir qui ne lui ressemblait guère.

— Vous deviez me ridiculiser ? Me rendre confuse de huit façons jusqu'au dimanche et revenir en arrière ? Me faire douter de mon propre jugement ? Je vois, fit-elle en haussant un sourcil. J'attendais une réponse poétique du vénérable Eleuthérios. Ou au moins une repartie acerbe de M. Pitts.

Le visage du vicomte reflétait un mélange d'émotions difficiles à identifier – en dehors du fait qu'il semblait sous le choc.

— Ce n'était pas pour vous ridiculiser. Je voulais vous insuffler une certaine confiance en vous. Et... être moi-même.

Les mots ricochèrent sur la glace. Elle caressa son menton rugueux, puis laissa tomber sa main.

— Vous m'avez utilisée. Je m'en doutais, mais j'ignorais à quel point.

— Je peux vous expliquer.

— C'est inutile. Je suis juste idiote d'avoir pensé durant quelques jours que ce serait amusant.

Elle resserra les pans de son déshabillé, et regagna la chambre.

— Il faut quand même que je vous explique, je... Attendez. Vous saviez.

Il la fit pivoter face à lui.

— Vous *saviez*.

— Je savais que vous vous moquiez de moi. Je le sais depuis le bal chez les Hanning. En revanche, j'ignorais que vous agissiez ainsi afin de vous procurer un nouveau matériau.

— Ma bibliothèque, fit-il, comme si une pièce manquante se mettait soudain en place.

— Oui, votre précieuse bibliothèque.

Et d'autres choses, qu'elle n'avait pas envie de révéler pour le moment.

— Elle y survivra, je vous rassure, reprit-elle. Je n'ai mélangé que quelques sections. Rien que vous ne puissiez rectifier. D'autant que c'est vous qui avez créé le désordre au début.

Il sourcilla.

— J'avais besoin que vous ayez quelque chose à faire.

— Vous ne pouviez pas laisser votre sujet d'étude s'éloigner.

— J'ai décidé de ne pas écrire de suite, déclara-t-il en plongeant son regard dans celui de la jeune femme. Après la première semaine.

— Pourquoi ? Vous devriez, dit-elle en désignant les feuilles qu'il avait gardées à la main. Tout est là. Je suis sûre que vous en tirerez une petite fortune. Il

est même probable que j'en achèterai un exemplaire, idiote que je suis, acheva-t-elle en récupérant
ses vêtements.

— Que faites-vous ?

Maintenant que l'émotion ne brouillait plus son
jugement, maintenant que le désir d'être avec lui
coûte que coûte ne l'obsédait plus, la route qui
l'attendait à ses côtés se déroulait devant elle, glaciale. Et la colère froide rendit plus facile le premier
pas hors de cette route.

— Je m'en vais, répondit-elle, ses vêtements serrés
contre elle. Bonsoir, Votre Seigneurie.

— Vous partez ?

— Oui. Bonne chance pour votre mariage, dit-elle
en le contournant.

Il se mit en travers de son chemin.

— Vous partez ? Vous renoncez ?

— Je ne renonce pas. Je vais de l'avant. Peut-être à
Paris. Comme vous me l'avez conseillé.

— Je croyais que vous m'aimiez, articula-t-il.

Et il y avait dans sa voix de l'amertume et de la
déception. Comme s'il s'était attendu qu'elle le quitte
un jour, et que ce moment était venu.

Elle le regarda. Un calme étrange l'envahit, atté-
nuant sa colère.

— Je vous aime. J'aime tous les personnages qui
composent l'homme divisé que vous êtes.

Il ne dit rien. Ses lèvres pincées formaient une
ligne dure.

— Et c'est pourquoi je pars. Si je reste, je ne serai
jamais qu'un baume pour vous. Pour moi. Pas un
remède. Ni une panacée. Vous attendrez toujours
que je vous quitte. J'attendrai toujours que vous vous
lassiez de moi.

Elle tourna les talons. Deux mains lui firent faire volte-face. Ses vêtements lui échappèrent des mains, se mêlèrent aux papiers éparpillés sur le sol. Des lèvres brûlantes se pressèrent sur les siennes, et elle y réagit, malgré elle. Le calme étrange persistait cependant.

Il la poussa sur le lit.

— Le mariage ne modifierait pas cela.

— Non, souffla-t-elle en se cambrant à sa rencontre. Pas ce que nous éprouvons maintenant.

— Je ne vais pas changer, lui murmura-t-il à l'oreille.

Je ne peux pas changer. Ses lèvres aspirèrent la peau tendre du cou de Miranda. Demain matin, elle aurait des marques.

Elle inclina la tête pour lui permettre l'accès. Qu'il lui laisse un ultime souvenir.

— Je sais. C'est pour cela que je n'ai pas le choix.

Les mains de Maxime encadrèrent son visage, et ses pouces lui caressèrent les joues.

— Vous ne pouvez pas être heureuse avec ce que je suis ? Et qui est tout ce que je suis capable d'offrir ? Que je n'ai *jamais* offert à personne ?

Les mots « heureuse avec moi » n'avaient pas été prononcés, mais ils résonnèrent tout de même dans le silence qui suivit.

— Votre mère n'a pas réussi à le supporter.

Les yeux de Maxime s'assombrirent.

— La situation de ma mère était différente.

— Différente, oui, mais était-elle pire ?

— Je ne suis pas mon père.

— Non, en effet, dit-elle en caressant la main qu'il maintenait contre sa joue.

— Je ne peux penser qu'à vous.

— Mais ce n'est pas suffisant, n'est-ce pas ?

Il bascula sur le dos sans la lâcher. Les doigts de Miranda s'enfoncèrent dans ses épaules.

Il s'arqua sous elle, lui agrippant les hanches pour se souder à elle.

— Cela peut l'être.

Elle se dégagea et s'assit au bord du lit, le dos tourné, s'efforçant de reprendre son souffle.

— Restez avec moi, dit-il d'une voix calme.

Elle baissa les yeux sur ses mains. Des mains d'ouvrière, tachées, crevassées.

— J'ai rencontré Charlotte Chatsworth. Je pense que vous pouvez être heureux avec elle.

L'admettre était douloureux.

— Restez avec moi, répéta-t-il.

— Vous serez marié. Vous aurez des devoirs envers votre femme. Envers vos enfants, murmura-t-elle en fermant les yeux.

Alors que l'idée d'épouser le vicomte, tellement hors de portée, ne l'avait jamais effleurée, épouser M. Pitts, son confident... épouser Eleuthérios qui lui écrivait de si jolies choses... ne lui apparaissait pas radicalement impossible.

Regarder de loin gambader les enfants de Maxime tout en affichant un air heureux, éviter Charlotte, Charlotte l'évitant... C'était parfaitement acceptable pour des tas de femmes. Et soudain parfaitement inacceptable pour elle.

Elle se leva et s'éloigna du lit. De lui.

— Non, je ne peux pas.

Elle le regarda, agenouillé sur le lit, et la vue de ce si beau et si douloureux visage faillit la faire revenir sur sa décision.

— Je suis désolée, souffla-t-elle. Je ne peux pas.

— Et si je vous dis que... si je vous dis que je vous aime ?

Ces mots causèrent en elle une indicible souffrance.

— Je...

Ses pensées s'affolèrent. Pourquoi ne pas se satisfaire de ce qu'il lui offrait ? Pourquoi ne pas saisir ce cadeau ? Elle recula en chancelant.

— Je... je dois partir.

— Miranda.

La douleur dans sa voix la fit s'arrêter à la porte. En cet instant, il lui était possible de croire qu'il l'aimait. Qu'elle pourrait l'entendre lui chuchoter ces mots soir après soir. Qu'elle pourrait avoir des enfants de lui, les élever dans un manoir à la campagne, et que ces enfants ne souffriraient des ragots que lorsqu'ils en viendraient à faire leur chemin dans le monde. Peut-être même l'aurait-il rendue respectable, avec tout ce que cela comporte de fortune et de relations choisies, tenant sa propre cour à l'écart de celle de Charlotte Chatsworth, non de *lady Downing*, vers qui le vicomte devrait toujours revenir.

— Je vous aime, vous le savez, articula-t-elle sans le regarder. Sous tous vos déguisements, avec vos qualités et vos défauts. Jamais je n'ai été aussi sûre de quelque chose.

— Miranda.

Elle était toujours incapable de le regarder. Fermant les yeux, elle posa la main sur la poignée de la porte et l'entrouvrit.

— Mais il y a une autre chose dont je suis sûre, c'est que je dois partir. J'irai peut-être à Paris. Voir ce dont je me suis contentée de rêver. Peut-être, peut-être vous reverrai-je à mon retour.

C'était une question. Un chagrin. Un vœu.

Elle posa les doigts à la jointure de la porte, là où le bois faisait saillie, séparant les espaces – les couloirs pour les domestiques, les pièces pour les maîtres.

— Adieu, Maxime, murmura-t-elle.

Et elle franchit le seuil pour gagner le couloir.

21

Secret n° 7 : Tournez la clef. Ouvrez et emparez-vous du trésor qui se trouve à l'intérieur. Et une fois la clef trouvée... ne la lâchez plus.

Les sept secrets de la séduction

La lumière du matin inondait la salle déserte. Les Parisiens ne fréquentaient pas les musées de si bonne heure. Elle avait découvert qu'arriver à l'ouverture était le meilleur moment. La lumière était douce, les bancs disponibles, l'atmosphère calme et sereine.

Cela faisait un mois qu'elle était à Paris. Un mois étrange. À l'introspection et aux regrets du début avait succédé la détermination, et elle s'était mise à songer à son avenir.

Des cours d'alphabétisation trois fois par semaine dans l'arrière-boutique de son oncle – où des travaux étaient déjà en cours grâce à l'annexion du magasin voisin – étaient déjà prévus. Il n'avait pas été difficile de trouver quelqu'un pour financer le programme. Les cours seraient gratuits et ouverts à tous. Miranda savait que Galina serait la première à se présenter.

Assise sur une banquette, elle caressa du pouce le parchemin parfumé à la bergamote qu'elle tenait sur ses genoux. D'autres lettres étaient posées à côté d'elle, non pas de trois mains, mais d'une seule. Associant tous les hommes qu'elle aimait en un seul et rendant de plus en plus pénible de rester au loin.

Des questions avaient reçu leurs réponses, mais il y en avait d'autres qu'elle n'avait pas osé poser.

La plume de Miranda n'avait jamais autant couru sur le papier, et ses yeux n'avaient jamais dévoré autant de mots que ces dernières semaines.

Les lettres étaient pleines d'amertume au début.

Je ne peux m'excuser de tout. De vous avoir savourée, possédée. Et de vous avoir prise de toutes les manières possibles. Mais pour les mensonges et les demi-vérités, les leurres et les silences, pour avoir essayé de vous garder de l'unique manière qui, selon moi, pouvait durer, je poserais la tête sur le billot si je pouvais ainsi obtenir votre pardon.

Puis d'autres avaient suivi, sur le ton de la conversation, mais tout aussi personnelles.

J'ai parlé au marquis ce soir. Il a avoué qu'il savait depuis des mois qui était l'auteur du livre et a déclaré qu'il était enchanté. Nous avons partagé une bouteille de porto et mère nous a rejoints quand elle a vu que c'était avec moi qu'il discutait dans son cabinet de travail. Ils ont décidé de faire un voyage en mer. De s'arrêter dans chaque port et de partir à la découverte. Le marquis semblait penser que vous pourriez trouver cette nouvelle amusante. Pourquoi, je n'en ai aucune idée, mais il arrive que ses pensées s'égarent…

Puis :

Mon amour. Mon salut.

Elle leva les yeux de cette dernière lettre. Elle devait garder la tête froide. Elle ne pouvait voler en éclats à tout propos. Et surtout pas maintenant, après les dernières nouvelles reçues.

Elle était informée des événements de Londres dans la mesure où on pouvait l'être en vivant si loin. Georgette lui avait écrit tout de suite après son départ, et la tenait au courant de ce qui se passait en ville. Tout en l'encourageant à aller de l'avant, en amie loyale.

Son oncle l'avait chargée d'aller voir les quelques personnes avec lesquelles il était en affaires et de lui dénicher de nouveaux livres. Elle lui avait écrit pour le mettre au courant de ses démarches, puis lui soumettre ses projets concernant les cours d'alphabétisation et l'agrandissement de la boutique. Il avait répondu en acquiesçant et en truffant ses missives de bribes d'informations décousues qu'elle n'aurait pu glaner ailleurs.

Les dames de son club du livre et ses amies du voisinage, encore sous le coup de son départ subit, lui écrivaient aussi.

Et puis… Georgette lui avait fait parvenir un article du *Daily News*. La lettre qu'elle tenait à la main avait suivi. Une lettre au contenu ahurissant qu'elle ne comprenait pas encore très bien.

Elle entendit des pas approcher, martelant les dalles de marbre. Un parfum de bergamote lui effleura les narines. Un calme étrange l'enveloppa en dépit des battements accélérés de son cœur. Le tableau devant elle se brouilla et parut s'illuminer.

Miranda regardait fixement devant elle. Elle perçut une présence caressante dans son dos, réveillant le souvenir de choses délicieuses. Le désir courut sous sa peau.

— Alors, que pensez-vous de ce musée ? De Paris ? s'enquit une voix un peu rauque.

Non pas la voix d'un noceur qui se serait couché à l'aube après une nuit de débauche, mais celle d'un homme qui avait voyagé toute la nuit sans fermer l'œil. Un voyageur pressé d'arriver.

— Je pense que j'aurais dû venir plus tôt, répondit-elle tranquillement.

Il se planta à côté d'elle, tout de noir vêtu avec juste la touche de blanc habituelle. Le plus bel homme qu'elle ait jamais vu.

— Je me disais la même chose, fit-il. Bien qu'à vouloir bondir sur ce que je désirais le plus, j'ai failli tout détruire. Et l'attente a été mon châtiment.

— Avez-vous vu celui-là ? demanda-t-elle en désignant le tableau devant eux.

— Quand je faisais mon Grand Tour, j'ai dû le contempler un millier de fois.

— Vous avez dû vous en lasser, alors.

— Non. Chaque fois je lui découvre de nouveaux attraits, déclara-t-il en lui effleurant les cheveux.

Elle baissa les yeux une seconde, puis les releva. Et posa la question qui la taraudait depuis qu'elle avait lu l'article que lui avait envoyé Georgette.

— Votre mariage ?

Il s'assit à côté d'elle et lui caressa la joue.

— Je ne vais pas épouser Charlotte Chatsworth.

— Non ?

Son cœur s'emballa. Les rumeurs disaient donc vrai. Elle avait eu peur de lui poser la question par écrit. Et puis, la dernière lettre qu'il lui avait envoyée…

— J'ai froid pour deux. J'ai besoin de quelque chose de chaud pour me réveiller le matin.

Il glissa l'index dans une boucle qui rebiquait sur la tempe de Miranda.

— Des lits séparés sont une tradition consacrée, observa-t-elle.

— J'ai toujours détesté l'idée de lits séparés.

— Oh ? Qu'allez-vous faire alors ?

— Je suppose que je vais devoir épouser quelqu'un auprès de qui j'aimerais à me blottir chaque matin. Quelqu'un dont je ne pourrai me passer avant le petit-déjeuner. Ni dans la matinée. Vers qui je reviendrai en courant après chaque rendez-vous à l'extérieur. Que j'aurai envie d'enfermer, non pas pour cacher quoi que ce soit, mais pour l'avoir à moi tout seul. Pour contempler tout mon soûl son visage bien-aimé et l'entendre murmurer à mon oreille.

— Cela a l'air… divin, souffla-t-elle.

— Alors, je dois être en train de parler de vous.

Ses lèvres frôlèrent celles de Miranda. Douces, chaudes. Elle faillit fondre en larmes tant son émotion était grande.

— Vous n'imaginez pas ce que j'ai enduré ces dernières semaines

— Oh, je l'ai enduré aussi.

Il lui toucha le menton.

— Si vous aviez décidé de garder le silence, de ne pas répondre à mes lettres, je ne sais pas ce que j'aurais fait.

— Je n'ai jamais eu de mauvaises intentions envers vous, déclara-t-elle, la gorge serrée. Je suis partie parce qu'il le fallait. Parce que j'en avais besoin. Et vous aviez besoin que je le fasse.

— Je sais, murmura-t-il en fermant les yeux. Je ne peux vous dire ce qu'a été l'attente entre ma première lettre et votre réponse.

— Vous avez envoyé votre propre courrier, fit-elle en haussant un sourcil. Ce garçon a traîné autour de la maison pour voir si j'allais à la poste. Quand je suis sortie, il a proposé d'emporter tout ce que je voulais, gratuitement.

— Je… je n'ai pas d'excuse.

— Je lui ai déclaré sans détour que j'allais répondre. Je dois dire qu'il m'a amusée. Il m'a empêchée de penser à ce que j'avais fait, à l'audace que j'avais eue de partir, à l'angoisse de me réveiller dans une ville inconnue. Il me rappelait la maison.

— Je vais penser à augmenter ses gages.

Il souriait, mais sa voix était sincère.

— Je suis heureuse que vous soyez là.

Il lui caressa la joue.

— Moi aussi. Avez-vous répondu à ma dernière lettre ?

Elle sentit sa gorge se nouer. Bouleversée, soulagée, ahurie de constater qu'elle avait bien lu.

— Je ne l'ai reçue qu'il y a une heure.

— C'était il y a une éternité.

— Vous l'avez postée de Paris.

— Oui, reconnut-il en s'emparant de sa main. Je l'ai écrite pendant le voyage. Je devais savoir. Je ne pouvais plus attendre. Je vous aime, Miranda.

— Moi aussi, je vous aime, Maxime.

Elle prit l'une des feuilles posées à côté d'elle. Celle qui portait sa réponse. *Oui*.

— Emmenez-moi au cirque Diamant, puis rentrons à la maison, vous voulez bien ?

Sans un regard pour la feuille, il sourit.

— Avec plaisir, et pour toujours.

Découvrez les prochaines nouveautés
des différentes collections J'ai lu pour elle

AVENTURES
&PASSIONS

Le 4 juillet

Inédit   *Les insoumises - 4 - Daphné* ☙
Madeline Hunter

Pourquoi Daphné Joyes répondrait-elle aux avances de l'arrogant duc de Castleford ? Au diable les hommes dans son genre ! Enfin, c'est ce qu'elle pensait. Car si incroyable que cela puisse paraître, Castleford et Daphné ont un point commun qui ne tarde pas à les rapprocher : la haine qu'ils vouent au duc de Becksbridge. Une haine qui donne bientôt naissance à une alliance des plus… sensuelles.

Inédit   *Mademoiselle la curieuse* ☙   **Julia Quinn**

À Londres, les rumeurs vont bon train. Qu'attend lady Olivia Bevelstoke pour se marier ? En réalité, Olivia a bien d'autres préoccupations en tête et mène des activités passionnantes. Comme espionner depuis sa fenêtre son nouveau voisin, l'intrigant Harry Valentine qui aurait, dit-on, assassiné sa fiancée…

Le trésor de la passion ☙   **Leslie LaFoy**

Barrett Stanbridge, accusé à tort d'avoir assassiné sa maîtresse, doit impérativement prouver son innocence. Quand la cousine de la défunte frappe à sa porte, lui affirmant posséder cette preuve, Barrett reste coi. Isabella est particulièrement séduisante et son étrange histoire de carte au trésor éveille en lui une grande curiosité. Puisque Isabella est la seule capable de l'innocenter, Barrett n'a pas le choix : il l'accompagnera à la recherche de ce fabuleux trésor.

Le 11 juillet

Le 4 juillet

CRÉPUSCULE

Le 11 juillet

PROMESSES

Inédit   *Toquée de toi* ∽   **Louisa Edwards**

À 17 ans, Juliet Cavanaugh s'est retrouvée à la rue. Par chance, elle a trouvé refuge dans la famille Lunden, propriétaire d'un restaurant. Aujourd'hui, Juliet est un chef cuisinier de talent mais le Lunden & Sons Tavern connaît des jours difficiles. Pour relancer l'affaire, le restaurant est inscrit au célèbre show télévisé « The Rising Star Chef ». Et c'est Juliet qui y participera… au côté de Max, le fils aîné des Lunden, sur qui elle craque depuis toujours !

Les Kendrick et les Coulter - 3 - Libre d'aimer ∽
Catherine Anderson

Durant dix années, Molly Sterling a vécu sous le joug d'un mari qui la tyrannisait. Apeurée, elle s'enfuit, emportant avec elle Sonora Sunset, un magnifique étalon grièvement blessé que Rodney violentait sans cesse. Elle trouve refuge au ranch de Jake Coulter. Mais sa fuite et le vol du cheval sont des délits qui la mettent en grand danger. Jake, saura-t-il la protéger de Rodney, lancé à ses trousses ?

Et toujours la reine du roman sentimental :

Barbara Cartland

« Les romans de Barbara Cartland nous transportent dans un monde passé, mais si proche de nous en ce qui concerne les sentiments.
L'amour y est un protagoniste à part entière : un amour parfois contrarié, qui souvent arrive de façon imprévue.
Grâce à son style, Barbara Cartland nous apprend que les rêves peuvent toujours se réaliser et qu'il ne faut jamais désespérer. »
Angela Fracchiolla, lectrice, Italie

Le 4 juillet
Un soupirant bien encombrant

Le 11 juillet
La fugue de Celina